KB194338

교양 심리학
# 좋은 관계가 행복을 약속한다

교양 심리학

# 좋은 관계가 행복을 약속한다

인 쇄  2024년 8월 1일
발 행  2024년 8월 5일

저 자  이종목

발행인  김광석
발행처  전남대학교출판문화원
등 록  1981. 5. 21. 제53호
주 소  61186 광주광역시 북구 용봉로 77
전 화  (062) 530-0571~2
마케팅  (062) 530-0573
팩 스  (062) 530-0579
홈페이지  http://www.cnup.co.kr
이메일  cnup0571@hanmail.net

값  20,000 원

ISBN  979-11-93707-52-4 (03180)

# 좋은 관계가
# 행복을
# 약속한다

교양
심리학

이
종
목 지음

전남대학교출판문화원

🌿 우리는 한강의 기적을 이루면서 경제적으로 세계 선진국 대열에 올라섰다. 그런데 매년 UN이 발표하는 세계 행복 순위에서 우리의 행복 순위는 50~60위권으로 겨우 중진국 수준에 머물러있다. 우리는 건강하게 오래 사는 기대수명이 세계 3위이고 1인당 경제력이 25위에 있지만, 부정부패 지수는 88위이고, 힘들고 어려울 때 서로 의지할 수 있는 사회적 지원체제는 83위이고, 논쟁적인 사안을 처리할 때 사회적인 눈치를 보아야 하는 선택의 자유권은 99위에 올라 있어서 행복 순위에서 중위권에 머무를 수밖에 없는 실정이다.

세계에서 7년 연속으로 가장 행복한 나라로 선정된 핀란드는 외적 요건인 기대수명(19위)과 1인당 경제순위(19위)에서 우리보다 오히려 순위가 낮거나 비슷하지만, 내적 요인인 사회적 지원(2위)과 선택의 자유(2위)에서 세계 최정상에 있고, 부정부패(112위) 수준은 우리가 훨씬 높다. 행복 선진국 핀란드는 우리보다 사회적 관계를 풍부하게 유지하고 각자 개인의 권리를 존중하는 사회에서 살고 있다.

부정부패 순위에서 한국(52위)은 일본(51위), 필리핀(53위), 베트남(54위) 등과 비슷한 순위로 높은 편이다. 외적 경제적인 측면에서는 세계 선진국 위치에 올라 있지만 사회적 관계를 중심으로 하는 마음가짐이라는 인간적인 내적 측면에서는 아직도 중진국 수준에서 벗어나지 못하고 있다.

우리 말에 수신제가치국평천하(修身齊家治國平天下)라는 말대로 자기 자신과 "좋은 관계"를 갖지 못한 자아관으로 수신(修身)도 하지 못하면서 섣부르게 천하를 평정하려는 마음만 큰 것은 아닌지 묻고 싶다. 논어(論語)에 군자구제기(君子求諸己) 소인구제인(小人求諸人)이라는 말이 있는데, 인간관계에서 자기의 책임을 중요하게 생각하라는 의미를 강조하는 글로서, 군자는 모든 원인을 자신에게서 구하고, 소인은 모든 원인을 남에게서 구한다는 뜻으로 이를 해석하면 군자는 자기 자신에게서 모든 책임의 원인을 묻지만, 소인은 모든 책임을 남에게서 찾으려 한다는 의미다.

장자(莊子)도 우환을 외부에서 오는 인도지환(人道之患)과 인간내부에서 일어나는 음양지환(陰陽之患)으로 구분하고 있는데, 우리의 입장으로 해석하면 경제적인 외적 조건인 외부에서 오는 우환은 치료했으나, 우리 내부에서 일어나는 문제는 해결하지 못하고 있다. 내부적인 질환을 치료하려면 우선 내가 자신의 자아관, 가치관을 긍정적으로 관계를 맺은 후 인간관계와 환경과의 관계뿐 아니라 하늘과의 관계에서도 긍정적으로 "좋은 관계"를 맺어야 행복하게 살아갈 수 있다. 괴테는 일찍이 행복하기 위해서는 재(材)테크보다는 우(友)테크에 신경을 쓰라며 사람과의 "관계"를 중시했다.

우리가 행복하게 살아가기 위한 조건으로 부모를 통한 가정교육, 선생님을 통한 학교 교육을 통해서 내가 나와 "좋은 관계"를 맺는 인성 교육을 긍정적으로 잘 받게 되면, 사회에 진출해서도 계속해서 인간관계를 좋게 맺을 수 있고, 살아가는 환경과의 관계도 긍정적으로 맺을 수 있어서, 마침내 하늘과의 관계도 긍정적으로 좋은 관계를 맺으며 행복한 삶을 살아갈 수가 있다. 그런데 우리는 잘못된 이기주의로 사람과는 물론 환경과도 싸움만 하며 살고 있다.

이 책을 통해서 이러한 나와 나의 관계, 인간과의 관계, 환경과의 관계 그리고 하늘과의 관계에서 사용하는 우리의 전통적인 가치관과 습관에 대해서 알아보고, 행복 선진국에 비해서 이러한 가치관이 우리를 행복으로 이끄는데 얼마만큼의 영향을 미치며 진정한 행복을 위해서 우리는 어떠한 관계의 가치관으로 삶을 살아가야 할지 하는 문제에 관해 생각하는 실마리를 만들어보려고 한다.

육체적으로나 정신적으로 쇠약해진 조건에서도 좋은 책을 쓰려고 최선의 노력을 쏟았으나 미흡한 부분이 많을 것으로 생각한다. 그렇지만 옆에서 좋은 책이 되도록 종합적으로 감수하고 조언을 아끼지 않은 해병학교 동기 김양일(金亮一) 박사의 도움을 진심으로 감사하게 생각한다. 그리고 원고의 컴퓨터 작업에서부터 출판에 이르기까지 모든 행정 업무를 맡은 나의 사랑하는 아들 한국교원대학교 이세연(李世淵) 교수에게도 고마움을 표한다. 끝으로 이미 나의 제2의 고향이 된 전남대학교 제자들과 함께 "좋은 관계"를 맺으며 행복하게 살아가기 위해 이번에는 나의 몫으로 한 번 더 1억 원의 장학기금을 기부하면서 80을 넘어 병고와 함께 살아가는 내 삶의 큰 짐 하나를 내려놓으려 한다. 그리고 이 책의 출판을 기꺼이 허락하신 전남대학교출판문화원에도 깊은 감사를 표한다.

2024년  8월

설봉(雪峰)  이종목(李鐘沐)

# 차례

 제1장

# 우리들의 자아관 현상과 가치관 특징

제2장

# 사람과의 관계

 제3장

# 환경과의 관계

제4장

# 하늘과의 관계

인간이 행복(幸福)의 문제에 관심을 가지기 시작한 것은 아주 오래전부터 있었던 일이지만, 세계인의 행복을 객관적으로 수량화하여 서로 비교하기 시작한 것은 최근의 일로서 이제 겨우 10여 년이 흘렀다. 국제연합UN이 2012년에 매년 3월 20일을 "국제 행복의 날"로 제정하고, 자문기구인 "지속발전가능해법네트워크SDSN"에서 전 세계 150여 국가를 대상으로 각국의 행복 수준을 조사하여 "세계 행복보고서World Happiness Report를 발표하고 있다.

2023년도 행복 보고서(2024)를 보면 핀란드, 덴마크, 아이슬란드, 스웨덴, 이스라엘, 네델란드, 노르웨이, 룩셈부르크, 스위스 등 북유럽 국가가 상위에 올라 있다. 한국은 2021년에 62위(5.845점), 2022년에 57위(5.935점)에 이어 2023년에는 52위(6.058점)로 3년 연속 상승세에 있다. 2017년부터 2023년까지 순위를 보면 56위, 57위, 54위, 61위, 62위, 57위, 52위의 순위에 있다.

아시아에서는 싱가포르(30위)가 가장 행복한 국가로 선정되었으며 다음으로 대만, 일본, 한국, 필리핀, 베트남, 태국, 말레이시아, 중국이 뒤를 잇고 있다. 그러나 OECD 38개 국가 중에서는 한국이 35위로 최하위 수준으로 우리보다 낮은 OECD 국가는 그리스, 콜럼비아, 튀르키예 등 3개국뿐이다. 대학의 평점으로 알기 쉽게 100

점 만점으로 환산한다면 우리의 행복학 점수는 60점을 겨우 넘어 과락을 면한 수준이다.

세계 경제 강국에 오른 국가 중에서 역사상 단 한 번도 다른 나라를 침략해 본 적도 없이 유일하게 자력으로 경제력을 부흥시킨 대한민국은 이미 세계 10대 경제 강국에 올라 있고, 세계 정상의 의료시설로 세계 최장수 국가가 되었고, 세계 최고의 대학 진학률을 자랑한다. 세계 109개 국가 지능지수(IQ) 순위에서 5위에 올라 있는 가장 똑똑한 국가이며, 중고등학교 학생들도 OECD 36개국을 포함한 64개국을 대상으로 조사한 국제학업성취도 평가PISA: Program for International Student Assessment(2023)에서 최상위 성적은 물론이고, 창의적 사고력에서도 1위를 차지했고, 학교생활에 대한 전반적인 만족도에서도 상위권에 속해 있지만, 학생들의 행복도는 겨우 22%로 OECD 국가 중에서 최하위 수준에 있다. 세계 최고의 경제국가, 세계 최고의 장수국, 세계 최고의 의료시설, 세계에서 가장 똑똑한 나라, 세계 정상의 학업성취도 등등에 올라 있으면서도 세계 행복수준은 겨우 중위권에 머물러있는 이유가 무엇인지 놀랍기도 하고 궁금하기도 하다.

우리 문화권이 행복을 말할 때는 보통 유교 5대 경전 중 하나인 서경(書經)에 나오는 수(壽), 부(富), 강녕(康寧), 유호덕(攸好德), 고종명(考終命) 등 오복을 말한다. 장수하는 것(壽), 재산이 넉넉한 것(富), 육신이 건강하고 마음이 편한 것(康寧), 덕을 좋아하는 것(攸好德), 그리고 명대로 편히 살다가 죽는 것(考終命)을 오복이라고 한다.

이러한 오복의 내용을 자세히 보면 첫째로 눈에 잘 띄는 "건강하고 부유하게 오래 사는 것"과 둘째로 눈에 잘 띄지 않는 "덕과 예의를 갖추고 마음 편히 사는 것"으로 나누어 볼 수 있다. 이러한 두 가지 삶의 목표는 지극히 평범하고 정상적인 우리들의 삶의 목표이고 희망이다. 그래서 우리는 열심히 살아 온 덕에 눈에 띄는 첫 번째 목표인 "건강하고 부유하게 오래 사는 목표"는 이루어 냈다. 즉 경제 발전으로 만족스러운 먹거리와 의료 서비스의 발전으로 장수하는 분야에서는 이미 선진국 대열에 올랐다.

그러나 두 번째 목표인 "덕과 예의를 갖추고 마음 편히 사는 목표"를 이루지 못했기 때문에 행복 수준은 세계에서 중위권에 머물러있다. 다시 말하면 물질적이고 생물학적인 환경 조건은 바라는 만큼 이루었으나 정신적 심리적인 마음의 관리는 아직도 미숙한 수준에서 벗어나지 못하고 있다. 마음은 마치 물과 같아서 마음이 탁하면 잘 보이지 않지만, 물이 맑으면 아무리 물이 깊어도 훤히 잘 보일 수 있으므로 마음 관리를 잘해야 한다.

영국의 신경제재단NEF은 세계에서 최고로 행복한 나라는 중국과 인도 사이 히말라야산맥 동쪽에 위치한 부탄Bhutan이라는 작은 나라라고 발표했다. 보이지 않는 마음만을 기준으로 조사하면 세계 어느 나라도 부탄을 넘볼 나라가 없다는 의미다. 이렇게 볼 때 우리는 보이지 않는 마음만을 기준으로 행복 수준을 조사하면 세계 60위권에도 훨씬 못 미치는 낙제 등급을 받을 것으로 추측된다. 우리의 탁한 마음을 얼마나 맑게 바꾸는가 하는 것이 앞으로 행복한 선진국으로 가는 결정적인 열쇠가 된다고 생각하게 된다.

행복은 육체적인 조건과 정신적인 조건에 모두 만족함을 느낄 수 있을 때 비로소 행복을 경험할 수 있다. 즉 행복의 조건은 심신일체

(心身一切)의 조화로 만족감과 감사함을 느껴야 한다. 입으로만 감사하고 머리로만 만족감을 느끼는 행복이 아니라 진심으로 가슴과 함께 행복감을 느껴야 한다. 머리와 가슴의 거리는 물리적으로 30cm 정도 떨어져 있지만 머리로 느낀 행복감을 가슴과 함께 행복감을 느끼기 위해서는 30~40년 이상 오랜 세월을 거쳐야 하는 삶의 경험과 수련이 필요하다.

이런 의미에서 볼 때 현재 우리는 겨우 행복의 사다리 중간 정도에 올라 있을 뿐으로, 아직도 더 올라야 할 목표가 우리를 기다리고 있음을 알아야 한다. 그런데 우리는 안타깝게도 부자가 되어 오래 사는 것이 행복의 전부인 양 부귀를 손에 쥐고 장수하는 것에만 집착하면서 살아왔다. 그래서 우리는 이제 부자가 되고 높은 자리에 올라 출세하며 오래 살게 되어서 이제는 복 많이 받고 행복하게 살게 되었다고 착각하면서 살고 있다.

그러나 행복한 삶을 위해 아직은 후진성을 벗지 못하고 있는 "예의를 갖추고 심리적으로 마음 편히 살기 위해서" 그동안 부귀영화에 쏟았던 노력을 마음 관리에도 전력 집중해야 한다. 그래야 진정한 행복 선진국 대열에 올라설 수 있기 때문이다. 사실 우리는 지금까지 지나치게 일에만 집중하는 성취 지향적으로 살아왔다. 죽기 살기로 오로지 부자가 되고, 높은 자리에 오르는 것에만 집착하는 그런 목표지향적인 삶을 살아왔다.

그런데 행복은 삶의 목표를 이루어 내는 결과가 아닌 과정에서 느끼는 즐거움, 의미, 보람, 만족, 기쁨, 뿌듯함, 사랑과 같은 감성적 정서 상태를 느끼면서 얻어지는 것이다. 행복은 삶의 목표도 욕망도 아닌 삶의 과정에서 느끼는 순수한 감성적 정서 상태다. 즉 행복이라는 감성적 느낌은 단순한 장수, 건강, 성취, 부귀영화와 같은 목표를 이루는 결과로 이루어지는 것이 아니라 그 과정에서 긍정적인 좋은 감정을 느끼는 것에서 나타난다.

그런데 우리는 지금까지 그런 감정적 느낌보다는 목표를 이루는 결과에만 집착하고 살았다. 우리는 일, 가정, 여가라는 3박자에 균등한 시간을 배분하며 여유 있는 행복한 삶을 살아야 하는데, 부귀의 성취만을 위한 지나친 목표지향적인 삶을 살아왔다. 즐거운 삶을 살려는 의도보다는 부귀를 얻는 삶에 목숨을 걸고 살아왔다.

사람들은 부부가 합심하여 자녀를 낳아 자녀를 훌륭하게 양육하는 이른바 생식과 생존본능을 수행하는 과정에서 느끼는 일차적이고 동물적인 성취감을 느끼지만, 인간은 "사회적 동물"이므로 삶의 과정에서 사람과의 관계를 통해서 더 높은 성숙한 행복감을 느끼며 살아야 함을 잊어서는 안 된다.

하버드 의대 "성인발달연구소"에서 최근에 삶의 의미에 대해 깊이 있는 연구 결과를 발표했다. 1938년 당시 하버드 대학 2학년 학생 768명과 보스턴 지역의 빈민 소년 456명 등 총 1,224명을 대상으로 이들의 일생을 85년 동안 계속 추적 연구했다. 추적 조사하는 85년 동안 하버드대 연구진은 4대를 이어가며 연구를 계속했고, 그 결과를 최근에 "The Good Life(세상에서 가장 긴 행복 탐구 연구, 2023)"라는 책으로 출판했다. 제4대 책임 연구자인 월딩어Robert Waldinger 교수는 최종 보고서에서 흔히 알려진 돈, 성취, 학벌, 건강, 수명과 같은 외형적 환경적인 요인보다는 그러한 목표를 이뤄내는 과정에서 갖게 되는 "좋은 관계"를 통해서 진정한 행복을 경험하고 느끼게 된다고 보고했다.

따라서 우리는 행복하게 살기 위해서 감성이 넘치는 "좋은 관계"를 적극적으로 활성화하는 생활을 해야 한다. 좋은 관계를 갖기 위한 기본 조건으로 관계 대상에 대해 긍정적으로 감사하며 공감하는 능력을 준비해야 한다. 물론 이러한 능력을 갖추기 위해서는 부단한 가정교육과 스스로 노력하고 연습하는 과정이 필요하다. 동양의 맹모삼천지교(孟母三遷之敎)나 서양의 경험주의 이론은 모두 사춘기 이전에는 가정교육이 결정적으로 중요함을 강조하고 있다. 부모의 철저한 가정교육을 통하여 성숙한 인격을 형성하지 못하면 평생을 생물학적인 이기적 본능 중심적인 인간으로 살아가게 된다.

그래서 좋은 관계를 갖기 위해 무엇보다 인격적으로 좋은 사람으로 성장해야 한다. 인품, 즉 인격(德)이 훌륭해야 함에도 요즘의 교육은 영혼도 인격도 없는 지식(知識)만 풍부한 AI 인간만을 양성한다는 느낌을 지울 수 없다. 머리가 똑똑해서 풍부한 지식(知識)을 가지고 있지만 지식(智識)과 인품(人品)이 뒤를 따르지 못하여 여러 가지 사회적 병리 현상이나 양심이 바닥난 범법자를 양산하여 사회를 심각하게 어지럽히고 있다.

행복한 삶을 위해서는 관계가 필수적으로 중요하다는 결과는 또 다른 연구에서도 밝히고 있다. 캐나다의 브리티시 컬럼비아 대학University of British Columbia 심리학과 연구팀이 행복감을 높이는데 효과적인 전략 9가지를 국제학술지 "심리학연례리뷰Annuai Review of Psychology(2024)"에 발표했다. 모두 9가지 전략으로 1. 사람과 어울리는 사교성, 2. 감사와 실천하기, 3. 밝은 측면 보기, 4. 다른 사람 돕기, 5. 불쾌한 일에 시간 덜 쓰기, 6. 익숙함에 새로움 더하기, 7. 행복한 것처럼 행동하기, 8. 더 나은 미래를 생각하지 않기, 9. 휴대폰과 소셜미디어 현명하게 사용하기 등을 꼽고 있다.

다섯 번째 전략까지는 그대로 이해가 되지만, 여섯 번째 전력은 무엇에 익숙해지면 늘 같은 자극이라 행복을 느끼지 못하기 쉬워서 익숙한 것에 새로운 자극을 발견하라는 전략이다. 행복한 것처럼 웃으면서 행동하면 기분이 좋아질 수 있으며, 지금 가지고 있는 것은 앞으로 더 나아진다고 생각하면 지금 가지고 있는 것에 관한 소중함이 줄어든다. 그리고 친구와 만났을 때 휴대전화나 소셜미디어에 집착하지 않은 것이 사교의 즐거움을 높일 수 있다.

우리도 행복한 삶을 위해 관계 대상을 사랑하는 "좋은 관계"를 맺어야 하는 문제에 관심을 가져야 한다. 좋은 관계를 유지하기 위해 기본적으로 나의 자아관을 긍정적으로 준비해야 한다. 그런 후 관계의 대상을 점차 확대 적용해 나가야 한다. 가장 먼저 사랑하는 좋은 마음으로 관계를 맺어야 할 대상은 나이고, 그런 다음에 가족, 친구, 이웃, 사회 동료 등으로 인간관계를 확장해 나가야 한다. 그리고 계속해서 환경과 좋은 관계를 유지해야 하고, 하늘(天)과도 좋은 관계도 맺으면서 관계의 대상을 확대해 나가야 한다.

즉 관계의 대상을 나(我), 사람(人), 환경(地), 하늘(天)의 영역으로 점차 확장해 나가면서 좋은 관계를 유지할 때 행복한 삶을 사는 길로 갈 수 있다. 행복은 나(我)에 대한 긍정적 자아관으로부터 시작하여 천지인(天地人)과 좋은 관계를 얼마나 잘 유지하고 확장해 나가는가 하는 문제에 달려있다. 따라서 이 책은 먼저 우리들의 자아관 현상과 특징을 살펴보고, 그런 다음에 사람과의 인간관계, 환경과의 관계, 그리고 끝으로 하늘과의 관계를 잘 맺으며 행복한 삶을 살아가는 길을 탐색해 보고자 한다.

# 우리들의 자아관 현상과 가치관 특징

사람은 사회적 동물이므로 홀로 살아갈 수는 없고, 어떤 형태든 만남을 이어가면서 살아야 한다. 이러한 만남에서 가장 중요한 개념은 관계 대상을 바라보면서 평가하고 판단하는 자기 자신의 자아관, 성격, 가치관과 같은 것들이다. 이러한 것들은 태어날 때부터 주어지는 생득적인 본능도 있지만 주변 환경과 끊임없이 상호작용을 하면서 생성되고 발전하고 변화되는 과정을 거치면서 발달하기도 한다. 따라서 내가 관계를 맺기 위해 준비하는 나의 자아관과 가치관에 따라서 좋은 만남과 관계를 맺을 수 있다. 이러한 자아관은 막 태어나는 영유아기부터 아동기, 청소년기, 성인기, 노년기에 이르기까지 항상 새롭게 형성되고 변화하고 발전하고 통합되거나 쇠퇴하면서 생성하고 변화하면서 발달해 간다.

이러한 개념은 인간이 태어나서 성장하고 쇠퇴하는 시기 중에서 어느 시점에 중점을 두느냐에 따라서 설명하고 강조하는 이론이 달라진다. 어느 이론은 영유아기를 강조하기도 하고, 어느 이론은 청소년기를 강조하기도 하며, 또 어떤 이론은 성인기를 강조하거나 노년기를 강조하는 이론도 있다. 여기에 더하여 어떤 이론은 일생을 거쳐 모든 시기에 골고루 변하고 성장하고 발달한다고 주장하는 이론도 있다.

여기에서는 자아와 성격과 가치관이 발달하고 성장하는 과정을 강조하는 시기와 순서에 따라서 어떻게 어떤 형태로 나타나고 발전하고 변화하는지 그 이론을 하나씩 살펴볼 것이다. 영유아기를 강조하는 피아제 이론, 아동기를 강조하는 프로이트 이론, 청소년기를 강조하는 아들러 이론, 전 생애를 강조하는 에릭슨 이론, 환경을 강조하는 스키너 이론, 모방을 강조하는 반두라 이론, 인지능력을 강조하는 인지 이론을 순서대로 살펴보려 한다. 특별히 인생의 마지막 단계인 노인의 노화 현상과 특징에 대해서도 알아본다. 그리고 자아, 성격과 가치관에 영향을 주는 부모, 교사, 사회의 여러 준거집단이 영향을 미치는 특징을 살펴보고, 끝으로 사람들이 살아가면서 평생 어떠한 가치를 실현하면서 살아가는지 하는 삶의 가치에 관한 문제도 함께 검토해 보겠다.

# 자아관 형성에 영향을 주는 준거집단

성격이나 가치관은 성장하는 시기에 따라서 영향을 끼치는 주체가 다르다. 개인이 자신의 신념, 가치 및 행동 방향을 결정할 때 행위나 규범의 표준으로 삼는 집단을 준거집단Reference Group이라고 한다. 준거집단이라는 말은 1942년 미국의 사회심리학자인 하이먼Herbert Hyman의 논문 "지위의 심리학"에서 처음으로 사용한 용어다. 준거집단은 내집단과 외집단으로 나누어 설명할 수 있는데, 나와 동질성을 느끼는 집단을 내집단이라 하고 나와는 배타적인 집단을 외집단이라고 한다. 따라서 내집단은 준거집단과 같은 의미이며, 외집단은 거부나 반대하는 준거집단으로 평가되는 집단을 말한다. 이러한 준거집단은 두 가지 기능을 한다. 하나는 개인에게 행위의 기준을 설정하는 기준이 되고, 또 하나는 개인이 자기 및 다른 사람을 평가할 때 평가의 기준으로 활용하기도 한다. 태어나서 자아 정체를 결정하는 사춘기 이전까지는 대체로 유전적 소인과 부모의 양육 태도에 따라서 자아 및 가치관 형성에 결정적 영향을 받지만, 사춘기 이후부터는 스스로 선택하는 친구와 교사 및 사회 문화적 규범에 따라서 크게 영향을 받는다.

한민족은 역사적으로 선비정신이 강한 민족이다. 그래서 힘이 들어도 자식이 공부를 많이 해서 장원급제하기를 기대한다. 과거 봉건주의적인 교육 불평등 문제가 해방으로 해소되면서 교육열에 대한 열정이 타오르기 시작했다. 선비주의적인 사고에서 비롯된 부모의 지나친 교육열, 부모의 욕구 성취를 위한 대리만족, 가족과 가문의 대표선수 등 개인의 적성이 완전히 무시되는 오직 출세와 권력과 돈벌이에만 집중하는 교육만이 강조되고 있다. 자녀를 인격을 겸비한 완전한 인간으로 교육하려는 욕구는 저버린 채 오직 결과지상주의적인 사고에 집착하여 부귀영화에만 집중하고 있다.

자녀가 성장하여 사춘기가 되면 정신적으로 자아정체성 확립을 위한 중요한 시기가 된다. 이때 부모는 자녀에게 진정한 삶의 철학을 심어주어 완전한 인간으로 성장하도록 도와주어야 한다. 자녀가 인생 문제를 물으면 철학자가 되어야 하고, 종교에 관해 물으면 종교학자가 되어야 하고, 경제에 관해 물으면 경제학자의 역할도 해야 하는 만능학자가 되거나 적어도 정보를 다양하게 공급하는 도서관 사서 역할을 해야 하고, 때로는 속 이야기를 주고받는 심리상담자나 다정한 친구가 되기도 해야 한다.

그래서 사춘기 이전까지는 가정의 교육환경과 부모의 가정교육 방향이 결정적인 영향을 준다. 이러한 교육이 사춘기 이후 삶의 철학에 결정적인 기본 설계도로 영향을 미치기 때문이다. 그러므로 사람은 어린 시절의 가정환경 배경과 부모의 가정교육 철학을 보면 그의 인간성을 미리 예견할 수 있다. 사춘기 이후 아무리 노력해도 어린 시절의 기초적인 가정교육의 영향 때문에 쉽게 삶의 철학을 바꾸기 어려운 이유가 여기에 있다.

그런데 대부분 부모는 살아보니 뭐니 뭐니해도 돈이 최고라든지, 권력이 최고라든지 하는 부모 개인의 가치관과 태도를 강요하는 경향이 강하다. 많은 부모는 자녀의 인생길을 밝혀주는 스승의 자리에서 벗어나 밥이나 먹이고 학비나 대주는 하숙집 주인이라는 이방인과 같은 존재로 추락하고 있다. 자녀를 출산했다고 곧바로 부모 자격증을 받는 것은 아니다. 자녀를 훌륭하게 키우는 방법을 익히고 실천하는 능력이 있어야 진짜 부모 자격증을 받을 수 있다.

우리 부모의 역할을 시대 변천에 따라 뒤돌아보면 1950년대에는 경제 지원형, 1970년대에는 부모 주도형, 2000년대에는 부모 기대형, 2020년대에는 상담 지도자형으로 변화하고 있다. 부모의 역할을 마라톤 선수를 지도하는 감독으로 비교하여 설명한다면 1950년대에는 감독이 몸에 좋은 보약을 먹이고 좋은 운동화를 준비해 주는 역할과 같았고, 1970년대에는 감독이 자전거를 타고 함께 달리며 미주알고주알 일일이 지시하는 감독과 같았고, 2000년대에는 감독이 전체 구간에 대한 전술을 선수에게 이해시키고 설득하여 지시하는 감독과 같았다면, 2020년대 이후에는 감독이 선수의 장점, 특성, 기술과 컨디션을 고려하여 선수 스스로 최적의 전술을 실천하도록 심리적 상담과 지원에 집중하는 감독과 같다고 이해된다.

이제 자아관과 가치관이 형성되는 시기에 따라 중요한 준거집단의 역할에 관해 알아보겠다. 영유아기에 가장 중요한 준거집단은 당연히 부모라는 준거집단이다. 전통적으로 아버지의 역할과 어머니의 역할이 구분되어 있었다. 대체로 아버지는 가족의 생계를 책임지는 역할이고, 자녀 양육의 책임은 어머니에게 있었다. 어머니는 가정생활을 맡으면서 가족 간의 애정과 감정 문제를 담당하는 역할을 했다. 그러나 20세기 서구사회가 산업화, 도시화, 가족의 핵가족화, 여성의 취업률 확대, 여성 해방운동 등으로 부부간 역할의 평등과 양성성의 발달로 어머니의 역할과 아버지의 역할 차가 많이 줄어들었다. 이제 오늘날에는 자녀의 건전한 성장과 발달을 위해 어머니와 아버지의 역할이 양분되어 고정되는 것이 아니고 상황에 따라서 서로 역할을 보완하고 교환하는 방식으로 변화하고 있다.

현대적 의미에서 부모의 역할을 정교하게 기술한 최초의 심리학자는 1962년에 고든Thomas Gordan이 실시한 부모를 위한 훈련 프로그램이다. 고든 박사가 제시한 효과적인 부모 역할 대화법은 크게 다섯 가지로 요약되는데 구체적인 대화법은 다음과 같다.

1. 있는 그대로 모습을 받아들여라.
2. 하나가 되기보다 "함께" 하라.
3. 적극적인 듣기로 말문을 열어라.
4. 나를 주어로 한 메시지를 보내라.
5. 윈-윈win-win 게임을 즐겨라.

부모는 물고기를 주지 말고 물고기를 잡는 방법을 알려주라는 말과 같이 자녀에게 삶을 살아가는 방법을 가르치는 것에 최선을 다해야 한다. 부모는 자녀들에게 물질적 풍요와 사치를 남겨주면 금방 써버리고 없어지기 쉽지만 삶을 살아나가는 정신적 유산을 남겨주면 살아가면서 어떤 어려움도 극복하면서 살아갈 수 있게 된다. 따라서 부모와 가족들은 다른 준거집단에 비해 가장 중요한 준거집단이 된다. 가족은 내가 태어나서 처음으로 접하는 사회적 환경으

제1장 우리들의 자아관 현상과 가치관 특징

로 내가 태어나서 처음으로 만나는 사람들이다. 그러기 때문에 앞으로 다양한 사회적 관계를 맺는 과정이 곧 가족관계의 방법을 반복하는 것이 된다. 예를 들어 아버지와의 관계가 힘들었던 아이는 성인이 된 후 사회나 직장에서 자기 상사와의 관계에서도 힘들어하는 경우가 많다. 결국 가족은 처음으로 인간관계를 배워나가는 환경이다.

따라서 가족은 인간관계에서 상대에 대한 믿음과 신뢰를 배워가는 첫 번째 환경이 된다. 가족과의 관계에서 터득한 믿음과 신뢰를 세상과 사회에서 일어나는 관계에 그대로 적용하게 된다. 부모님이 힘들고 어려운 환경에서도 나를 위해 희생하면서 최선을 다하는 분이라고 생각하게 되면 세상에 대한 관계에서 근본적인 믿음과 신뢰를 배우게 된다.

그래서 가족은 나의 영혼이 자라게 하는 곳이라고 말한다. 가족의 의미에서 부부가 자녀를 양육한다고 해도 사실 자녀는 부부 양가 부모를 포함한 6명의 가치관을 배우는 곳이다. 부부의 결혼이 둘만의 결합이 아닌 이유가 여기에 있으므로 결혼 전에 상대방 부모의 가치관과 양육 철학에 대해서도 신중히 점검해야 한다. 사회생활에서 사회적 관계를 맺을 때 "우리 집은 안 그래, 우리 엄마는 안 그랬어"라는 부정적인 말을 듣거나, "참말로 수고했어, 너는 좋은 아이야, 수고했어, 나는 언제나 네 편이야"라는 서로 부정적이거나 긍정적으로 격려하는 상반된 말을 듣고 자란 아동은 그렇게 배운 그대로 사회적 관계를 맺기 쉽다. 그래서 가족은 인품과 인성을 배우는 가장 중요한 배움의 장소가 된다. 따라서 아이들이 집에 들어와서 "아빠 수고했어요, 엄마 애쓰셨어요"라는 격려와 믿음의 정신이 살아있다면 사랑과 행복이 넘치는 가족관계가 될 수 있다.

그렇지만 가족 간의 상처가 발생하는 경우가 많다. 부모는 "내 아이니까", 아이는 "내 부모니까, 내 형제니까"라면서 내가 제일 잘 알고 있다고 생각하지만 사실 제일 모를 수 있다. 그렇게 믿는 이유는 서로 가족이기 때문에 아이나 부모가 어떤 존재인지 알기도 전에 가장 높은 기대치를 갖기 때문이다. 아이들은 "내 부모니까 아무리 힘들어도 나에게는 최선을 다해야 한다"거나, 부모는 "내 자녀니까 내가 말하는 방향으로 따를 것이야"라는 가정을 한다. 그런데 사실 부모는 자기 아이가 어떤 특성을 가졌는지 어떤 적성을 가졌는지도 모르는 경우가 많다. 아이가 부모의 기대치를 채워주면 다행이지만 부모의 기대치를 채우지 못하면 기대치가 높은 만큼 실망도 그만큼 크게 된다.

청소년기가 되면 자신이 어떤 사람이며 앞으로 어떤 사람이 될 것인지 등등의 문제에 고민하고 정립하는 자아 정체의 중요한 기간이 된다. 이러한 자아 정립에 영향을 미치는 중요 준거집단으로 교사, 또래 친구, 서적, 문화적 사회적 규범 등으로 확대된다. 청소년들은 이러한 여러 준거집단에서 자아 정체를 위한 정보를 수집하고 비교하고 가공하고 수정하면서 자기의 정체를 수립한다. 비 온 뒤의 땅이 더 굳다는 말과 같이 더 많은 정보와 더 많은 비교와 더 많은 경험으로 더 많은 갈등과 고민의 시간을 가지면 더 굳은 자아 정체를 수립할 수 있다. 결국 청소년기에는 많은 정보를 수집하기 위해서 많은 시행착오를 경험할 수 있으므로 청소년들의 행동에 대해서 절대적인 평가를 유예해야 한다.

그러나 이 시기에 옳지 않은 준거집단으로부터 영향을 받게 되면 자아 정체를 건전하게 확립하지 못하게 되어 외부와의 접촉을 피하는 고립형 은둔 청소년으로 전락할 수 있는데, 정부의 통계(2023)에 의하면 이러한 은둔 고립형 청소년이 전국적으로 54만 명이나 된다고 한다. 자아 정체를 위한 정보를 수집할 때 건전하지 않은 또래 집단이나 잘못된 사회적 준거를 활용하면 건전하지 않은 자아 정체로 고통받게 된다.

청소년들은 자아 정체의 정보를 수집하기 위해서 취미활동에 많은 시간을 쓴다. 그리스 철학자들은 학문, 예술, 정치 등 분야에서 자아 계발 활동에 시간을 사용하는 동안에 진정한 인간이 될 수 있다고 주장한다. 그래서 학교를 뜻하는 "school"은 여가라는 "scholea"에서 왔는데, 여가를 적절히 활용하는 것이 학문을 하는 올바른 길이라는 의미가 담겨있다. 그러나 그들이 생각해 왔던 이 같은 여가의 개념과는 달리 요즘에는 TV 시청, 컴퓨터 보기, 신문이나 잡지를 보거나 능동적으로 활동하는 자율적인 활동을 여가라는 의미로 잘못 쓰고 있다.

활동이 의미하는 뜻밖의 숨은 사실이 있다. 여가를 즐길 때 얼마만큼의 노력이 필요한지에 따라서 여가가 주는 효과는 크게 차이가 난다. 신문을 읽고 텔레비전을 보거나 그냥 쉬어가며 보내는 수동적인 여가는 순간적인 즐거움을 줄지는 모르지만 정신 집중을 크게 요구하지 않는 활동이므로 그만큼 몰입 상태를 이루지 못한다. 이에 반해서 직접 참여하는 능동적 여가는 상당히 긍정적인 효과를 느낄 수 있다. 노력을 많이 해야 하는 운동이나 악기를 연주하거나 작품을 만들 때는 그만큼 더 많은 행복을 느끼며 의욕도 넘쳐서 집중력도 높아져서 어느 때보다도 몰입 경험이 높다. 능동적인 활동은 그만큼 의지와 창조성과 같은 요인이 필요하므로 수동적인 여가 활동과 능동적인 여가 활동 간에는 하늘과 땅만큼 차이가 클 뿐만 아니라 심리적 효과도 크게 달라진다.

10대 청소년들의 몰입 수준을 연구한 결과에 의하면 단순히 TV를 시청할 때는 13%, 취미활동을 할 때는 34%, 운동이나 게임을 할 때는 44% 정도 몰입 경험을 한다. 이는 TV를 보는 것보다 취미 활동이 2.5배 정도, 적극적 운동이나 게임은 3배나 더 즐거움을 준다는 의미이다. 그런데도 10대 청소년들은 운동보다는 TV 시청에 4배나 더 많은 시간을 소비한다. 절반에도 미치지 못하는 즐거움을 얻기 위해서 4배나 많은 시간을 쓰는 셈이다. 자전거 타기, 농구 하기, 피아노를 치는 활동이 쓸데없이 상가를 배회하는 것보다 훨씬 더 즐겁다는 것을 인정하지만, 운동이나 취미활동을 하기 위해서는 사전에 그만큼 더 많은 준비 시간이 필요하므로 그렇게 하기를 싫어한다. 이런 수동적인 여가 활동이 문제가 되는 것은 이러한 것에 자유시간으로 보내는 유일한 방편으로 쓰는 순간부터 마약과 같은 타성에 빠져서 그런 습성이 뿌리를 내리게 되어 생활 전반이 허물어지기 시작한다는 것이다.

우리는 살면서 얼마나 많은 몰입 상태를 경험할까? 독일인 6,469명에게 물었더니 23%가 자주 몰입 경험을 하고, 40%가 가끔 경험하고, 25%는 거의 느끼지 못하고, 12%는 전혀 경험하지 못한다고 한다. 미국인에게 실시한 같은 조사에서 15%가 살아가면서 단 한 번도 몰입 경험을 한 적이 없다는 연구 결과가 나왔다. 상당히 많은 미국인이 가치 있는 삶을 스스로 포기하고 살아가는 셈이다.

청소년이 일주일에 몰입 경험을 몇 번이나 하는지 2년 간격으로 조사해 보았다. 그 결과 60%의 학생이 2년 전이나 2년 후나 큰 변화가 없었다고 응답했다. 그러나 나머지 40%의 학생은 2년 동안에 큰 변화를 겪었는데, 그 절반은 몰입 경험을 더 많이 했으며 그 절반은 몰입 경험 빈도가 오히려 줄어들었다고 응답했다. 당연히 몰입 경험이 늘어난 학생들은 공부를 더 많이 했으며 수동적인 여가 활동은 중지했다.

청소년은 여가 활동으로 동네를 배회하거나 쇼핑하거나 TV나 영화를 보는 등 특별한 노력을 하지 않아도 되는 그런 활동을 즐길 수도 있고, 자연에서 나무나 숲에 관한 연구를 하거나 학교 공부, 체력훈련, 환경오염 문제 연구, 소양 교육과 같은 상당한 노력과 힘든 과정이 요구되는 활동에 몰입할 수도 있다. 그러나 같은 몰입이라 하더라도 그 활동이 성인 이후의 삶에 얼마나 도움이 되는 활동인지 하는 가성비(價性比), 즉 결과의 효율성으로 비교했을 때 청소년 시절 다소 힘들고 보다 힘든 노력이 필요했던 활동이 후에 더 가치가 있고 효용성이 더 컸다.

이러한 연구 결과를 볼 때 힘겨운 난관을 극복할 능력은 결국 나의 마음 결정에 따라 달라진다는 것을 알게 된다. 나를 극적으로 변화시키지는 못해도 적어도 자기 스스로가 하는 일을 가치 있게 바꿀 기회는 얼마든지 있다. 청소년들이 항상 즐거운 마음으로 최선을 다해서 항상 새로운 것을 찾는 활동을 하고 그런 과정에서 몰입 경험을 느낀다면 성인 이후의 삶에서 분명히 행복한 성공적인 삶을 기대할 수 있을 것이다.

# 사람은 어떤 가치로 살아가는가?

단군왕검은 홍익인간(弘益人間)을 건국이념으로 삼고 이 땅에 나라를 세우셨다. 널리 사람 사는 세상을 유익하게 하겠다는 인본주의적 사상이 깃들어 있는 개념이다. "사람이 사람이라고 다 사람이냐, 사람이 사람다워야 사람이지"라는 뜻으로 사람이라면 사람값을 하고 살아야 사람이라는 뜻이다. 우리는 얼마나 오래 사느냐 하는 문제보다는 사는 동안 사람값을 얼마나 하고 사느냐 하는 것이 문제라는 것이다.

조선시대에는 사농공상(士農工商)이라는 사회적 신분을 철저히 지키며 살았다. 선비들은 책상에 앉아 평생 이기론(理氣論)이라는 허구적인 가치 개념에 목숨을 걸며 세월을 보냈는데, 이러한 허울만 좋은 선비 위세를 비판하는 실학(實學)사상이 등장하기도 했다. 실학자 박지원(朴趾源)이 1780년(정조 4년)에 청(淸)에 다녀온 경험담을 한문으로 기록한 열하일기(熱河日記)에서 단편소설 "허생전"을 통해 무능한 선비 사회를 해학과 풍자로 비판하고 있다. 전북 변산에 사는 허 생원은 부인의 성화로 한양의 부자인 변 씨에게서 거금 일만 냥을 빌려서 안성으로 내려가 갖가지 과일을 두 배의 값으로 모두 사버린다. 이에 한양에서는 과일이 없어서 제사를 지내지 못하게 되자 열 배의 값을 받고 되팔아 큰 이익을 남기게 된다. 그리고 이 돈으로 다시 선비들의 망건을 만드는 재료인 말총을 모두 사들인 다음에 말총이 귀해지자 또 열 배의 값을 받고 되팔아 큰돈을 벌었다는 줄거리이다.

이 소설은 조선시대 선비들의 허구적 실상을 고발하고 있지만, 한편으로는 조선시대의 경제가 얼마나 빈약했는지를 보여주기도 한다. 이런 배경에서 백성들은 가난에서 벗어나 많은 돈을 벌겠다는 무의식적인 동기가 싹트기 시작했고, 책만 읽던 선비도 공부를 통하여 높은 권력의 자리에 오르는 출세를 하려는데 최선을 다하게 된다. 출세는 오직 돈을 벌기 위한 수단과 방법으로 이용되었기 때문에 돈과 관련된 출세의 자리는 언제나 하늘의 별 따기처럼 어려웠다. 1953년에 우리나라의 국민 1인당 GNP가 겨우 67달러였지만, 66년 뒤인 2019년에 이미 32,111달러로 경제력이 500배 성장했다.

이제 우리 사회는 어느덧 돈과 권력이 배경이 되는 배금사상(拜金思想)에 집착하게 되었다. 이런 사상은 다음과 같은 속담에 잘 녹아있다. "돈 앞에 상전 없다, 돈만 있으면 개도 멍첨지가 된다, 돈만 있으면 처녀 불알도 산다, 돈만 있으면 귀신도 부릴 수 있다, 돈에 범 없다(돈만 있으면 호랑이도 무섭지 않다는 뜻), 돈이 돈을 번다, 돈이 없으면 적막강산이요 돈이 있으면 금수강산이라." 등등 돈의 가치와 위력에 대해 더 이상 표현할 수 없을 정도로 돈을 숭배하고 있다. 누구나 부자가 되거나 권력이 되는 벼슬에 오르고 싶어 하는 부귀(富貴)의 욕구가 한국인 최고의 삶의 가치가 되었다. 이런 가치는 누구나 교육만 받으면 이룰 수 있는 기회가 주어졌기 때문에 우리 교육열은 세계에서 최고를 자랑하고 있다.

　그런데 사람이 어떻게 살아가야 하는가 하는 가치관에 관한 논제를 심리학적인 견해로 설명하는 인본주의 학파의 대표적인 학자 매슬로우Abraham Maslow가 1954년에 욕구 단계설(欲求段階說)을 발표했다. 아직 몇 가지 약점이 있지만 인간 행동을 폭넓게 설명하는 이론으로 광범위하게 인정받고 있다. 이 이론에 의하면 인간의 욕구는 가장 낮은 생물학적 하위 욕구에서 가장 높은 인간적인 상위 욕구로 이뤄진 삼각형의 피라미드 형태로 계층을 이루고 있다고 설명한다. 이 이론에 의하면 가장 낮은 생물학적인 하위의 생리적 욕구Physiological Needs로 시작해서, 다음 단계인 안전의 욕구Safety Needs, 사랑과 소속의 욕구Need for Love and Belonging, 자아 존중의 욕구Need for Esteem/Respect, 자아실현의 욕구Self-Actualization Needs 까지 다섯 단계로 점진적으로 발전하게 된다고 말한다.

　가장 낮은 생리적 욕구는 음식, 물, 공기, 체온, 수면, 휴식, 섹스, 배설 등과 같은 생존과 종 번식과 관련된 동물적인 욕구로 이루어져 있다. 이런 욕구가 충족되면 다음의 제2단계 욕구인 안전과 안정에 대한 욕구가 중요하게 된다. 다양한 위험을 피하여 육체적인 건강, 가족, 재산, 주택, 직장 등에 관련된 안전과 자기 보존의 욕구가 작동한다.

　제2단계인 안전의 욕구가 충족되면 다음으로 제3단계인 소속감과 사랑의 욕구가 중요하게 인식된다. 사랑하고 싶은 욕구, 어느 집단에 소속하려는 욕구, 교제하고 싶은 욕구, 가족을 이루어 사랑을 나누고 싶은 욕구 등이 새롭게 인식된다. 타인과의 사랑을 통하여 정서적인 안정을 취하고, 관계를 통해 사회적인 연결망을 만들기도 한다. 이런 욕구를 충족하지 못하게 되면 외로움, 고독과 같은 사회적 고통을 느끼게 되고 스트레스와 우울증에 빠질 수 있게 된다.

네 번째는 자아 존중의 욕구이다. 이 욕구는 다시 낮은 수준의 존중감과 높은 수준의 존중감으로 나눠진다. 낮은 수준의 존중감은 지위, 인정, 명성, 위신, 주목 등 외적인 것으로 형성된 존중감이다. 흔히 말하는 명예욕, 권력욕과 같은 자랑을 통해 얻는 욕구를 말한다. 이에 비해 높은 수준의 자아 존중 욕은 강인함, 자유, 경쟁력, 자신감, 숙달, 독립심 같은 욕구로 이 단계에서는 자기 자신을 가치있다고 인식하게 된다. 외부로부터 인정받고자 하는 낮은 수준의 존중 욕과는 다르게 자신의 내적 만족으로 충족되는 욕구다. 이 욕구를 충족하지 못하면 열등감, 나약함, 무기력과 같은 심리적인 불안감에 시달릴 수 있다.

마지막으로 다섯 번째 욕구는 자아실현의 욕구다. 가장 높은 최고 수준의 욕구로 자신의 잠재 능력을 발휘하려는 자기 성취적인 욕구다. 이 욕구는 자기의 타고난 능력이나 성장 잠재력을 실현하려는 욕구다. 자신의 역량이 최대로 발휘되기를 희망하며 창조적 경지까지 자신의 잠재 능력을 실현하려는 욕구다. 이 욕구는 순전히 자기 자신의 내적 만족에 따라서 이루어지는 순수한 욕망이다. 자기 자신의 능력을 타인에게 보여주려는 욕구가 아니라 정말로 스스로 하고 싶은 일을 할 때 얻게 되는 욕구로 이런 사람은 전체 인구에서 2~3%밖에 되지 않는 극히 소수 사람에게서 나타난다.

이러한 매슬로우의 욕구 단계설로 우리의 삶의 가치를 비교해 보면 몇 가지 문제점을 확인할 수 있다. 우리 사회는 돈이 많은 부자(富者)를 잘 산다는 뜻의 "행복Well-Being"이라는 말과 혼동하여 쓰는데, 돈 많은 부자(富者)와 "행복Well-Being"과는 별로 관계가 없다. 부자(富者)는 돈이 많은 부자일 뿐이지 삶을 잘 사는 "행복한 삶 Well-Being"과는 관계가 없다. 같은 논리로 "못 산다"는 말도 돈이 부족한 빈자(貧者)와 혼동하여 쓰고 있다. 돈의 기준으로 보면 부자일지 몰라도 삶의 행복을 기준으로 보면 가난할 수 있고, 돈의 기준으로 가난하더라도 행복의 기준으로 보면 아주 행복하게 잘 사는 사람일 수 있다. 돈으로는 좋은 음식과 고급 주택, 공식 집단과의 관계와 소속감, 외부로부터 얻는 자존심 등 주로 물질적인 것은 살 수 있다. 그러나 가정, 배려, 관심, 따스함, 사랑, 건강, 미소, 행복, 기쁨, 격려, 보람, 평화, 자긍심, 창조력과 같은 정신적이고 심리적인 고차적인 욕구는 돈으로는 절대로 살 수가 없는 인간적인 고차 욕구다.

 "개미와 베짱이"로 알려진 이솝우화를 통해서 삶의 기준을 해석해 볼 수 있다. 매일 노래만 부르는 베짱이와 추운 겨울을 대비해서 열심히 일하는 개미에 관한 이야기다. 무더운 여름날에 개미는 땀을 흘리며 열심히 일했지만, 베짱이는 나무 그늘에서 노래를 부르고 놀기만 하며 시간을 보낸다. 그러다가 여름과 가을이 지나가고 추운 겨울이 돌아오자 굶어 죽게 된 베짱이가 먹을 것을 얻으려고 개미에게 도움을 청했다. 이에 개미가 "여름에는 노래하고 놀았으니 겨울에도 춤이나 추면서 놀아라" 하면서 도움을 거절한다.

 그러나 이 이야기는 20세기 들어 아동용으로 순화되면서, 대체로 개미가 베짱이를 불쌍히 여기며 도움을 줘서 베짱이는 앞으로는 열심히 일하며 살겠다고 생각하는 것으로 마무리를 짓는다. 한발 더 나아가 베짱이가 개미들에게 보답으로 자신의 노래를 들려주고 개미들은 베짱이의 노래를 들으며 함께 겨울을 보낸다고 끝을 맺는 결말도 있다. 결말이 어떻게 바뀌던 이 이솝우화는 미래를 위해 계획하고 열심히 일하는 삶의 가치에 대한 도덕적 교훈을 주는 목적으로 자주 이용된다.

그런데 이렇게 열심히 일만 하며 살아가는 것으로 알려진 개미 사회를 실제로 관찰했더니 상상하지 못할 놀라운 사실을 발견하게 된다. 프랑스 태생인 이탈리아의 경제학자이자 사회학자인 파레토 Pilfredo Pareto가 실제로 개미에 대한 과학적 관찰을 통해 "2080 법칙", 또는 "파레토 법칙"이라는 놀라운 사실을 발견한다. 그는 어느 봄날 우연히 열심히 일하고 있는 개미를 관찰하게 되었는데, 놀랍게도 20%의 개미만 열심히 일하고 80%는 베짱이처럼 놀고먹는다는 사실을 알게 되었다.

흥미를 느낀 파레토는 부지런히 일하는 20%의 개미만 선발해서 교배하면 그 개미 사회는 모두 열심히 일할 것이라고 믿고 열심히 일하는 20%의 개미만을 따로 교배하여 관찰했다. 하지만 놀랍게도 이들도 처음에는 열심히 일하더니 곧 그중 80%는 일하지 않고 빈둥대며 놀기만 했다. 일개미도 모두 열심히 일하지 않는다는 사실을 알게 되었다. 그래서 열심히 일하는 개미와 놀고먹는 개미를 자세히 관찰해보니 그 비율이 20:80이란 사실을 확인하게 되었다.

파레토는 이런 20:80 현상이 개미만의 특성인가 싶어서 이번에는 벌을 관찰했더니 놀랍게도 벌도 마찬가지로 20:80 현상이 있다는 사실을 발견하였다. 이 같은 현상을 신기하게 생각하여 인간 사회에도 이런 법칙이 적용되는지 알아보고 싶어졌다. 그래서 그는 유럽의 인구와 부(富)의 분포도를 살펴보고 다음과 같은 결론을 얻게 되었다. 유럽 전체 부의 80%는 상위 인구 20%가 차지하고, 인구의 20%가 전체 노동의 80%를 차지하고 있음을 알게 되었다. 백화점 매출액의 80%는 20% 고객의 몫이고, 옷장에 있는 80%의 옷은 옷장에서 잠자고 20%의 옷만 입게 된다는 등등으로 이 법칙의 핵심 내용은 상위 20%가 나머지 80%를 주도한다는 뜻이 있다. 우리가 이 법칙을 적용하게 되면 직장이나 동호회에서 모든 사람이 적극적으로 동참하여 열심히 일하는 열성분자가 아니라는 사실에 속상할 필요가 없다는 현실을 이해할 수 있다.

개미와 벌이라는 동물의 세계를 통해서 인간이 살아가야 할 중요한 기준을 암시받을 수 있다. 개미 사회나 꿀벌 사회에서도 80%에 해당하는 많은 구성원은 자기만을 위한 생물학적인 생식본능과 생존본능을 위한 이기적 행동으로 살아가고, 단지 20%에 해당하는 일부 지도층만이 자신들의 사회를 이끌어가기 위해 이타적인 행동을 보인다. 이러한 법칙은 인간 사회에도 적용할 수 있어서 80%에 해당하는 많은 일반 국민은 혈연관계에 있는 가족과 자기만을 위한 생식과 생존을 위한 동물적이고 이기적인 활동에 집착하면서 살아간다. 간단히 말하면 80%는 자기 자식과 자신만을 위해 먹고 사는 문제에만 집착하고, 20%에 해당하는 지도층만이 국가와 국민과 이웃을 위한 인간다운 이타행동으로 봉사와 희생정신을 발휘하면서 살아간다. 80%의 일반 사람들도 살아가면서 이웃과 국가의 이익을 위해서 본능 뒤에 숨어있는 이타적인 행동을 발휘하여 함께 즐겁고 행복하게 살아가는 가치관을 가지고 살아간다면 인간 사회는 훨씬 더 빠르게 발전할 수 있을 것이다.

정치계와 사법계는 물론이고, 경제계, 노동계, 교육계, 종교계, 언

제1장 우리들의 자아관 현상과 가치관 특징

론계 등등의 각계 20%에 해당하는 지도층의 정신이 올바르고 건전한지에 따라서 국가 미래의 성패가 좌우된다는 사실을 오랜 역사적 사실에서 배워왔다. 그런데 20%의 지도층도 80%의 일반 국민처럼 이기적인 권력과 배금주의, 그리고 감각적 즐거움에 빠져서 건전한 이타적 봉사와 희생정신을 발휘하지 않는다면 그런 국가는 오래 버틸 수 없을 것이다.

결국 20%에 해당하는 소수의 정치지도자를 비롯한 각계의 지도자들이 80%의 가난한 가재, 붕어, 개구리의 운명과 미래를 좌지우지할 수 있다는 의미다. 입법, 사법, 행정부 등 고위급 정치지도자는 물론이고 연예 예술인, 스포츠맨, 국방을 지키는 군인, 교육자, 종교인, 치안과 안전 관련 경찰과 소방 요원, 국가 공무원, 기업인, 자유업 종사자 등등 각급 국가 및 사회 지도층 인사들의 생각과 가치관에 따라서 국가 운명과 80%의 가재, 붕어, 개구리들의 운명이 좌우될 수 있다.

# 지능 시대에서 인성 중심의 인문학 시대로

🌱 인류의 진화과정을 시대별로 볼 때 농경과 가축 생활 시대는 "힘의 시대"로 삶의 기준이 힘(力)으로 평가되었고, 산업사회 시대에서는 "지능의 시대"로 남들보다 얼마나 머리가 똑똑한가 하는 것이 평가 기준이었다면, 앞으로 다가올 미래의 정보화 시대는 "인성의 시대"로 인품이 겸비된 사람을 훌륭한 사람으로 평가하게 될 것이다.

지능 시대인 현대는 지능 일반화 경향이라는 말이 유행하는데, 지능이 우수하면 모든 성격이나 인품도 다 좋을 것이라고 믿는 경향이다. 하나를 보면 열 가지를 알 수 있다는 속담과 통하는 말이지만 현대의 교육은 오로지 부귀와 관련된 지식만 교육하기 때문에 지식만으로 인간을 평가하기 어려운 세상이 되었다.

그러나 아직도 간혹 힘이나 지식만을 과시하는 어리석은 사람들이 있어서 주위 사람들의 눈살을 찌푸리게 하기도 하는데, 앞으로는 인품은 없으면서 힘이나 머리만 좋다고 자신을 뽐내는 사람은 주위 사람들로부터 손가락질을 당하는 날이 올 것이다.

골프와 정치는 머리를 드는 순간 끝장이라는 말이 있는데 요즈

제1장 우리들의 자아관 현상과 가치관 특징

음 잘나가는 연예인이나 스포츠맨뿐만 아니라 기업인, 돈 좀 벌었다는 부자, 일반인에게도 꼭 같이 적용되는 말이다. 벼는 익을수록 머리를 숙인다는 말과 같이 정보화 시대에는 윤리와 도덕 등 인품을 겸비한 사람이 살아갈 수 있는 세상이 될 것이다. 동양권 문화에서는 이미 오래전부터 재능보다는 인성을 더 중요하게 생각하며 살아왔다.

훌륭한 재능을 가진 사람이 인성까지 겸했다면 금상첨화겠지만 재능이 인성보다 뛰어날 때 재승덕(才勝德)하다고 말하면서 재능만 있는 사람을 높이 평가하지 않았다. 훌륭한 재능에 비해 인성이 부족하면 살아가기 어렵다는 의미다. 동양권에서는 일찍이 이처럼 재능보다 인성을 더 높게 평가하는 전통문화가 있었는데, 인성보다 재능을 더 높게 평가하여 패가망신하게 된 재승덕(才勝德)한 사례가 있었다.

그중에서 춘추시대 공자(孔子)가 죽은 직후인 기원전 471년경 진(晉) 나라 말기 본명이 지요(智瑤)인 지백(智伯)의 이야기가 유명하다. 춘추시대 막강한 세력을 뽐내던 진나라 말기에 막강한 4대 경족(卿族)의 내분으로 혼란기를 겪고 있었다. 지씨(智氏)의 지선자(智宣子)가 아들 지백(智佰)을 후계자로 삼고 싶었지만, 집안의 부인은 지백(智伯)보다는 서자인 지소(智宵)가 더 낫다고 말렸다. 그 이유는 지백은 다른 사람보다 5가지 장점이 있지만 한 가지 단점이 있다는 것이었다. 5가지 장점으로 수염이 아름답고 몸집이 크고, 활쏘기와 말달리기를 잘하고 힘이 세고, 각종 기예를 한 몸에 지니고 있고, 교묘한 문장력에 말솜씨가 좋고, 굳세고 과단성도 갖추었다는 것이다.

이처럼 당대 최고의 재능을 겸비했으나, 한 가지 단점은 인덕(人德)을 베풀지 못하는 것이었다. 비록 5가지 장점으로 세상을 평정하더라도 한 가지 어질지 못한 단점으로 사람들을 업신여긴다면 누가 그를 받아들이겠느냐며 지백을 후계자로 세우면 지씨 일족은 반드시 멸망할 것이라며 후계자로 세우려는 계획을 강력하게 말렸다. 그러나 지선자는 부인의 충고를 듣지 않고 지백을 후계자로 삼았다.

지백이 등장할 무렵 진(晉)은 지씨, 한씨, 위씨, 조씨 등 4개 경족(卿族)과의 싸움 끝에 패하고, 애공(哀公)을 새로운 군주로 세웠다. 그로부터 몇 년 후 지백은 한씨와 위씨를 휘하에 넣고 이들과 함께 마지막 남은 조씨까지 휘하에 넣으려고 했지만, 조씨는 지백이 공격할 것을 예상하고 진양성(晉陽城)으로 피신하여 항전한다. 그러자 지백이 진양성을 공격하기 위해 한씨와 위씨 지역의 물을 끌어 수공(水攻) 계획을 구상하려고 하자, 한씨와 위씨는 진양성을 함락한 다음에는 그들의 성도 공격할 전술임을 간파하고 은밀히 역으로 지백을 제거할 거사 계획을 세운다. 그리고 드디어 기원전 453년 한, 위, 조 3개 집안이 연합하여 지백을 대패시킨 후 그를 죽인다. 세 집안은 지백의 땅을 나누어 가졌고, 조씨의 조양자는 지백의 두개골에 옻칠까지 해서 술잔으로 사용했다고 한다.

훗날 한비자(韓非子)는 지백을 탐욕스럽고 괴팍하게 굴다가 패가망신한 인물이라며 본받지 말아야 할 군주 가운데 하나로 꼽았고, 자치통감을 쓴 사마광(司馬光)도 지백을 혹평하면서 재주와 덕을 기준으로 사람을 네 가지 유형으로 나누면서 재주만 많은 사람을 아주 낮게 평가했다. 첫째로 재주와 덕을 모두 겸비하면 성인(聖人)

제1장 우리들의 자아관 현상과 가치관 특징

이고, 둘째로 덕이 재주보다 많으면 군자(君子)이며, 셋째로 재주와 덕이 모두 없으면 어리석은 사람(偶人)이고, 넷째로 재주가 덕보다 많으면 소인(小人)이라고 분류했다.

공자(孔子)도 덕(德) 없이 머리만 좋으면 아무짝에도 소용이 없다는 뜻의 천재불용(天才不用)을 강조한 바가 있다. 공자와 8살인 어린 황택(皇澤)의 대화에 천재불용(天才不用)이라는 말이 나온다. 어느 날 공자가 수레를 타고 길을 가는데 길가에서 어린아이가 흙으로 성을 쌓으며 놀고 있었다. 공자가 수레가 지나가도록 비켜달라고 했으나 어린아이는 성을 쌓고 노는 내가 비키는 것보다 수레가 옆으로 가면 좋겠다고 응수했다.

공자는 아이가 똑똑해 보여서 바둑을 좋아하냐고 물었다. 아이는 "군주가 바둑을 좋아하면 신하가 한가롭고, 선비가 바둑을 좋아하면 학문을 닦지 않고, 농사꾼이 바둑을 좋아하면 농사를 짓지 못하니 먹을 것이 풍요롭지 못하게 되는데 어찌 바둑을 좋아하겠느냐"고 응수한다. 아이의 대답에 놀란 공자는 몇 가지 더 물었다. "자식을 못 낳은 아비는 누구냐?, 허수아비입니다. 연기가 나지 않는 불은?, 반딧불입니다. 고기가 없는 물은?, 눈물입니다."라며 답한다.

그 순간 아이가 벌떡 일어나 이번에는 공자에게 질문하였다. 상당히 추운 겨울에 모든 나뭇잎이 발라버렸는데 어찌 소나무만 푸릅니까? 공자는 한참 생각하다가 "속이 꽉 차서 그럴 것이다"라고 대답하자, 그러면 "속이 텅 빈 대나무는 어찌 겨울에도 푸릅니까?". 이에 공자는 "그런 사소한 것 묻지 말고 큰 것을 물어라"라고 하자, 어린아이는 다음과 같은 질문을 계속했다. "하늘 위의 별은 모두 몇 개입니까?, 땅 위의 사람은 모두 몇 명입니까?" 하고 묻자, 공자는 그런 질문은 너무 크다고 하니 이번에는 "눈 위의 눈썹은 모두 몇 개입니까?"라고 물으니 공자는 아무런 대답을 하지 못했다.

그리하여 공자는 그 아이를 제자로 삼고 싶다고 생각했으나, 머리는 좋으나 덕(德)이 부족해 궁극에 이르지 못할 것이라고 내다보았다. 실제로 이후 황택의 이름은 어디에서도 보이지 않았다. 사람들은 머리로 세상을 산다고 생각하지만, 사실은 머리보다는 가슴이 더 큰 영향을 미친다는 것을 깨달아야 한다.

부모와 자녀가 보는 덕(德)과 지(知)에 대한 관점이 매우 다르다는 조사가 있어서 충격적이다. 한 언론사(2024)가 서울지역 초등학생 학부모 200명을 대상으로 아이에게 "가장 바라는 것이 무엇입니까"라는 질문에 1위는 "공부를 지금보다 더 책임감 있게 했으면 좋겠다"는 것이었고, 2위는 "정리 정돈을 더 잘했으면 좋겠다"였고, 3위는 "집안의 일을 돕기 바란다"는 것이었다. 결론적으로 좋은 대학을 나와 좋은 직업으로 행복하게 살기를 바란다.

그런데 자녀는 부모에게서 무엇을 바라는지 알기 위해 초등교육 전문기관(2024)에서 3,000명의 어린이에게 물었는데, 1위는 "엄마·아빠와 함께하는 시간이 더 많았으면 좋겠다"는 응답이었고, 2위는 "부모님이 건강했으면 좋겠다", 3위는 "공부하라는 말을 줄이고 나를 믿어줬으면 좋겠다"는 응답으로 부모가 자녀에게 기대하는 내용과는 전혀 달라서 부모-자녀 간 소통이 원활하지 않다. 이러한 소통 단절로 부모는 아이를 "똑똑하지만 불안한 모범생"으로 키우고 있다. 아이들은 항상 "내가 공부를 잘못하면 어떡하지?, 내가 좋은 대학을 못 가면 어떡하지?, 부모님이 실망하면 어떡하지?" 등등의 고민을 하면서 불안한 학교생활을 하고 있다.

일본은 남에게 폐를 끼치는 행동을 하지 말라고 가르치고, 미국은 남에게 양보하라고 가르치고, 한국은 남에게 절대 지지 말라고 가르친다고 한다. 그래서 정치계에서부터 가정에 이르기까지 서로 지지 않고 싸움만 하고 있다. 왜 배려와 겸손이 자리 잡지 못하고 자기들 주장만 하고 싸움만 하고 있는지 알 수 있을 것 같다. 학생의 본분이 공부임에는 틀림이 없지만, 자녀의 본분은 가정에서 부모와 함께 어울리며 "좋은 관계"를 갖고 이웃과 좋은 관계를 맺으며 "행복한 삶"을 살아가는 것이 삶의 목적이다. 가족관계를 통해 행복한 삶을 살아가는 방법을 배우고, 실패와 시행착오를 거치면서 행복한 삶을 배우는 것, 이런 목표를 이뤄내는 과정에서 옳은 길을 알려주고 도와주는 것이 부모의 가장 중요한 역할이다.

영국의 정신분석가 위니컷Donald Winnicott는 이상적인 부모의 역할로 자녀와의 관계에서 "완벽한 부모"가 되지 않아도 되며, 단지 "괜찮은 부모Good Enough Parents"가 되는 부모 역할로 충분하다고 말한다. 자녀들이 행복을 느끼는 순간들은 결코 학력이나 직업에서 오는 것이 아니며, 부모님과 함께하면서 느낀 좋은 감정을 경험 삼아서 성인 이후에도 이웃들과 그런 느낌으로 행복하게 삶을 살아가도록 돕는 것이 부모의 가장 중요한 역할임을 기억해야 한다.

교육의 기본 목표는 학생들에게 지덕체(智德體)를 연마시키는 것으로, 능력과 지식을 습득하는 지육(智育), 인격도야와 도덕의식을 연마하는 덕육(德育), 건전한 몸과 온전한 운동능력을 기르는 체육(體育)이 교육의 목표다. 그러나 우리 교육의 현장에는 지(智)도 아닌 지(知)만 남아서 교사는 지(知)만 전달하는 장사꾼으로 전락하고 말았다.

# 성취동기 수준이 걱정되는 이유

그리스의 역사학자 헤로도토스Herodotos(BC 454~BC 445)는 "이집트는 나일강의 선물이다"고 말했다. 그의 주장에 동의하는 영국의 역사학자 토인비Toynbee(1889~1975)는 역사의 연구 The Study of History라는 저서에서 "도전과 응전의 원리The Law of Challenge and Response"라는 개념으로 이를 좀 더 쉽게 설명하고 있다. 자연의 도전에 대한 인간의 반응이 바로 인간 사회의 문명과 역사를 발전시키는 바탕이 된다는 것이다.

고대 문명과 세계 종교의 발상지도 모두 살아가기 힘든 환경에 대한 극복과 도전이 낳은 산물인 것처럼 이집트 문명도 그렇다. 5~6천 년 전 아프리카에 강우 전선이 북쪽으로 이동하면서 아프리카 북쪽이 모두 사막으로 변하게 되자 수렵 생활하던 토착민은 세 종류의 부족으로 나눠 흩어져 살게 되었다. 그중에서 그 자리에 그대로 남아서 수렵 생활을 계속하던 부족은 변화된 환경에 적응하지 못하고 멸망하게 되었다.

그러나 맹수와 독사가 우글거리는 나일강 지역으로 이주하여 농경과 목축, 어업으로 생활방식을 바꾼 부족들은 혹독한 환경에 적

제1장 우리들의 자아관 현상과 가치관 특징

응하면서 찬란한 이집트 문명을 이룩했다. 그들은 범람하는 나일강의 범람 시기를 알아내기 위하여 천문학과 태양력을 발전시켰고, 강물이 범람하다가 물이 빠지면 온통 쑥대밭이 된 도시를 재건하기 위하여 기하학과 측량술을 발전시켜야 했다. 그리고 강의 범람을 막기 위한 제방을 쌓는 기술과 축대를 쌓는 기술을 발전시켜 불가사의한 피라미드를 쌓아 올리게 되었다.

인류의 4대 문명 발상지 중 하나인 황하문명도 마찬가지다. 칭하이성(淸海省) 쿤룬산맥에서 발원하여 발해만으로 흐르는 황하강은 혹독한 추위로 겨울이면 얼어붙어서 배가 다닐 수 없었다. 이처럼 해마다 범람하여 거칠어진 환경과 싸우는 과정에서 황하문명이 탄생한 것이다. 셰익스피어는 "아플 때 우는 것은 삼류이고, 아플 때 참는 것은 이류이고, 아픔을 즐길 줄 아는 사람이야말로 일류인생"이라고 말했다. 삶이란 고통과 아픔을 주는 대신에 성장하는 기회를 주기 때문에 고통과 고난이 때로는 삶을 유익하게 만드는 기회가 되기도 한다.

토인비의 이러한 거친 환경에 대한 도전개념은 다시 슘페터 Schumpeter(1883~1950)에 의해서 사회 현장과 기업에 적용되고 설명되는 이론적 모델로 응용되었다. 슘페터가 발표한 경제 발전론 Theoy of Economic Development(1912)에서 기업의 혁신과 발전을 위해서는 철저한 기업가 정신과 창조적 파괴개념이 필요하다고 주장했다. 위험을 무릅쓰고 혁신을 이루려는 기업인들의 의지와 노력을 기업가 정신이라고 정의하고 이러한 기업가 정신이 제대로 발휘될 수 있는 사회 환경이 중요하다고 보았다. 국가의 경제 발전을 촉진하거나 저해하는 요인이 무엇인가 하는 문제에 대해 논의되었던 전통적인 경제이론에서는 생산성 혹은 GNP와 관련된 자원, 자본, 노동을 강조했다.

그러나 이러한 경제 요인은 발전의 필수조건은 될 수 있어도 충분조건은 되지 못한다는 사회학자들의 주장이 힘을 받고 있다. 그들은 경제 외적 요인으로 인간의 심리 사회적 문화요인의 중요성을 강조한다. 이러한 "도전과 혁신의 정신"은 심리학에도 크게 영향을 미치게 되어서 마침내 멕클레란드David McClelland에 의해 개인적인 인간 행동을 설명하는 중요 개념으로 적용되었다. 사람들은 각자 자기의 목표에 따라 행동하는데, 이때 여러 가지 심리적인 동기에 따라 목표 행동이 달라진다. 어떤 사람은 사회적 명예나 돈벌이 같은 경제적 이유로 삶을 살아가고, 또 어떤 사람은 일 자체의 즐거움, 일을 성취하는 즐거움 때문에 살아가기도 하는데, 그런 행동을 하게 되는 심리적 동기를 성취동기Achievement Motivation라고 한다.

성취동기가 높은 사람과 낮은 사람의 행동 특성을 볼 수 있는 재미있는 현장 실험의 한 예가 있다. 미국이 제1차 세계대전 이후 경제적인 대공항을 맞은 시절 미국에서 신문에 사원모집 공고를 냈다. 경제적인 공항 시절이라 자격으로 학력과 경력은 묻지 않았고, 다만 주급으로 당시 주급의 2배를 준다는 좋은 조건이었다. 많은 응시자 중에서 삶의 의욕을 측정하는 성취동기 수준이 높은 집단과 낮은 집단 등 두 집단으로 나눠 합격자를 선발했다.

그런 후 이들 합격자에게 큰 백지 한 장을 주고 자를 이용해서 왼쪽에서 오른쪽으로 1cm 간격으로 줄을 그으라는 일을 주면서 종일 이렇게 줄 긋는 일을 반복하게 했다. 그리고 성취동기가 높은 집단과 낮은 집단의 행동을 비교 관찰했다. 동기 수준이 낮은 집단은 일이 쉽고 특별한 실력도 필요 없는데 돈은 많이 받으니 아무런 불평도 없이 열심히 줄을 긋고 있었다. 그러나 동기 수준이 높은 집단은 이런저런 질문을 하기 시작했고 점차 한두 명씩 이직하기 시작했다. 돈은 많이 벌 수 있지만 일하는 재미도 없고 창의성도 목표도 의욕도 없다는 것이 이직하는 이유였다.

실험에서와 같이 성취동기가 높은 사람은 사회적 압박이나 기대 또는 돈이나 명예와 같은 외부적인 환경보다는 스스로 설정한 개인의 내부 요인에 의해 영향을 받는다. 개인의 내부 요인에 의해 높은 성취동기가 생기게 되면 경쟁적인 환경에서도 자신감을 가지고 일을 수행할 수 있게 되며, 쉽게 포기하지 않을 뿐 아니라 사회적 압력이나 유혹에도 굴하지 않고 강한 의지로 난관을 극복해 간다. 그러나 도전할 가치도 없고 창의적인 노력도 필요 없는 반복적인 일에는 싫증을 느껴서 일을 그만두게 된다.

이처럼 성취동기가 높은 사람이 보이는 몇 가지 행동 특성이 있는데, 가장 중요한 행동 특성은 무엇보다 일 중심적인 특성이 있다는 것이다. 하고자 하는 일을 능동적이고 효율적으로 수행한다. 둘째로 그들은 적절한 모험심을 가지고 도전적으로 자기 능력을 시험하고자 하는 특성이 있다. 너무 쉬운 일이나 너무 어려워서 불가능해 보이는 목표보다는 최선을 다하면 이룰 수 있는 적절한 목표에 도전하기를 좋아한다. 셋째로 이루고 말겠다는 확신과 자신감이 높아서 정열적이고 혁신적이며 창의적인 활동을 좋아한다. 넷째로 자신이 하는 일에 대한 책임감이 강하다. 행동의 결과를 타인이나 환경 탓으로 돌리지 않고 자신의 책임으로 돌리려는 경향이 강하다. 마지막으로 자신이 하는 일에 대해 수시로 중간 확인하려는 경향이 강하다. 그들은 일의 결과를 앞으로 있을 미래 상황을 예견하여 현재의 행동을 이끌어 가려는 경향이 강하다.

멕클레란드는 이러한 개인의 성취동기 수준을 지능검사처럼 측정할 수 있다고 주장했다. 일종의 투사법인 주제해설검사Thematic Apperception Test를 활용하여 측정한다. 예를 들면 보름달이 떠 있는 그림을 보고 과거, 현재, 미래로 이루어지는 이야기를 작성하도록 하고, 그 이야기를 분석해서 그의 성취동기 수준을 측정해 낸다. 이러한 성취동기 수준은 어린 시절의 사회 환경이나 부모의 양육방식에 의해 많은 영향을 받는다. 그리고 자기 자신의 행동과 노력으로 어려운 환경을 극복할 수 있다는 신념과 성취동기는 교육을 통해서도 높일 수 있다고 주장한다.

이러한 개인의 성취동기 수준은 개인을 넘어 사회나 국가에 곧바로 반영된다. 인간은 본래 본능처럼 불만족의 DNA를 가지고 살아가지만, 역설적으로 그런 불만족을 제거하기 위한 과정이 발전을 이끌 수 있고, 그 결과로 찬란한 문화를 일으킬 수 있었다. 우리가 흔히 말하는 "한강의 기적"은 악조건인 환경을 극복하고자 하는 국민의 강한 성취동기가 있었기 때문에 가능했다.

세계적인 조사기관인 닐슨이 앞으로 경제가 지금보다 좋아질지 아니면 나빠질지를 조사하여 각국의 경제 낙관성 여부를 예측하는 소비자 신뢰 지수CCI: Consumer Confidence Index를 1985년부터 발표하고 있는데, 세계 65개국을 대상으로 조사한 소비자 신뢰 지수 (2019)를 보면 중국, 인도, 인도네시아 등 아시아권 국가들이 유럽과 미주권 국가들을 제치고 세계에서 가장 높았는데, 놀랍게도 한국은 경제 낙관성 지수가 최하위 수준에 머물러있다.

앞으로 80여 년 남은 21세기 세계 경제 지형의 변화도 머지않은

제1장 우리들의 자아관 현상과 가치관 특징

장래에 의욕이 강한 아시아는 뜨고 게으른 유럽은 진다면서 경제의 중심이 아시아로 기울고 유럽은 부유한 아시아인이 찾는 관광지로 변화할 것이라고 영국의 조사기관 BIZ(Business의 약어)가 예측하면서 앞으로 미국, 중국에 이어 인도가 G3로 등극하여 글로벌 경제 삼극Tripolar의 시대가 열릴 것으로 예측한다. 영국의 싱크 탱크인 경제경영연구소CEBR도 인구 대국 인도가 2032년경 세계 GDP 순위에서 3위에 오를 것이며, 2080년이면 인도가 미국과 중국을 모두 따돌리고 세계 경제 규모 1위로 등극할 것이라고 예상한다. 이러한 인류 문명의 추가 이동하는 궤도의 흐름을 역으로 추적해 볼 때 초기 인류 문명의 역사는 그리스에서 로마로, 그리고 로마에서 유럽을 거쳐 북미로 이동했고, 지금은 동북아시아로 이동하는 중이며, 앞으로는 이러한 문명의 추가 동남아로 이동했다가 다시 그리스 쪽으로 이동하여 인류 문명 "1주기"를 맞이할 것으로 예측한다.

물질과 정신은 시소와 같아서 한쪽이 무거우면 다른 쪽은 올라가게 되어 있다. 물질적 풍요에 취하는 순간 정신력은 떨어지고, 반대로 정신력이 강하면 물질적 풍요가 따라온다. 그래서 세계의 물질 문명은 정신력 수준이 강한 쪽으로 물질이 계속 돌고 또 돌아간다. 그래서 물질적 풍요 기간을 오래 잡아두려면 정신력을 계속 유지하면서 놓지 않아야 한다. 개인도 마찬가지여서 자손에게 강한 정신력이라는 유산이 아닌 물질적인 풍요만을 남겨 놓으면 물질적인 풍요는 오래 가지 못해서 결국 부자 3대를 유지하지 못한다. 건국 역사 이래 우리에게 처음 찾아온 물질적 풍요를 오래 유지할 정신력이 있는지, 아니면 벌써 우리 곁을 떠났는지 성찰해 보아야 한다.

# 정이 넘치는 동방예의지국

🌿 한국인은 세계에서 정이 많고 예의 바른 국민으로 유명한 국민이다. 우리 선조는 일찍부터 유교를 국교로 하는 유교적 가치관을 실천해 왔기 때문이다. 삼국시대 이전에도 지육(智育), 덕육(德育), 체육(體育)에 힘쓴 기록이 있지만, 신라 24대 진흥왕 37년(567년)에 지덕체(智德體) 정신을 대표하는 화랑도(花郎徒) 교육을 실행하여 삼국을 통일했다. 화랑도는 예전부터 원화(源花), 국선(國仙), 풍월도(風月徒), 풍류도(風流徒) 등 여러 이름으로 불리다가 진흥왕 37년에 원화(源花)를 봉했다는 삼국사기의 기록에 따르면 진흥왕 때에 새롭게 창설되었던 것으로 볼 수 있지만 이전부터 존재했던 기록이 있어서 오래전부터 화랑도와 같은 습속이 있었다고 이해된다. 그러나 마침내 진흥왕 시절에 그런 가치가 인정되어 국가에서 공인한 것으로 볼 때 화랑도의 시발점으로 볼 수 있다.

화랑도의 기본 사상과 교육내용에 대한 기록은 남아 있지 않아서 상세한 내용은 확인하기 어렵지만, 최치원(崔致遠)의 난랑비서(鸞郎碑序)에서 화랑도의 기본 사상을 간접적으로 확인할 수 있다. 이 기록에 의하면 화랑도는 유불선(儒佛仙) 삼교(三敎)의 사상을 모두

제1장 우리들의 자아관 현상과 가치관 특징

포괄하는 우리 민족 고유의 풍류도(風流徒)라고 판단된다. 김대문(金大問)의 화랑세기(花郎世記)에는 "어진 신하와 충신들이 모두 화랑 출신이며, 뛰어난 장수와 용감한 병사도 모두 화랑 출신"이라고 기록된 것으로 보아 화랑도의 교육 목적은 국가에 헌신, 봉사할 수 있는 문무를 겸비한 인재들을 양성했을 것이다. 즉 화랑은 풍류 사상에 관한 것과 무예 등이 주요 교육의 내용이었을 것으로 추측되며, 특히 풍류 사상은 유불선의 사상을 모두 포괄하고 있으나 그 중에서도 특히 유교적 사상이 주류를 이루었을 것으로 해석된다.

삼국사기 진흥 왕조 기록을 보아도 화랑도의 교육내용과 방법의 일면을 엿볼 수 있는데, "많은 사람이 무리를 지어 서로 도의(道義)를 연마하기도 하고, 서로 노래와 음악을 즐기기도 하고, 산과 물을 찾아 유람하였는데 아무리 멀다고 하여도 가지 않은 곳이 없었다"고 기록되어 있다. 이러한 기록으로 미루어 볼 때 화랑도는 평화시에는 수양단(修養團) 역할을 했고, 유사시에는 전사단(戰士團) 역할을 하는 집단 교육 형태를 유지했음을 알 수 있다. 국가가 요구하는 인재 양성을 위해 도의연마(道義練磨), 가악상열(歌樂相悅), 산수오유(山水娛遊) 등의 여러 방법을 적용했음을 알 수 있다.

도의연마(道義練磨)를 통해서 이성도야(理性陶冶)에 힘쓰고, 가악상열(歌樂相悅)을 통해서 정서도야(情緒陶冶)에 집중하고, 산수오유(山水娛遊)를 통해서 심신 단련 및 직관도야(直觀陶冶)에 해당하는 덕목을 교육했을 것이다. 결국 화랑의 교육내용은 지적 능력, 감성적 능력, 도덕적 능력, 신체적 능력에 대한 교육을 모두 포함하고 있었다. 화랑도의 교육은 지(智), 덕(德), 체(體)의 조화와 균형을 통해 전인적 인간을 육성하고자 하는 목적을 추구했을 것으로 예측된다. 이러한 화랑도 교육으로 신라에는 문무를 겸비한 인재들과 지도자들을 배출하였고, 이런 교육으로 건전한 인간과 건강한 사회 분위기로 국력을 효과적으로 결집하는 역할이 가능했고, 결국에는 삼국통일의 대업을 이룰 수 있었을 것이다. 세계 어느 나라에서도 찾기 어려운 지덕체(智德體)를 모두 아우르는 특급 교육제도로 완벽한 전인적 인간 육성을 위한 교육을 시행한 것이다.

이처럼 유불선(儒佛仙)의 가치를 실현하던 신라시대의 화랑정신은 일부 양반 계층에 해당하는 전유물이었으나 조선시대에 들어서면서 유교를 국교로 삼으면서 유교적 가치가 일반 서민의 생활에까지 깊숙이 영향을 미치게 되었다. 조선시대에 들어서 백성들의 일상생활은 유교적 영향이 미치지 않은 부분이 없을 정도가 되었다. 인간관계에서 지킬 예의범절, 가족관계에서 지킬 가부장제, 일상생활에서 지킬 성리학적 가치 등에 크게 영향을 미쳤다.

그래서 인간관계에서 지켜야 할 목표는 인(仁), 의(義), 예(禮), 지(智)로 불리는 네 가지 덕목이다. 이러한 덕목은 사람 마음속에 있는 본심으로 4단(四端)이라고 한다. 인(仁)은 어려움에 당면한 사람을 보면 측은하고 불쌍하게 여기어 도와주고 싶은 측은지심(惻隱之心)의 마음에서 나온다. 의(義)는 자기 자신이 옳지 못함을 부끄러워하고 다른 사람의 옳지 못한 것을 미워하는 수오지심(羞惡之心)의 마음에서 나온다. 예(禮)는 겸손히 남을 배려하고 사양하는 사양지심(辭讓之心)의 마음에서 나온다. 그리고 지(智)는 옳고 그름을 가릴 줄 아는 시비지심(是非之心)의 마음에서 나온다. 그런데 현대 부모들은 너 나 할 것 없이 자녀들을 모두 천재로만 키우려고 하는데, 오래전부터 공자는 천재불용(天才不用)이라 하여 윤리적 덕이 없이 머리만 좋은 사람은 아무런 짝에도 쓸모가 없다고 말했다. 세상에 훌륭한 사람이 되려면 머리만 좋은 천재가 아니라 덕을 겸비한 인품을 겸비해야 한다.

이러한 전인적 4단의 교육제도가 해방 이후 서양식 개인주의 문화와 서열 중심의 수직적 가치관이 도입되면서 인의예지를 중시했던 전통적인 동양식의 집단적 가치관이 폄하되기 시작했다. 서양식의 개인주의, 자유주의 가치관과 함께 지식 만능주의에 편승한 물질주의로 인문주의적 색채가 강했던 전통적인 정신 문화가 붕괴하였다. 따라서 집단주의적 가치와 가족주의 정신이 사라지고, 근면과 겸손과 예의와 같은 전통적인 정신 문화 가치가 서양의 개인주의 정신과 수직적 물질만능주의 가치로 대체되는 가치관 혼란의 시대를 겪게 되었다.

과거 우리는 예절을 중요하게 생각했기 때문에 사회생활이나 사람과의 관계를 맺을 때는 물론이고 장사할 때도 넘치는 정을 표현했다. 세계 어느 나라에서 찾아볼 수 없는 정이 넘치는 나라다. 이웃 나라 중국만 하더라도 과일, 채소, 곡물 등 농·축산물을 모두 kg 단위로 거래하기 때문에 에누리나 덤은 처음부터 있을 수 없다.

기독교 문화권에서는 예수가 처형당한 날이 13일이라 13이라는 숫자를 싫어하여 미국에서는 13층 엘리베이터를 덤이라는 의미로 "Baker's Dozen"이라고 표기하기도 한다. 덤의 의미를 뜻하는 재미있는 이야기가 숨어있다. 미국이 아직 영국으로부터 독립하기 전에 뉴욕주의 한 빵집에서 과자 한 다스 12개에 덤 하나를 더 넣어서 13개로 계산하여 팔았던 재미있는 이야기가 전해오고 있다.

한 제빵사가 속의 재료를 듬뿍 넣은 빵, 케익, 과자 등을 정성껏 만들어서 멀리서도 손님이 찾아오는 유명한 빵집으로 성장했다. 그리고 크리스마스가 다가오자 산타클로스 모양을 한 케익을 만들어 진열장에 진열했는데, 이것으로 더욱 유명해져서 손님이 끊이지 않아서 돈도 크게 벌었다. 이에 제빵사는 빵의 속 재료를 조금 넣어도 아무도 눈치채지 못할 것이라며, 이후부터 빵, 케익, 과자 등을 속여서 만들어 팔았는데 어떤 손님도 그런 사실을 눈치채지 못했다.

그러던 어느 날 나이가 든 여자 손님이 들어와서 과자 한 다스 Dozen를 주문했다. 제빵사는 봉지에 과자 한 다스인 12개를 넣어서 그 손님에게 주었더니, 그 손님이 한 다스면 13개인데 왜 12만 주느냐며 크게 항의했다. 제빵사는 한 다스는 12개라며 억지를 부리지 말라며 그렇게 억지를 부리려면 앞으로 우리 빵집에 오지 말라고 빵집 밖으로 몰아냈다. 이런 소문이 널리 퍼지면서 단골손님의 발길이 끊어지고 빵집의 수입도 크게 줄어들었다.

이때 진열장에 전시한 산타클로스 모양을 한 케익이 그렇게 고약한 나쁜 마음으로 속여서 빵을 만들어 팔고 있으니 장사가 되겠냐며 제빵사에게 속삭인다. 그런 얼마 후 한가한 빵집에 예전에 들렀던 나이 든 여인이 다시 찾아와서 과자 한 다스를 주문했다. 제빵사는 반갑게 맞이하며 과자 속 재료도 듬뿍 넣고 정성스럽게 만든 과자 12개를 봉지에 넣은 후 감사하는 마음으로 한 개를 더 넣어서 모두 13개를 넣었다. 이런 소문이 널리 알려지자 손님들이 다시 빵집을 찾게 되었고 이후부터 한 다스는 13개가 되었다고 한다.

덤의 문화는 긍정적으로 좋게 보면 여유로운 정인데, 이러한 여유로운 정은 생활 장면에서 자주 부정적인 결과로 나타나기도 한다. 특히 엄격한 법규를 지킬 때 꼭 지킬 필요가 없는 다소 여유로운 것으로 해석한다. 예를 들면 주정차를 할 수 없는 장소에서 위반

제1장 우리들의 자아관 현상과 가치관 특징

을 지적하면 오히려 왜 시끄럽게 떠드냐고 성을 낸다. 주차가 허용되지 않는 장소에 주차하거나, 속도위반할 때 습관적으로 운전자는 단속 경찰에게 한 번 봐 달라고 애원하거나 슬쩍 검은돈을 주고 무마하려 하는 좋지 않은 타성에 빠져있다. 한국인은 여유로운 정의 마음이 커서 교차로에서 정지를 알리는 빨간 불에도 슬그머니 그대로 직진해 버린다. 지하철에 마련된 노약자 좌석에 젊은이들이 아무 부끄러움도 없이 당당하게 앉아 있는 모습도 쉽게 본다. 인도의 타골Rabindranath Tagore이 한국을 동방의 등불이라 칭송했고, 펄벅 여사가 한국을 아시아에서 가장 정이 넘치는 나라라고 평가한 역사가 모두 물 건너간 일이 된 듯하다.

이처럼 한국인은 정이 많아서 친절한 예의지국의 국민으로 알려져 있으나, 외국인에게는 이러한 정이 오히려 부정적 의미로 비추어져서 한국인을 이중성격자로 오해하기도 한다. 한국인은 특히 서열 의식이 강해서 권력이 있거나 자기보다 높다고 생각되는 국가나 국민에게는 지나칠 정도로 친절하고 예의를 표하지만, 우리보다 약하거나 힘이 없는 국가나 국민에게는 지나치게 거만하게 행동한다.

이런 이중적인 태도는 식당에서도 흔히 볼 수 있다. 교육을 많이 받은 엘리트일수록 이러한 이중성이 두드러져서 종업원에게 무례한 언행을 서슴지 않는다. 배운 사람일수록 예의를 갖추고 겸손해야 하는데 오히려 더 거만을 떤다. 교육을 많이 받아서 지식은 많으나 인격이 부족하여 지혜롭지 못하다. 그야말로 말은 유식한데 행동은 무식하기 짝이 없다. 이제는 우리도 선진국으로 발돋움하기 위한 건강한 선진사회를 이룩하기 위해서 정과 인성이 넘치는 사회를 만들기 위해 다시 한번 더 고민할 때가 되었다.

# 신구세대 간의 심각한 가치관 갈등

🌿 현대를 초 역전 시대라 한다. 자식이 부모보다 더 많이 알고, 후배가 선배보다 더 많이 알고, 사원이 임원보다 더 많이 알고, 병사가 간부보다 더 많이 안다. 그래서 젊은 사람의 교양, 인격, 지능IQ도 함께 향상되었기를 바랐지만, 윤리와 교양은 오히려 땅에 떨어지고 부귀를 얻는 지식에만 집착한다. 이러한 현상은 신문명 주기가 빨라진 현상으로, 농경의 혁명은 수천 년을 거치면서 변화했고, 산업혁명은 300여 년을 지속했지만, 정보화 혁명은 30년을 넘지 않을 것이다. 우리가 경험하는 제4차 산업혁명은 20여 년을 예상하며, 제5차 산업혁명은 15년 정도로 단축될 것이라는 전망이다. 그래서 지금은 노인 시대와 젊은이의 세대 간 차이가 너무 극명하게 다르게 나타난다.

현대 가치관은 크게 개인주의와 집단주의 가치관으로 나누어진다. 우리가 행복하게 살아가기 위해서 집단주의와 개인주의 중에서 어떤 가치관은 맞고 어떤 가치관은 틀렸다고 말할 수는 없다. 생활 수단으로서 삶에 편리한 가치관을 채택하여 활용하고 있기 때문이다. 살아가면서 어떤 유전자가 어떤 가치관에 유리한 영향을 주었는지 확인할 수는 없으나 삶의 지역적 환경에 따라 긍정적으로 영향을 미쳤던 것이 그 지역의 전통문화로 이어져 왔을 것이다. 그래서 서양은 개인주의를 바탕으로 과학과 물질 중심적인 가치관을 발달시켰고, 동양은 집단주의를 바탕으로 가족주의적 가치관을 발달시켰다. 서양권의 게르만, 노르드와 앵글로색슨, 그리고 아이리쉬 민족들이 개인주의 가치와 관련이 깊고, 동구권의 슬라브, 유럽 남부의 고트족, 아시아 계열은 집단주의 가치와 관련이 깊다.

수만 년 이상의 세월을 거치며 내려온 전통적인 집단주의는 해방후 갑작스럽게 서양식 개인주의적 가치관으로 바뀌면서 신구세대 간의 갈등을 나타내면서 사회적 갈등 문제를 만들었다. 전통적인 가족주의, 근검절약, 도덕과 예의를 중시하는 전통문화가 핵가족, 소비주의, 개성과 특기를 중시하는 개인주의적 문화로 바뀌고 있다. 조화와 화합을 미덕으로 삼는 집단주의적인 전통문화가 대립과 경쟁을 우선하는 개인주의 사회로 바뀌고 있다. 우리에게 서구권 정신 문화를 강요하는 제국주의적 문화침략 행위다. 이제 신구세대의 문제는 통제가 가능한 적정 수준을 넘어 국가와 사회 체제까지 흔들 정도로 위험 수준이 높아져서 개인, 사회, 국가가 모두 건강하고 행복한 생활을 유지하기 힘들 정도로 정신적인 사회 병리적 혼란을 겪고 있다. 그래서 젊은 세대는 가족관계에서 어떤 이익을 챙길 때는 한국식의 집단주의적인 전통 가치를 적용하고 의무와 책임을 지는 부분에서는 서양식의 개인주의적 가치를 사용하려고 해서 기존 세대의 기준과는 상반되는 많은 갈등을 낳고 있다.

노인 세대는 초등학교와 사회에서 "나, 너, 우리, 대한민국"을 제일 먼저 배웠지만 젊은 신세대는 "너와 나"라는 단어만 배우고 "우리, 대한민국"이란 공동체 의식은 무시하고 사는 것 같다. 그래서 평생을 함께하기로 약속하고 결혼한 젊은이들도 결혼 5년이 지나면 5쌍 중에서 한 쌍은 이혼하는 현실이다. 이처럼 같은 세대끼리도 서로 간의 갈등으로 결혼생활도 원활하게 하지 못한데 부모 세대 간의 갈등 문제는 정말로 해결하기 힘든 상황이 되었다. 확실히 현대사회는 갈등 사회에 진입했다. 향후 개인은 물론 사회와 국가가 건강하고 행복한 삶을 위해서 이런 갈등 문제를 하루빨리 해결해야 할 시급한 문제가 되었다.

젊은 세대들은 다른 사람의 의견과 자기의 의견이 다를 수 있다는 "지적 겸손Intellectual Humility" 수준이 낮다. 지적 겸손이 높은 사람은 자신과 같은 의견보다는 다른 의견에도 많은 주의를 기울이고 그의 의견을 부정적으로 보기보다는 그들의 의견에 신뢰할만한 근거에도 관심을 가지려는 특성이 있다. 그런데 젊은 세대들은 좁은 시각으로 자기주장에만 집착하고 타인의 견해에는 눈을 감는 이른바 공존지수(共存指數)가 상당히 낮아서 상대방의 처지를 바꾸어서 생각해 보는 역지사지(易地思之)라는 의식이 거의 없는 상태다.

가치관은 살아가는 지리적인 환경에 의해서 영향을 받는다. 제4장에서 다시 상세히 설명하겠지만 세계는 비가 내리는 강수량에 따라 벼농사와 밀농사를 짓는 지역으로 나눠진다. 벼농사는 강수량이 평균 연간 1,000mm 이상 내려야 하고 강수량이 그 이하이면 밀을 재배하는 것이 유리하다. 이에 근거할 때 아시아의 동쪽은 벼농사가 적당하고, 유럽 지역은 밀을 재배하기에 적합하다. 이렇게 서로 다른 삶의 방식이 다른 가치관을 가져와서, 벼농사 지역은 집단주의 가치관이 발달하게 되고, 밀농사 지역은 개인주의 가치관이 발달하게 되었다.

버지니아 대학 탈헬름Thomas Talhelm 교수가 발표한 "벼농사와 밀농사의 문화적 차이의 증거"에서 이런 근거를 잘 설명하고 있다. 벼농사는 물 관리 기술과 관련된 토목공사가 필요하다. 모내기 때에는 집단적인 협동 정신이 필요하고, 내 논에서 사용한 물을 다시 이웃의 논으로도 물길을 내어 전달해 주어야 하므로 내 것과 네 것의 경계가 모호하게 된다. 생산도 가족 단위로 협동심을 발휘하며 공동으로 생산하고 노동력과는 관계없이 가족이 공동 분배하는 전체주의적 공동 가치관이 발달하게 되었다.

그러나 밀농사는 특별하게 관개수로나 저수지를 만들 필요가 없으며, 함께 협력할 필요도 없고, 집단으로 모여서 살아야 할 필요성도 그리 높지 않다. 밀농사는 개인적으로 투자한 개인적인 능력에 따라 수확량이 달라지므로, 개인주의적 가치관이 발달했다. 이처럼 서로 다른 삶의 방식에 따라 동양의 집단주의적인 가치관과 서양의 개인주의적인 가치관이 탄생하게 되었다.

쌀농사 지역의 집단주의적 가치관이 강한 유교적인 전통문화가 해방 이후 서구 지역의 개인주의적인 가치관의 교육정책이 도입되면서 신구세대 간의 가치관 혼란과 갈등을 일으키는 계기가 되었다. 집단주의적인 가족 제도가 해체되고 대신에 핵가족 제도가 등장하였고, 국가관은 물론 가족, 친척, 부자, 친구 간의 소통도 단절되는 개인주의적 가치관만 강조되고 있다. 결국 개인주의적 가치관과 표현의 자유를 교육받은 젊은 세대와 전통적 노인 세대 간의 소통의 갈등은 당연한 결과가 되었다. 젊은 세대들은 가족이라는 집단에 구속되고 억압되는 전통문화를 수용하려 하지 않는다. 모든 문제를 가족과 상의 없이 혼자서 고민하고 결정하려고 한다. 그렇지만 부모는 가족주의적인 가치관에 따라 양육과 교육에 최선의 노력을 했지만, 자녀 세대는 화합과 조화의 가치는 배우지 못하고, 오로지 개인주의적 가치관만을 교육받았기 때문에 노인이 된 부모 부양에는 별로 관심이 없다.

일본 오사카 대학의 노인학자 야스유키(今野 泰幸)는 60세를 넘으면 고령화로 신체 기능이 떨어지면서 행복감도 함께 감소하지만, 80세를 넘어서면서 행복의 기준을 바꾸면 행복감은 다시 높아질 수 있다고 주장한다. 이러한 행복의 기준을 바꾸는 중요한 요인으로 육체적 건강보다는 가족이나 이웃과 긍정적인 "관계"를 만드는 것이라고 한다. 노인이 되어 도시에서 고독하게 살기보다는 관계가 풍부한 지방에서 생활하는 것이 행복한 생활에 더 유리하다고 말한다. 일본에서는 마을 전통 축제인 "마쓰리"가 활발한 마을일수록 노인들이 건강하고 행복하게 장수한다는 연구 결과가 많이 있다.

인간은 사회적 동물이라는 생물학적 본능이 핏속에 흐르기 때문에 "사회적 관계"가 풍부해지면 행복해지고, 부족하면 외롭고 고독해진다. 질병관리청(2024)이 23만여 명을 대상으로 보건소 직원이 가구마다 면접 조사한 결과 코로나 이전인 2018년에는 우울감을 경험한 비율은 5%였는데, 코로나가 시작된 2019년 이후 5년이 지난 2023년까지 우울감이 7.3%로 2.3%나 늘어났다고 한다. 코로나 기간은 자가 격리와 사회적 거리두기로 고립 때문에 우울감이 높아질 수밖에 없는 환경이 되었다. 특히 개인주의 가치관으로 혼자 사는 사람의 우울감 보고 비율은 12.1%로 그렇지 않은 사람보다 우울감(7.1%)이 무려 5%나 더 높다.

이러한 신구세대의 상반된 가치관 때문에 자식이 모두 독립하게 될 시기가 되면 한국의 노인은 경제적 자립의 능력까지 상실하며 OECD 국가 중에서 경제적으로 가장 빈곤한 노인으로 전락하는 것은 물론이고, 정신적인 외로움까지 와서 노인 자살률도 OECD 국가 중에서 1위에 오르게 된다. 경제적인 빈곤과 정신적 소외까지 모두 겪게 되는 초라한 노인으로 전락하게 된다.

이제부터라도 이러한 세대 간의 갈등 문제를 해소하기 위한 가치관 조율 정책이 필요하다. 서양권의 부모들처럼 자녀가 성인이 되면 부모와 관계없이 완전하게 독립하는 개인주의적 가치관을 채택하던지, 성인 이후도 부모의 경제적 정신적인 지원을 받으면서 후에도 부모 부양의 책임도 지는 집단주의 가치관을 채택하든지 어느 한쪽을 선택해야 한다. 이러한 세대 간의 갈등 문제는 이전 세대에는 전혀 경험하지 못했던 현상으로, 가치관의 변화 주기를 120년으로 보는 전통적 가설에 의하면 부모-자식 간의 세대 간격을 훌쩍 넘게 된다. 현대에 와서 가치관 변화 주기가 빠르게 진행되면서 이제는 증조부부터 3~4세대가 서로 다른 가치관으로 살아가면서 신구세대 간의 깊은 가치관 갈등을 일으키고 있다.

이러한 신구세대 간의 갈등은 많은 세월이 지나면서 자연스럽게 조율되겠지만 그간의 과도기 동안이라도 부모에게서 경제적 정신적으로 도움을 받은 자녀들은 부모의 은덕에 물심양면으로 마음의 빚을 갚는 예의를 보여야 할 것이다. 그렇게 해야 노인들이 퇴직 후에 갑자기 경제적으로 가난한 빈민층으로 전락하고 정신적 외로움을 이기지 못해 세계 제1의 자살률을 보이는 불명예도 예방할 수 있을 것이다.

# 연어와 같은 사랑과 가물치와 같은 사랑

🌿 연어는 바다에서 살다가 산란 때 태어난 강으로 거슬러 올라와 산란하고 생을 마치는 모천회귀(母川回歸) 본능을 가진 고기다. 암컷은 산란을 마치고 1~2주 더 살다가 죽은 후 뼈만 남긴 채 하류로 떠내려가거나 곰의 먹이가 되어 사실상 어미는 새끼를 다시 만날 수 없다. 그래서 새끼는 난황(卵黃)을 달고 나오므로 한 달은 이 난황을 섭취하며 성장하게 되는데 사람들은 새끼가 어미의 살점을 뜯어 먹으며 성장하는 것으로 이야기를 와전시켰다. 그래서 연어는 자기의 삶을 자식을 위해 기꺼이 내어주는 모성애가 가장 강한 표본으로 알려져 있다.

이와 반대로 가물치는 효자 물고기로, 가물치는 알을 낳은 후에도 새끼를 보호하기 위해 상당 기간 자리를 지키지만, 새끼 대부분은 다른 물고기 먹이로 죽어서 10% 정도만 살아남는다고 한다. 그런데 알에서 부화 되어 나온 수천 마리의 새끼들이 어미가 굶어 죽지 않도록 한 마리씩 어미 입으로 들어가 어미의 굶주린 배를 채워주면서 어미의 생명을 연장해 주는 것으로 알려져 있다. 이렇게 새끼들의 희생으로 생명을 유지하던 어미가 알을 부화하던 자리를 뜰

제1장 우리들의 자아관 현상과 가치관 특징

무렵 남은 새끼의 수는 10%도 안 될 정도로 어미를 위해 희생했다고 잘못 알려져 있다.

이러한 연어와 가물치의 사랑을 소재로 한 코미디 프로그램을 시청한 적이 있다. 80세가 넘은 아버지와 50대의 아들이 마루 끝에 앉아서 담소하던 중에 빨랫줄에 제비가 날아와 앉았는데, 아버지가 아들에게 "저 새가 무슨 새냐?"고 물었다. 아들이 "제비입니다"라고 대답했는데, 조금 후에 아버지가 또 "저 새가 무슨 새냐?"고 물었다. 아들은 이상한 생각이 들었으나 또 "제비입니다"라고 말했다. 그런데 아버지가 또 물었다. 아들은 짜증스러운 표정으로 "제비라고 말씀드렸잖아요!"라고 큰소리쳤다. 아버지는 이런 아들의 모습을 보고 섭섭한 생각이 들어서 자리에서 일어나 안방으로 들어가 아들이 세 살 때 함께 말하며 놀던 일기장을 꺼내서 아들에게 보여주었다. 아들이 빨랫줄에 앉아 있는 새를 가르치며 "저것이 무엇이냐"고 묻고 또 물어 23번이나 계속 물었다. 그래도 나는 아들에게 천천히 그리고 또박또박 알려주면서 아들에 대한 사랑을 한없이 느꼈다.

5월은 "가정의 날"로 이날 자녀에게 재산을 상속하는 문제에 대한 시니어 토크쇼 프로그램을 방영했다. 죽기 전에 재산을 상속해 주는 것이 좋은 것인지 혹은 죽을 때까지 가지고 있어야 하는 것이 좋은 것인지를 논하고 있었다. 자녀에게 도움이 된다면 생전에 상속하는 것이 좋다는 의견과 상속한 후에 자식에게 용돈까지 얻어 쓰는 상황이 올 수 있다면서 안 된다는 의견 등 여러 토론을 거친 후 투표했는데 9:9로 동률이 나와서 무척 놀라지 않을 수 없었다. 자녀가 필요해서 요구하면 당연히 상속해 주는 것이 도리라고 생각했기 때문이다.

그런데 지금까지는 금전이나 부동산과 같은 물질적인 대상만 상속하는 것으로 알고 있는데, 앞으로 과학이 발전하면 지적 능력이나 인품과 같은 심리적인 능력도 상속 대상으로 언급될 수 있다고 한다. 그래서 지적 능력은 둘째에게 상속하고, 사교적인 능력은 첫째에게 상속하고, 경제적인 돈 버는 능력은 막내에게 상속한다는 등등의 가설이 실제로 실현될 날이 있을 것으로 예측된다.

자녀를 보호하려는 본능적인 행동이 어째서 물질적인 이해관계를 따지는 이성적인 행동을 압도하지 못하는 이유에 대해 생각하게 되었다. 부모는 자녀에게 주기만 하는 일방통행으로 사랑했고, 자녀는 부모로부터 일방적으로 받기만 해서 부모와 자식 간의 적절히 주고받는 "균형적 교환 법칙"이 지켜지지 않았다. 결국 부모는 자녀에게 모든 재산을 상속한 이후 자녀로부터 적절한 경제적인 지원은 물론이고 심리적 지원 관계와 소통까지도 단절되어 외로움을 느끼기 때문에 생전 상속이라는 본능적인 행동이 이성적인 행동에 제지당하게 되는 것이다.

실제로 자녀에게 자산을 증여하는 시기가 점차 늦어지고 있다. 우리은행 부동산리서치랩(2024)이 아파트, 연립주택, 다세대주택, 오피스텔, 상가 등 집합건물의 증여 자료를 분석한 결과 증여자 연령대가 2020년에 23.1%에서 2023년에는 36%로 점차 높아졌다. 한편 60대의 비중은 2020년에 26.7%에서 2023년에 23%로 감소했고, 50대의 비중도 24.7%에서 19%로 감소했다. 따라서 증여받는 연령층도 점차 높아져서 2020년대에는 40대가 22.6%로 가장 많았으나 2023년에는 50대가 26.6%로 가장 많아졌다. 사회가 고령화되면서 노인들이 자산을 직접 운용하면서 여유로운 은퇴 기간을 즐기려는

제1징 우리들의 자아관 현상과 가치관 특징

것으로 분석된다.

부모가 자식에게 자신이 가지고 있는 모든 재산과 먹거리를 물려주는 것은 당연한 본능적인 행동으로 알려져 왔다. 아프리카 케냐 출신으로 옥스퍼드 대학 교수인 도킨스Richard Dowkins가 1976년 35세의 나이로 이기적 유전자The Selfish Gene라는 유명한 이론을 주장했다. 그의 주장에 따르면 모성애든 부성애든 자녀에게 재산을 물려주는 일은 무의식인 본능적 행동인데, 이러한 행동은 나를 닮은 자식이 나보다 더 오래 살수 있어서 나의 유전자를 남길 수 있는 종족 번식을 통해서 나를 지키는데 유리하다는 유전자의 명령이기 때문이라고 주장한다. 그러므로 나를 닮을수록 더 예뻐 보이거나 더 애착이 가는 것도 이러한 이기적인 유전자의 명령이며 그래서 자식을 위해서는 목숨을 걸고 보호하려는 행동을 서슴지 않는다. 이처럼 부모가 자녀를 위하는 행동은 본능적이어서 부모의 사랑을 연어의 사랑과 비유하여 설명하기 좋아한다.

그러나 자녀가 부모를 봉양하는 가물치와 같은 사랑은 의도적인 교육이나 훈련을 통해 배양하지 않으면 나타나기 어려운 이성적인 행동으로 본능과는 상관이 없다. 그래서 자식이 부모를 사랑하는 행동은 일정 정도의 교육과 훈련이 개입되는 이성적이고 도덕적인 행동이다. 다시 말하면 우리의 본능적인 유전자는 부모가 자식을 사랑해야 한다는 프로그램은 있어도 자녀가 부모를 봉양해야 한다는 본능적인 유전자 프로그램은 없다. 그래서 내리사랑은 있어도 치사랑은 없다는 우리 속담이나, 한 아버지가 열 아들은 키워낼 수 있지만 열 아들이 한 아버지를 봉양하기는 어렵다는 독일 속담도 이러한 도킨스의 이기적 유전자 의미를 잘 대변하고 있다.

그렇다고 우리 문화 속에 가물치 사랑과 같이 자녀가 부모를 사랑해야 한다는 윤리의식을 강하게 교육한 전통문화가 없었던 것은 아니다. 조선시대까지도 효(孝) 사상과 열녀비(烈女碑)를 미덕으로 자랑하던 풍습이 있었다. 그 대표적인 행동으로 부모님이 돌아가시면 자식이 부모님에게 효도하는 마음으로 탈상할 때까지 3년 동안 묘소 근처에서 움집을 짓고 부모님의 산소를 돌보고 공양을 드리는 "시묘살이" 문화가 있었다. 이런 3년 동안 수염과 머리카락도 깎지 못하고 유아기 시절 혼자 먹고 활동할 수 없었던 3년이라는 기간을 회상하며 그간 길러주신 부모님의 은혜에 보답하는 기간이다.

전통적으로 한국의 부모들은 세계 어느 국가 부모보다 자식을 사랑하는 본능적인 행동이 강하지만 자식을 다 키우고 은퇴하면 언어처럼 뼈만 남아 물 위에 둥둥 떠내려가는 신세로 전락하는 경우가 많다. 한국의 부모들은 자식에 대한 교육열이 세계에서 가장 강해서 뼈를 깎는 심정으로 양육비를 다 쓰고 나면 은퇴 후에는 경제적인 빈곤자로 추락한다.

서양권은 자녀가 성인이 되면 바로 독립생활을 하지만, 유교권에 속한 동북아 지역은 60대가 된 부모도 자식에게 경제적인 도움을 주는 경우가 상당히 많다. 60대 노년기에 들어선 부모가 자녀에게 경제적인 지원을 하는 정도를 볼 때 한국(83%)이 세계에서 단연 압도적으로 1위이고, 다음으로 홍콩(11%)과 일본(8%)의 순이다. 그래서 한국의 부모들은 은퇴 후 경제적인 상황이 세계에서 가장 가난한 빈곤자로 전락하여, 노인의 경제력은 OECD 37개 회원국 중에서 37위로 최하위로 꼴찌에 있다.

1960년대에 출생한 386세대는 850만 명으로 전체 인구의 16.4%

를 차지하는 베이비붐 세대로, 부모를 부양하는 "마지막 세대"이자 자녀의 도움을 받지 못하는 "첫 번째 세대"로 일명 처마 세대라는 별칭을 받는다. 미국 사회심리학자 밀러Dorothy Miller가 1981년에 처음으로 사용한 "샌드위치 세대"와 같은 용어로 이들은 부모와 자식을 모두 돌봐야 하는 이중적 부양의 책임으로 3명 중 1명은 고독사 위험이 있다며 "돌봄과 미래(2024)"에서 지적하고 있다. 980명을 대상으로 조사한 결과 퇴직 후 국민연금(80%)을 원하지만, 81%는 실제로 퇴직 후 소득이 없는 "소득 절벽"을 걱정하고 있기 때문이다.

한국은행 "100년 행복연구센터"에 의하면 노인이 여유롭게 생활하기 위해서는 한 달에 352만 원이 필요하다고 했고, 국민연금공단(2023)에 의하면 노인의 적정 생활비는 부부의 경우 277만 원이 필요하고 개인의 경우는 177만 원이 필요하다고 한다. 그런데 노인의 실제 생활비 중에서 기초연금으로 25.6%, 국민연금으로 15.2% 정도만 충당할 수 있어서 실제로 필요한 생활비의 절반도 해결하지 못한다. 그래서 부족한 생활비는 자식이나 친척(19.4%), 배우자 소득(11.0%), 연금과 적금(10.2%), 노동(9.5%) 등으로 생활비를 충당하고 있다.

노인들은 이 같은 경제적 빈곤뿐만 아니라 정신적 심리적인 외로움 지수인 고립도(18.9%) 역시 OECD 국가에서 사실상 꼴찌 수준이다. OECD 국가에서 우리 국가보다 고립도가 높은 나라는 콜롬비아(20.7%), 멕시코(22.1%), 튀르키예(26.4%) 등 3개국뿐이다. 고립도가 높은 한국의 노인들은 그래서 OECD 국가 평균 자살률보다 두 배가 넘어 매일 평균 36명이 자살하는데, 그중에서 10명은 고독사라고 한다. 보건복지부에서 발표한 "2022년 고독사 실태조사"에 의하면 지난 한 해 고독사 총계는 3,300건이 넘는데, 남성의 고독사가 여성보다 5.3배가 더 높다고 한다. 보건복지부 추산(2023)에 의하면 전 국민의 3%가 고독사 위험군에 빠져있다고 한다. 자녀들은 빈곤자가 된 부모에게 경제적인 도움도 외면하고 돈도 들지 않는 심리적 지원까지도 외면하는 실정이다. 이와 같은 상황에서 부모도 점차 재산을 생전에 상속하는 본능적인 행동을 주저하게 된다. 사회가 점차 산업화, 개인주의화로 변하면서 자손을 위한 생물학적인 이기적 본능이 이성적이고 현실적인 행동으로 변화되는 현상을 볼 수 있다.

현대는 경제적인 생활을 하기에도 바쁜 산업사회에서 부모를 봉양하기 위한 시묘살이는 꿈도 꿀 수 없다. 경제적인 활동도 문제지만 노인의 수명이 늘어나서 과거 전통적인 사회에 비해 부모를 봉양하는 기간이 상당히 늘어난 것도 큰 요인일 수도 있다.

조선시대에는 왕의 평균 수명은 46세였다. 영양이 많은 음식을 먹었으나 격무에 시달리며 거의 운동도 하지 않았기 때문에 오래 장수하지 못했다. 노예 층을 포함한 일반 백성의 수명은 45세, 양반계급의 수명은 55세 정도였다. 조선시대에는 조혼이 상례였으므로 보통 20세 이전에 결혼했고, 수명을 다할 때면 이미 자식은 젊은 성인으로 장성한다. 부모가 평균 수명을 넘겨 환갑을 맞게 되면 자식은 진심으로 부모의 장수를 잔치로 축하했다. 부모님 환갑에 30세 전후가 된 자식이 부모의 장수를 축하해도 몇 년을 더 살아갈 날은 사실상 많지 않다. 그래서 30세 전후의 자식이 돌아가신 부모를 위해 농경사회에서 3년의 시묘살이를 할 수 있는 시간은 어렵지 않았다. 양반계급이라도 부모의 평균 수명으로 보아 부모의 봉양은 길

제1장 우리들의 자아관 현상과 가치관 특징

어야 자식이 30세 전후가 되면 끝난다.

그러나 현대 노인의 수명이 80세를 넘고 이제는 100세를 바라본다. 얼마 전 노인 생존확률 통계(2020)를 보면 70세에 86%, 75세에 54%, 80세에 30%, 85세에 16%, 90세에 5%가 생존하고 있다. 80세가 되면 같은 연령 노인 중에서 살아남은 30%의 행운아들이다. 더욱이 사망하기 전에 평균 10년이라는 질병 기간까지 고려하면 자식의 나이도 이미 50~60세 된다. 노인이 노인을 봉양해야 하는 시대가 되었다. 개인주의 가치관으로 살아가는 현대인이 이러한 상황을 고려할 때 부모를 끝까지 봉양해야 하는 의무는 지키기 어려운 문제가 되었다.

효(孝)라는 글자의 의미는 자식(子)이 노인(老)을 업고 있는 형태의 상형문자다. 영어의 가족Family이라는 말도 "Father And Mother I Love You(아버님 어머님 저는 부모님을 사랑합니다)"라는 첫 글자를 모아서 만든 단어로 해석하고 싶은 심정처럼 부모를 위한 관심과 사랑을 더 많이 표현하고 실천하는 사회가 되었으면 좋겠다. 현대 산업사회에서 시묘까지는 아니어도 보모에 대한 은혜는 잊지 않겠다는 마음만은 간직하고 살아야 한다.

본능적인 연어의 사랑과 가물치와 같은 사랑도 이제는 산업사회에 들어서면서 이성적인 판단으로 모두 그 효력을 잃어가고 있다는 강한 느낌이 든다. 자식이 부모에게 효도하는 모습은 이제 뉴스에서나 볼 정도로 희귀해졌고, 부모가 자식을 사랑하는 본능적인 행동만이 겨우 유지되고 있을 뿐이다.

# 우반구 중심의 한과 흥이 넘치는 문화

동서양은 생활하는 방법에 따라서 좌우의 반구가 조금은 다르게 진화하게 되었다. 서양인들은 논리와 합리, 객관을 강조하는 좌반구 중심적인 문화로 진화하였으며, 동양인들은 감성과 정, 주관을 강조하는 우반구 중심의 문화로 진화하였다. 그래서 오늘날 서양인은 7:3의 비율로 좌반구가 더 잘 발달하였으며, 동양인은 7:3의 비율로 우반구가 더 잘 발달하였다. 이것이 동서양인은 좌우 반구가 외형적으로 크기가 다르다고 주장하기보다는 뇌의 세부 영역 간의 조직을 연결하는 체계가 섬세하다는 차이로 해석해야 한다.

결국 서양인은 좌반구 영역 간 정보 교류와 관계망이 더 활발하게 기능하고, 동양인은 우반구 영역 간 정보 교류와 관계망이 더 활발하게 작동한다고 해석하는 것이 합리적이다. 그래서 삶의 과정에서 경험하는 스트레스에 대처하는 양상도 상당히 달라서, 서양은 합리와 객관성을 우선하는 전략을 활용하고, 동양은 감정과 주관이 우세한 전략을 사용한다고 해석할 수 있다. 그래서 대처하는 방법으로 동양인은 서양인에 비교해서 객관적이고 적극적으로 풀어내는 방법보다는 감성적으로 참아내는 수동적인 방법을 선호한다고 해석할 수 있다.

그러나 시대적 환경에 따라 어느 시대에는 적극적으로 풀어내도록 권하는 시대에 살았고, 어느 시대에는 참는 것이 미덕이고 예의라고 권했고, 지금은 풀어내는 것이 심리적 건강에 좋다고 권하는 시대에 살고 있다. 지금은 너무 지나칠 정도로 표현의 자유가 시끄러울 정도지만, 그 덕분에 지금은 영화, 연극, 음악 등 세계 각종 연예 예술 분야의 시상식에서 우리의 K-문화가 정상을 휩쓸고 있다. K-문화 시대는 선조로부터 물려받은 창의력과 스트레스를 풀어내는 방법을 물려받은 우반구 유전자 덕택이라고 이해된다. 동양은 서양권에 비해서 7:3의 비율로 우반구가 발달하여서 감성, 직관, 창의성, 주관 등의 능력이 발달하여 예술적 감각에 적합하도록 진화했으며, 서양은 논리, 합리, 객관 등의 좌반구 능력이 발달하도록 진화했다.

우리의 정신 문화 특징인 한(恨)과 흥(興)은 서로 연관성이 없는 것처럼 보이지만, 한(恨)은 정서적 슬픔의 정서로 가라앉히는 하향적 기질이고, 흥(興)은 기쁨의 정서를 일으키는 상향적 기질과 관련된 정서다. 따라서 정서를 안으로 감추려는 한과 밖으로 내보내려는 흥은 겉으로는 같이 할 수 있는 기질이라고 이해하기에 무리가 있어 보이지만 한과 흥의 정서는 마음에 함께 들어있다.

이러한 한(恨)이라는 정서는 한국인에게서만 있는 독특한 정서다. 논어, 맹자, 대학, 중용, 시경 등 중국 고전 어느 책에도 한(恨)이라는 용어는 찾을 수 없고, 중국과 일본에서는 그 대신에 원(怨)이라는 말을 사용한다. 서양에도 우리의 한과 같은 의미의 용어는 없다. 한이라는 정서는 강자의 억누름을 표현하지도 못하면서 억압에서 느껴지는 감정적으로 응어리진 마음이다. 죽도록 열심히 일해도 굶어야만 하는 가난에 대한 원망, 왕조 국가에서 왕족과 양반의 기세에 억눌려서 억지로 살아야 하는 약자의 원망이 한이라는 정서 속에 녹아있다.

한국심리학회에서 한국인의 감정 표현방식을 분석한 자료를 보면 사랑, 행복, 기쁨과 같은 "쾌"라는 감정을 표현하는 단어는 전체 단어 중에서 28% 정도에 지나지 않으며, 우리가 사용하는 감정 관련 단어 중에서 무려 72% 정도는 참담, 배신, 슬픔 등과 관련된 "불쾌"라는 감정과 관련된 단어다. 이는 한국인은 말했다 하면 십 중에서 칠팔은 감정적인 불쾌를 표현하는 습관이 있다는 뜻이다.

외국어에도 원망을 나타내는 정서적 감정이 있지만 우리 민족이 품고 있는 특유의 한이라는 정서와 같은 용어는 없으며, 우리 민족의 한이라는 정서에는 복수의 감정이 없다는 점에서 가장 큰 차이점이 있다. 한국인의 복수는 뒤로하면서 감내하고 참아내는 한이라는 정서에서 출발한다. 예를 들면 은장도(銀粧刀)는 공격용 무기로 사용하는 것이 아니라 어이없게도 기본적으로 방어용인 자결용으로 사용한다. 자발적으로 죽음까지 선택하는 수동적인 무기로, 이런 무기는 한국인만 가지고 있는 정서적 표현이다. 한국 전통춤의 팔 동작도 안에서 밖으로 뻗어내는 동작이 아니라 그 반대로 밖에서 안으로 오므리는 율동이 기본적인 동작의 원리라고 한다. 이처럼 인내라는 "인(忍)"은 심장(心)에 칼날(刃)이 함께하는 형상을 표현한 글자로 칼날로 심장을 후벼내는 것 같은 고통을 안에서 참아내는 것이 바로 인내를 뜻한다.

한국인은 이런 한(恨)이라는 정서를 풀어내는 방법에서 다른 국가와 크게 다르다. 예로서 함무라비 법전에는 "눈에는 눈, 이에는 이"란 말처럼 상대에게 동일한 방법, 또는 적어도 유사한 수준의 복수 방법을 이용해서 풀어낸다. 그러나 우리 문화에서는 어떤 이유로 복수하지 못하거나 복수하지도 못하는 특징이 있다. 복수 아닌 다른 방법으로 가슴속에 맺힌 응어리를 풀려고 한다. 그래서 한의 정서를 참아내는 과정을 통해서 생기는 특성으로 병이 나타난다. 이런 병은 한국인만 생기는 "hwa-byung"이라는 한국어 고유의 병이 있다. 화병(火病)은 다른 말로 울화병(鬱火病)이라고도 한다. 모두 불(火)과 관련되어 있지만, 그러나 우리의 화병과 서양 의학이 진단하는 우울증과는 상당히 다르다. 화병은 대체로 가슴이 답답하거나, 온몸에 열 의식을 느끼고, 목과 명치에 뭉친 덩어리 느낌을 경험하거나, 치밀어 떠오르는 느낌, 억울하고 분한 감정들을 느끼고, 깊이 눌려있는 분노의 감정 등 대개 "신체적 증상"을 호소하지만, 우울증은 대체로 "정신적인 증상"을 호소하므로 화병과는 상당한 차이가 있다.

한민족은 한편으로는 억눌린 정서적 한을 흥이라는 방법을 통해 풀어내는 장점이 있다. 대표적인 것으로는 탈춤, 꽹과리를 치며 들판을 이리저리 돌아다니는 사물놀이, 각설이, 농무(農舞), 다 같이 어울려서 밤낮으로 춤을 추는 강강술래, 음주 가무와 같은 노래방 문화 등이 있다. 이런 한을 풀어내는 활동에는 신명(神明)이란 문화 유전자가 우리 핏속에 흐르고 있기 때문이다. 우리 말에 "신명 난다, 신바람 난다"는 말은 어떤 일에 빠져들거나 즐겁게 일할 때, 즉 순간적으로 삶에서 만족할 때 사용하는 말로 헝거리 계통인 미국의 심리학자 칙센트미하이Mihaly Csikszentmihalyi가 주장하는 "몰입" 상태와 유사한 경험이다. 올림픽이나 월드컵 경기에서 보이는 무질서와 같은 일사불란한 우리 문화 특유의 대규모 응원전을 예로 들 수 있다.

한국청소년정책연구원의 모상현(2022)은 신명의 심리적 특성으로 첫째 강렬한 정서적 경험을 하게 되고, 둘째 정서가 빠르게 주변에 전이되고, 셋째 여러 사람이 뒤섞여서 서로 떠들어대거나 뒤죽박죽이 되는 난장 현상이라고 말한다. 그래서 신명 상황에 빠지면 평소 마음에 맺힌 것이나 억눌려 응어리진 것들이 격식에 얽매이지 않고 큰 소리로 노래 부르고, 함성을 지르며, 처음 보는 사람과도 거리낌 없이 어울리고, 평소에는 하기 힘든 행동도 보이기도 한다. 이러한 신명은 평소에는 할 수 없었던 감정을 표현하는 기능이 있다. 감정의 표현이 단순한 혼돈이 아니라 문화적으로 약속된 무질서로 삶에서 일어난 여러 갈등으로 빚어졌던 욕구불만의 훌륭한 배출구가 되는 것이다.

가난과 핍박의 억눌림으로부터 해방을 뜻하고, 풀지 못한 한의 상태에서 자유로운 상황으로 전환되는 계기가 되기도 한다. 이어령 교수도 한국인의 문화 특징을 "푸는 문화"라고 정의한 바 있다. 이러한 특징을 "신명풀이"라 하는데, "탈춤"과 같은 우리의 전통 예술은 부정적인 감정을 배설시켜 정화해 주는 정신분석에서 말하는 카타르시스katharsis 개념과 비교가 된다. 스트레스를 푸는 수단으로 쓰이는 카타르시스의 실제적 기능, 즉 쌓이고 억압된 정서를 대리 배설하는 신체적 정신의학적 승화 효과가 있다.

우리 전통가요도 가슴속에 억눌린 한을 흥이라는 수단을 통해서 밖으로 풀어낸 것이다. 한국 음악 저작권 협회(2017)에 등록된 노래 604,029곡 중에서 26,250곡이 애창되고 있는데, 가사 내용이 대부분 "사랑 타령" 뿐이라는 것에 반대할 사람이 없을 만큼 "사랑"이란 말을 능가하는 단어는 없어 보인다. 대부분의 가사 내용이 이루지 못한 한에 대한 것들이다. 우리 가요에 많이 쓰이고 있는 단어 빈도를 보면 "운다, 눈물, 밤, 꿈, 정든, 꽃, 바람, 이별, 비, 등불, 슬픈, 외로운, 사랑, 멀다, 미련, 안개, 나그네, 죽음, 배, 고향, 간다, 길, 엄마, 부두"와 같은 단어가 대부분이다. 이제 트로트는 우리 전통의 한을 뛰어넘어 즐겁고 행복한 흥의 트로트로 새로운 장르를 개척하고 있다. 신명에 창의력과 몰입감이 어우러져서 음악은 물론이고 영화와 미술 등 각종 연예계에서 K-예술이 세계인을 신명과 감동을 일으키게 한다. 지난 2024년 초에 집계한 국내 공연시장이 1조2,696억 원이고 영화시장은 1조2,614억 원으로 연예계 공연 총계는 2조5,310억으로 집계되어 처음으로 공연시장이 영화시장을 넘었다. K-예술의 인기, 특히 K-팝 예술이 최대 절정기에 들어섰다는 의미다.

# 재물과 사회적 지위에 집착하는 과시욕

🌿 행동주의 심리학을 발전시킨 미국의 심리학자 제임스 William James는 1890년에 소유권과 자아에 대하여 "넓은 의미에서 인간의 자아는 그의 것이라고 부를 수 있는 모든 것의 총합이다"라고 정의했다. 그의 몸과 정신력, 그의 옷과 땅, 요트, 은행 계좌, 그의 아내와 자식, 조상, 친구, 명성, 일 등등이 모두 그의 소유에 포함된다. 이런 것들이 커지고 번창하면 의기양양해지고, 이것들이 줄어들면 그는 낙심하게 된다. 플라톤은 물질세계를 높게 평가하지 않으면서 우리는 더 높은 비물질적인 관념을 추구해야 한다고 생각했다. 그러나 아리스토텔레스는 좀 더 현실적이어서 물질세계 탐구의 중요성을 강조하기도 했다.

사르트르는 우리가 소유욕에 집착하는 것은 자아감을 끌어올리기 위한 것이라고 주장하면서 우리가 누구인지를 알 수 있는 유일한 방법은 우리가 가진 것을 관찰하는 것뿐이라고 주장했다. "존재와 무"에서 그는 인간의 소유를 통해 어디까지 정의되는지를 깨닫게 되었는데, 그는 "내 소유물 전체는 내 존재 자체를 반영한다. 나는 내가 가진 것이다. 내 것은 나 자신이다"라고 말했다. 그는 제임

제1장 우리들의 자아관 현상과 가치관 특징

스가 주장한 소유에 대한 개념을 "인간은 이미 가진 것의 합계라기보다는 아직 갖지 않은 것, 가질 수 있는 것을 모두 포함한 총합계"라면서 자아의 개념을 수정 확대하였다.

사르트르는 우리가 누구인지를 정의하는 것은 이미 취득한 것이라기보다 앞으로 취득할 수 있는 목표의 추구까지 포함한다고 주장했다. 신경과학적으로도 이미 자아의 확장으로 지각된 물체는 자아감을 생성하는 신경망에 통합되어 있다. 우리가 원하는 물체는 우리의 자아감을 자극할 수도 있지만, 또한 새로움과 추구의 설렘에 반응하는 체계를 활성화하기도 한다. 마치 신제품을 보았을 때 꼭 갖고 싶은 희망을 품는다면 이미 자아가 확장된 것으로 보아야 한다.

인류가 이 같은 물질적 자아관을 확장하기 위해서 지구 환경을 황폐화 한 결과 과거에 비해 100배 아니 1,000배 10,000배나 많은 물질적 풍요 시대를 맞이했다. 그래서 인류의 행복도 그만큼 높아졌을까 하는 의문이 생기는데, 인류의 행복 수준은 꼼짝도 하지 않을 뿐만 아니라 지구 환경은 회복할 수 없을 만큼 파괴되어 인류 스스로 자멸의 길로 가는 것은 아닌지 반성해 볼 시간이 왔다.

돈의 심리학을 연구하는 미네소타 대학 행동경제학자 보스 Kathleen Vohs는 돈의 맛을 아는 아동이나 성인은 모두 덜 친사회적이고 더 고립적이며 더 이기적으로 행동한다고 주장한다. 어떻든 사람들은 새로운 기술을 사용한 온라인 자아 구성을 통해 자신을 다른 사람에게 보여주고 싶은 모습으로 발전해가고 있다. 자아 구성에서 소유가 중요한 것은 소유물에 대해 갖는 것뿐만 아니라 우리가 소유물로 무엇을 요구하려는가 하는 소망과 희망까지도 포함되어 있기 때문이다.

도킨스의 이론에 의하면 아이들은 이기적 유전자를 가지고 태어난 자기중심적 성향 때문에 다른 사람의 관점에서 사물을 보는 것은 어려워서 자발적인 공유행동은 드물게 나타난다고 생각한다. 그러나 어릴 때부터 집단주의적인 교육을 받고 자란 동양의 아이들은 서양의 아이들보다 더 공감하는 능력이 높아서 더 많이 나눠 가지는 경향이 강하다. 우리가 소유물 공유를 꺼리는 것은 타인을 생각하지 않기 때문이라기보다는 우리가 가진 것에 너무 집착하기 때문이다.

"생각의 지도"를 쓴 미시간 대학의 심리학과 석좌교수인 니스벳Richard Nisbett은 이러한 자아 구성의 형태는 전통문화에 따라서 크게 달라진다고 설명한다. 동양권 문화에서 자아 구성은 의존적이며 집단주의적 경향이 높지만, 서양권 문화에서는 독립적 자아를 강조하면서 개인소유, 개인의 업적, 다른 사람과의 차이를 중시한다. 이처럼 전통문화는 집단주의와 개인주의로 분리될 뿐만 아니라 또다시 수직적 형태와 수평적 형태로 나누어 설명할 수 있다.

수직적인 구조를 가진 개인주의 문화는 미국, 영국, 프랑스와 같은 서유럽 국가에서 관찰된다. 이런 문화권에서는 경쟁, 성취, 권력을 통해 사람들을 구별하려고 한다. 심리학자로서 2002년에 노벨 경제학상을 수상했던 프린스턴 대학의 카너먼Daniel Kahneman 명예교수가 미국 성인 2,034명을 대상으로 조사한 결과에 의하면 미국인의 59%가 돈으로 행복을 살 수 있다는 견해에 동의하는 것으로 나타났다. 과연 개인의 능력과 서열을 중시하는 미국의 문화를 볼 수 있다.

제1장 우리들의 자아관 현상과 가치관 특징

사람들은 보통 부(富), 아파트, 출세, 명예, 권력, 멋진 배우자 등등의 대상에서 행복을 찾으려 한다. 그러나 행복은 그런 것을 소유하거나 쟁취하는 데서 오는 것이 아니라 그런 것을 소유, 쟁취할 때 느끼는 쾌적함, 뿌듯함, 성취감 등에서 느끼는 것이 행복이다. 그리고 어려운 일이지만 행복은 돈이 있거나 없거나, 고급 아파트에서 살거나 허름한 집에서 살거나 한결같은 즐거운 감정이 지속되어야 한다. 그래서 행복은 외부의 대상에서 찾을 것이 아니라, 내 안에서 변함없이 일정한 마음 상태를 유지하는 데서 찾아야 진정한 행복이다. 하버드 대학 사회심리학자인 길버트Daniel Gilbert는 마음이 잡념에 빠질수록 불행하고, 마음이 평온할수록 행복하다면서 행복하기 위해서 특별한 비법을 찾기보다는 인간관계와 일상을 즐기는 데서 행복을 찾아야 한다고 주장한다.

한편 수평적인 구조를 가진 개인주의 문화는 스웨덴, 덴마크, 노르웨이, 오스트레일리아와 같은 북유럽 지역에서 관찰된다. 이들은 자신을 자립적인 존재로 보지만 이웃 타인과 항상 동등한 지위에 머물러있다고 생각하면서 서열로 사람의 위치를 평가하는 견해에 반대한다.

한편 수직적인 위계질서를 가진 집단주의는 한국, 일본, 인도와 같은 국가에서 관찰되는 권위와 서열을 중시하는 특징이 있다. 이들은 개인적인 목표를 희생하더라도 권위에 복종하고 집단의 단결과 지위를 고수하려는 의지가 강하다. 마치 내 희망을 희생하더라도 가족을 돌보는 것이 내 의무라고 생각하거나 내가 속한 집단의 결정을 존중하는 것이 무엇보다 중요하다고 생각한다. 한편 수평적인 집단주의적 경향은 브라질, 남아메리카 등 남미 지역에서 관찰

될 수 있다. 이곳에서는 높은 사교성과 평등주의 질서가 강조된다. 다른 사람과 함께 시간을 보내는 것이 즐겁다거나 동료의 행복이 나에게 매우 중요하다는 식으로 이해한다.

특히 수직적 집단주의 성향이 강한 한국은 개인은 집단에 희생될 수 있다는 유교적 사상과 과거 가난에서 벗어나려는 보상심리가 어우러져 사회적으로 출세하고 돈도 많이 벌어야 하는 소위 부귀영화에 집착한다. 그래서 세계 최고의 교육열을 수단으로 이러한 부귀영화의 목표를 달성하기 위해 어린 시절부터 최고의 노력을 쏟으며 성공과 실패라는 강력한 경쟁의식에 노출되는 사회적 압박 속에서 살아간다. 그러나 소수의 성공한 사람을 제외하면 다수의 국민은 쓰디쓴 실패만을 경험하는 패배자의 낙인이 찍힌다. 국민 대부분은 이처럼 일생을 성공을 위한 강한 스트레스에 억눌려 살아가게 되지만 삶의 끝자락인 노년기에 들어서면 외롭고 고독한 삶을 살게 된다. 가족주의의 해체로 누구 한 사람도 그를 따뜻하게 대하는 사회적 지지를 주지 않기 때문이다. 이제 한국의 경제는 세계적으로 성공한 국가로 성장했지만, 한국 노인들의 고독과 자살률은 OECD 회원국 중에서 최고를 달리는 슬픈 나라가 되었다.

수직적 문화권에서는 개인주의적 특징이든 집단주의적 특징이든 이들은 소비 규모를 통해 사회적 지위의 높낮이를 구별하려 하는데, 수평적인 문화권에서는 겸손을 장려하며 양귀비나 클레오파트라와 같은 특출한 인물은 함께 어울리기 어려운 사회다. 이들은 자기 정체성과 자신에 대해서는 자유롭게 표현하지만 그들의 사회적 지위나 명성을 강조하지는 않는다. 그러나 집단적이면서 수직적인 문화권에서는 집단의 단결과 목표를 중시하면서도 지위에 대해서

제1장 우리들의 자아관 현상과 기치관 특징

도 상당히 강조한다. 한마디로 말하면 수직적 문화에서는 나의 능력에 집중하며 나의 능력을 최대로 발휘하려는 자아 긍정적 의식이 강하며, 수평적 문화에서는 나의 능력에도 집중하지만, 상대방도 객관적으로 평가하면서 비판하는 부정적인 의식도 강한 편이다.

지금 한국은 수직적 가치를 강조하는 문화로 명품에 관한 세계 최고 소비국, 맛집 탐방 등 해외여행 등에 과도한 비용을 지출하는데, 이러한 행동의 근본적인 원인으로 우리의 문화가 집단적이고 개인적인 수직구조에 해당하는 문화 특징과 무관하다고 할 수 없다. 다른 사람보다 많이 가지고 있음을 과시하거나 다른 사람보다 내가 더 뛰어나다는 능력을 표시하는 서열 의식으로 다른 사람에게 자신을 뽐내려는 과시 문화로 해석된다.

이처럼 사회에서 서열 의식으로 치열하게 경쟁할 때 경쟁에서 이긴 승자와 패자가 나타나게 된다. 그런데 경쟁에서 이긴 승자의 뇌와 패자의 뇌에는 분명한 차이가 있다고 한다. 한국뇌연구원(2023)이 전두엽에 있는 특정 신경세포에서 승자의 뇌와 패자의 뇌가 다르게 작동한다는 사실을 확인했다. 사회적 서열과 경쟁에 관여하는 영역이 뇌의 전전두엽PFC: Prefrontal Cortex 영역이라는 사실을 확인했는데, 승자는 전전두엽에서 중격의지핵NAc: Nucleus Accumbens 으로 신호를 보내는 신경세포가 활성화되고, 패자는 복측피개영역 VTA: Ventral Tegmental Area으로 신호를 보내는 신경세포가 활성화된다고 한다. 이러한 연구는 앞으로 사회적 경쟁과 서열 의식에서 오는 병리적 현상인 불란, 우울뿐만 아니라 권위주의적 갑질 등과 같은 문제를 신경생물학적으로 파악하고 치료하는 의료적 행위에 크게 도움이 될 것으로 기대된다.

# 물질과 지위를 과대평가하는 이유

🌿 우리의 뇌 구조는 생물학적으로 보면 생식능력을 배가하는 활동, 즉 생식능력을 늘리는 활동에 모든 역량을 집중하는 것이 삶에서 가장 중요한 목표가 된다. 재산이 많고 사회적인 서열이 높아지면 당연히 생식능력을 증가시킬 수 있는 기회가 늘어난다. 이처럼 더 많은 물질을 소유하고 있는 사람은 상대방에게 겁을 주어 자신의 영역에서 쫓아낼 힘과 권력이 커지기 때문에 매력적인 여러 여성의 관심과 기회가 많아지고, 그래서 더 많은 후손을 낳을 수 있을 뿐 아니라 후손이 생존할 확률도 훨씬 더 높아지게 된다.

이러한 생각은 수천 년 동안 흘러오면서 뇌 속에 깊이 뿌리 박혀 진화되었다. 그러나 기본적인 먹거리 문제가 해결된 오래전부터 더 이상 생존 욕구를 위해 경쟁할 필요가 없어졌는데도 불구하고 여전히 혹시나 하는 불안감으로 물질과 사회적 지위에 집착하게 된다. 부모 모두 아이들과 많은 시간을 즐겁게 보내면 부모도 아이들도 모두가 다 행복할 것이라는 사실을 알고 있지만 왠지 모를 불안감 때문에 직장에서 밤늦게까지 피로에 지치면서 수입을 올리기 위해 열심히 일하고, 아이들을 더 훌륭한 학군에서 좋은 교육을 받게 할 수 있다는 믿

제1장 우리들의 자아관 현상과 가치관 특징

음과 함께 머리를 싸매고 열심히 공부하도록 격려한다. 그러나 이러한 행동이 생물학적인 진화론 관점에서 매우 중요한 것으로 보일지 모르겠지만 아이들에게는 그렇게 행복한 일이 되지 못한다.

우리가 이처럼 과소비에 빠지게 되는 이유는 혹시 다른 사람 때문에 피해를 볼 수도 있다는 걱정을 예방하기 위한 것이다. 내가 다른 사람의 소비와 관계없이 나의 소비수준을 결정한다고 해도 혹시 다른 사람이 나를 낙오자로 낙인찍어 버릴까 걱정한다. 유명한 고급가방 대신 싸구려 가방을 들거나, 낡은 청바지에 보풀이 이는 스웨터를 입거나, 멋있는 고급 승용차 대신 낡은 차를 타고 다니는 자신을 다른 사람이 비교하면 그들과의 소비 형태와 맞지 않기 때문에 이런저런 손해를 볼 수 있다고 생각한다. 따라서 소비 형태는 내 욕구를 만족시키기보다는 다른 사람의 욕구와 비교하여 나를 방어하려는 소비 형태가 일어나게 된다.

우리가 돈, 명예, 지위, 권력과 같은 외형적인 재화와 내면적인 욕구를 비교하여 평가할 때 재화를 더 높게 평가하는 매우 잘못된 판단을 한다. 심리학자가 꼽는 인간의 중요한 내면적인 욕구는 가족, 친구, 동료들과 즐거운 관계를 맺으면서 인정도 받고, 자신감을 얻으려는 욕구와 인생을 내 생각대로 꾸려 나갈 수 있는 자율성을 위한 노력을 확보하는 것에 있다. 그런데 이러한 내면적인 욕구 충족과 외형적인 재화 사이에서 어느 한쪽을 결정해야 할 때 우리는 기본적으로 외형적인 재화에 더 큰 의미를 부여한다는 것이 취리히 대학의 슈트처Stutzer와 프라이Frey 교수의 주장이다. 우리가 이런 결정을 내리게 되는 것은 내면적인 욕구를 충족하는 것이 외형적 재화만큼 중요치 않아서가 아니라 그런 진리를 반복해서 잊어버리기 때문이다. 마치 우리가 1kg의 지위와 1kg의 우정을 저울에 달면 언제든지 지위가 우정보다 더 무겁다고 확신하는 아주 체계적인 잘못된 결정을 한다.

슈투처와 프라이 교수는 "경제적 효용의 잘못된 결과"란 논문에서 이런 잘못된 결정을 내리는 이유를 잘 설명하고 있다. 이들에게 "효용"이라는 말은 고전 경제학이 빚어낸 개념이라면서, 그렇게 결정하는 개념이 자기 자신의 행동에 이익이 될지 아닐지를 판단하는 기준으로 사용한다. 그러므로 옳지 않은 어떠한 가정이나 이유로 잘못된 결정을 내리게 될 때 본래 얻을 수 있는 이익보다 더 적은 효용성을 갖게 된다. 다시 말해서 우리가 도달하게 될 자리보다 더 아래에 머물게 되는 것이다. 그런데 우리에게 이런 잘못이 체계적으로 일어날 뿐 아니라 상당히 규칙적으로 일어난다.

이들은 구서독 직장인들의 출퇴근 시간과 생활 만족에 관한 연구(1984)를 수행하여 이런 현상을 증명했다. 1년에 3만 유로를 더 받는다는 조건으로 출퇴근 시간이 더 길어진 곳으로 전근하라는 제안을 한다. 만약에 제안에 동의한다면 통근 시간이 길어지기 때문에 가족이나 친구들과의 관계와 취미활동과 같은 시간이 줄어든다. 연구 결과는 분명히 직장까지 통근하는 거리가 멀수록 삶의 만족도는 낮아진다. 통근 거리가 한 시간 늘어나면 잃게 되는 삶의 질을 보충하기 위해서 임금의 40%를 더 인상해 주어야 하는 것과 비슷해진다. 그러나 우리들의 임금 인상액이 이러한 손해를 충분히 보상받을 수 없는 약간 더 많은 금액일지라도 출퇴근 시간이 긴 먼 지역까지 전근하는데 동의 하게 된다.

한국에도 이와 비슷한 재미있는 연구 결과가 있다. 동남지방통계

제1장 우리들의 자아관 현상과 가치관 특징

청(2023)이 동남권(부산, 울산, 경남)과 수도권(서울, 인천, 경기)에 거주하는 청년(19~39세)을 대상으로 경제적 소득과 생활 만족도와의 관계를 비교 연구했다. 경제적인 삶의 질로서 수도권의 월평균 임금(2022)은 290만 원인이고 동남권은 263만 원으로 두 지역 간 27만 원의 차이를 보였다. 임금 격차는 2013년 이후 계속 커지는 추세에 있으며, 고용률은 수도권이 70.3%로 동남권의 63.8%보다 조금 높았다. 그러나 비경제적인 삶의 질에서는 동남권의 만족도 (2022)가 7.1점인데 비해서 수도권은 6.4점으로 동남권이 더 좋았다. 행복을 느끼는 긍정적인 정서도 7.5점으로 수도권의 6.6점보다 높았고, 부정적인 정서도 2.5점으로 수도권의 3.6점보다 낮았다. 스트레스 지수도 43.9%로 수도권의 46.9%보다 낮았고, 여가를 즐길 시간 역시 5.0시간으로 수도권의 3.9시간보다 더 많았다. 그러나 동남권 지역의 청년들은 높은 일자리 기회와 월평균 27만 원이라는 소득 차를 크게 느끼면서 수도권으로 직장을 옮기려는 의지가 강하다고 통계청이 논평하고 있다.

이처럼 고전 경제학자의 주장에 따르면 여러 재화와 관련된 활동을 평가할 때 정확한 비교도 없이 의외로 쉽게 평가한다고 한다. 거리가 먼 교외까지 출근할 때 들어가는 추가 교통비, 심리적 육체적인 스트레스와 같은 여러 손해 요인이 발생하여도 이러한 상황을 평가할 때 소득이 늘어나거나 생활비가 절약된다는 약간의 긍정적인 요인들만을 강조하고 앞으로 있을 큰 손해는 모두 잊어버리고 만다는 것이다.

슈투처 교수의 주장에 따르면 실제 현실에서는 고전 경제학 이론과 다르게 행동하면서 계속 불행한 결정을 내리는 것은 외형적인 요인의 의미를 과도하게 인식하기 때문이라 한다. 돈과 지위 등은 가치체계에서 항상 가족과 친구 관계보다 더 높게 평가된다. 돈과 지위라는 외형적인 요소는 직접 느낄 수 있고 객관적으로 측정도 가능해서 그러한 욕구에 빠지기가 쉽다. 1년에 3만 유로를 덤으로 더 받는 직장, 더 높은 직위를 약속하는 직장이라면 더 큰 행복 요인이 사라져도 누구든지 두 손 들어 환영하는 오류에 빠지게 된다.

그런데 외형적 요인이 갖는 매력은 시간이 흐르면서 그 위력이 점차 사라지게 된다는 사실을 상상하지 못한다. 3만 유로라는 소득 증가의 기쁨은 순식간에 사라지게 되고 매일 통근으로 일어나는 스트레스만 남게 된다. 우리는 평생을 행복을 위해서 열심히 담금질하고 망치질하는 대장장이라고 생각하지만 사실 우리는 계속 반복해서 내 손가락만 내리치는 어리석은 행동만 하는 것이다. 외형적인 요소에 기대 이상으로 과대평가하는 습관 때문에 상대적 비중을 올바르게 계산하지 못하는 실수를 범하고 있다.

이러한 어리석은 행동의 모든 원인은 유전자 안에 있는 것 같다. 과거에는 물질적 욕심을 채울 수 없는 욕심쟁이 심보가 항상 더 높은 생존 기회를 얻을 가능성이 컸다. 경제학자 이스털린은 그러한 욕심이 유전자 안에 고스란히 그대로 남아 있다고 주장한다. 선조들이 살아 있는 것에 성공한 대가로 우리는 행복의 방향을 잃고 불행의 언저리에서 사는 셈이다. 이런 추론이 사실이라면 우리는 어째서 진실을 깨닫지 못하고 계속해서 뜨겁게 달궈진 난로 뚜껑에만 손을 대고 있는 것인지 이해할 수가 없다.

# 수직적 집단주의에서 수직적 개인주의로

🌿 어린아이가 엄마 손에 이끌려 이웃집에 놀러 가서 그 집 아이와 함께 놀게 되었다고 하자. 어머니는 아이들의 나이를 확인한 후 나이가 조금이라도 많은 아이는 형(누나, 언니)이 되고 다른 아이는 동생이 되면서 서로 간의 상하 관계를 알려준다. 그렇게 되면 형은 동생을 보호하고 지도해야 하며 동생은 형의 말을 잘 듣고 명령에 잘 따라야 착한 어린이가 된다. 이런 관계는 초등학교를 거쳐서 중고등학교까지 이어지고 대학에서도 이러한 엄격한 선후배 관계에 따라 조직의 질서가 유지된다. 군대는 물론이고 스포츠계와 연예계, 언론계 등 일반사회에서도 이런 규칙이 통용되며, 정치인이나 종교계에서도 흔히 볼 수 있는 일반적인 현상이다. 그래서 모르는 사람끼리 언쟁하다가도 격해지면 보통 서로의 나이를 따지는 일이 벌어진다. 사회에서는 일반적으로 고향이 어디인지. 공부는 얼마나 했는지, 어느 학교 출신인지, 어느 회사에 취업했는지, 그 회사에서 직급은 무엇인지 등의 서열 관계를 비교할 수 있는 조건을 따져서 자연스럽게 서열이 정해지는 경향이 높다.

그런데 이처럼 전통적인 수직적인 집단주의 문화에서 빠르게 수직적 개인주의로 변화하면서 가지고 있는 돈의 규모와 사회적 지위에 따라서 상하 관계를 결정하는 경향이 높아지고 있다. 그래서 나이가 많은 아파트 경비원도 돈 많은 아파트 주민 자녀들이 경비원에게 하대하면서 명령조로 일을 시키는 것이 관행처럼 유행하고 있다. 항상 이웃보다 조금이라도 더 가져야 하고 더 높은 자리에 앉아야 성공했다는 인식이다.

그래서 한국인은 자신이 부자이거나 신분이 높다는 것을 알리기 위해서 값비싼 외제 승용차에서부터 명품을 수집하는데 집착하는 과시 소비 공화국이 되어서, 2022년 기준으로 명품을 수입하는 세계 1위의 소비국 지위를 굳게 지켰다. 명품에 소비한 액수가 총 168억 달러(약 20조 원)로 1인당 325달러를 기록하면서 1인당 기준 세계 1위 소비국의 불명예를 차지하고 있다. 1인당 280달러를 기록하고 있는 미국인들보다도 45달러나 더 많이 지출하고 있으며, 1인당 55달러를 기록하고 있는 세계적인 소비국인 중국에 비해서도 무려 6배나 더 높은 명품 소비국이 되었다.

이와 같은 소비경향에 대해 전문가들은 국가의 경제적인 자산이 풍족하여 구매력이 향상되었다는 점에도 주목하지만, 무엇보다도 부와 외모를 이웃에게 과시하려는 문화적 풍조가 더 크다. 여기에 사회적 부를 과시하는 수단으로 기능하는 소셜미디어의 발달과 높은 자아 보상행위의 표출 때문이라는 분석도 있다. 그렇다고 하더라도 수 세기 동안 부자였던 다른 국가들과 달리 부자 반열에 오른 지 겨우 30년도 채 되지 않은 한국인이 경제 선진국들을 모두 제치고 명품 구매에서 세계 1위를 차지하고 있다는 점은 매우 부끄러운 일이 아닐 수 없다.

제1장 우리들의 자아관 현상과 가치관 특징

한국인이 이처럼 다른 나라에 비해 개인주의적 의식이 강한 이유에 대해 이케아의 "가정생활 보고서Life at Home Report"는 "돈, 건강, 사생활"에 상당히 민감하기 때문이라고 해석한다. 한국인은 경제적 부담에서 오는 불안감이 세계 평균인 17%보다 더 높은 22%를 보이고 있고, 건강에 대한 염려도 46%로 세계 평균 37%보다 높다. 사생활 보호와 개인주의적 가치를 매우 중요하게 생각하는데, 한국인은 보호받고 있다는 응답이 34%로 세계 평균 45%에 비해서 많이 부족한데도 유독 명품 구매에 집착하고 있는 성향을 이해하기 어렵다.

이러한 상황은 어쩌면 한국인들에게는 그런 배금주의적 DNA가 핏속에 흐르고 있는 것으로 유추해 보게 된다. 평생 만져보기 어렵던 부를 거머쥐게 된 사람들은 자연스럽게 부를 과시하고 싶은 생각이 들 수 있다. "나는 이만큼 많이 가지고 풍요롭게 살고 있으니 무시하지 말라"고 경고하는 듯하다. 솔직히 말하면 부의 기능이 10%라면 나머지 90%는 과시하고 싶은 욕망의 표현이다. 내가 다른 사람보다 더 잘 사는 능력이 많은 사람이라는 것을 보여주고 싶은 과시욕이다. 어떤 것을 드러내고 과시하려는 행동은 역설적으로 말하면 그것에 대한 결핍과 강박에 대한 반증이다. 값비싼 명품으로 온몸을 휘감은 사람은 마치 자신이 고귀한 명품과 같은 귀한 사람이 된 것처럼 자신을 과시하는 병적 강박관념에 빠진 것이다.

지나친 과시욕으로 점심 한 끼 먹는데 10만 원이 넘는 고급식당이 성업 중이고, 출산 후 2주일 조리를 받는데 600만 원 이상인 호화 산후조리원도 6개월 이상 대기표를 받고 기다려야 하고, 200만 원이 넘는 유모차와 70만 원이 넘는 아기 의자도 3개월이 걸려야 받을 수 있는 과소비 욕구도 많지만 이런 과시의 뒤편에는 빈부격차로 경제적으로 힘들게 사는 경제적 하층도 많아서 일반 소비시장에서는 "평균의 실종"이라는 기현상이 일고 있다.

다시 말하면 소비시장에서 비쌀수록 더 잘 팔리는 고액의 사치품 시장도 많지만, 한편 프리미엄과 가성비를 고려한 저가품 구매 시장도 많아서 중간 가격대나 평균 가격 제품은 발붙이기 힘든 여건이다. 중산층의 소비를 이끌던 큰 마트는 실적이 현저히 꺾였고, 균일가 전문점이나 온라인 저가 상점, 해외 온라인 직구, 중고품 거래 등 초저가 가성비 제품 구매가 호조를 이루기도 하는 시장 양극화 현상이 두드려지고 있다.

한국은 지난 과거 경제적으로 가난하게 살았고, 사회적으로도 많은 괄시와 천대를 받고 살아왔던 열등의식이 과시욕으로 나타나고 있다. 조선시대의 사회 현상을 잠시 회상하면 왜 우리가 이토록 높은 경제적 보상행동에 집착하는지 이해할 수 있다. 조선시대 사회 계층은 대략 양반(10%), 중인과 상인(40~50%), 천민(35%) 등으로 구성되어 있었다. 10%를 넘지 못하는 소수의 양반 계층이 국가의 모든 정책을 결정하는 관직에 오를 수 있었는데, 사실 이런 양반 계층도 4대까지 관직에 오르지 못하면 한 단계 낮은 중인으로 내려가야 했다. 그러므로 계속 양반계급을 유지하는 것도 매우 힘들었기 때문에 양반 신분은 그만큼 고귀했다. 물론 중인이나 상인도 과거를 볼 수 있었으나 관직에 오를 수 있는 문과에는 응시할 수 없었고 무과에만 응시할 수 있었다. 이처럼 부와 귀는 10%도 안 되는 소수 양반 계층들의 몫이었기 때문에 서민이나 천민들에게 부와 귀는 바라보기만 하는 그림의 떡이었다.

조선시대 노(奴)는 남자를 뜻하고 비(婢)는 여자를 뜻하며 그 자식들도 저절로 노비가 되는 세습 신분이었다. 이러한 신분에 평등을 주장하며 최초로 반기를 든 것은 고려시대(1198년) 최충헌의 노비였던 만적(萬積)의 난이었는데 반란을 모의하다 적발되어 참살당한다. 그 후 숙종 3년(1677년)에 진흥비 건축 부족비용을 충당하기 위해 노비 면천 증서를 발행하면서 노비제도가 붕괴하기 시작했다. 그런 후 동학 농민혁명의 여파로 신분제도를 유지하기 어려워지자 1984년(고종 31년) 갑오개혁(甲午改革)으로 신분제도 자체를 폐지하고, 1886년 2월 6일(고종 33년)에 노비제도를 공식적으로 폐지하며 봉건사회가 폐막 된다.

드디어 해방되고 자유민주주의 정부가 수립되면서 국민계급이 평등해지고, 누구에게나 공교육의 문이 공평하게 부여되면서 열심히 공부하면 꿈에 그리는 부귀를 손에 넣을 수 있는 기회를 얻게 되었다. 이처럼 누구나 가문의 대표선수로 부귀영화를 누려보자는 열망은 곧바로 세계 최고의 교육열을 불러일으켰다. 게나 고동이나 모두 높은 교육을 받으려는 대학 진학률이 무려 70%를 넘어서 세계 2위의 캐나다(60%)보다도 10% 이상 높고, 미국(47%), 프랑스(44%), 독일(30%) 등 선진국에 비해서도 크게 앞서면서 세계 최고의 교육 강국을 이루었다. 드디어 누구나 노력하여 높은 학력과 공덕을 쌓는다면 공경받을 수 있고 부자가 되어 귀한 사람이 될 수 있다는 사회적인 분위기가 형성되었다. 이제 한국인들에게 평등이라는 보편성과 개방성은 "부와 귀"의 개념을 오직 높은 관직과 돈에 집착하는 국민으로 변화시켰다.

이처럼 최고의 학력을 자랑하는 국가가 되었지만 한국 학생 10명

중 2명 이상이 자기 삶에 만족하지 못하고 있다. OECD의 국제 학업성취도 평가(PISA, 2022)에서 22%의 학생이 자기 삶에 만족하지 않는다. 이는 OECD 학생 평균치(16%)보다 6%나 높아서 학생들의 삶의 만족도는 하위 수준을 면치 못하고 있다. 그러나 학업 성적, 학교에 대한 소속감, 안전감, 학교에서 괴롭힘을 당하는 정도 등에서는 모두 OECD 회원국 학생들보다 더 안정적이다. 학업성취도, 학교생활에 대한 조건 등에서는 모두 OECD 회원국보다 좋은 평가를 받고 있지만 학교생활 만족도에서는 오히려 좋지 못한 평가를 받고 있다는 뜻이다. 이는 학업성취를 위한 과도한 성취욕과 경쟁에서 오는 학업 스트레스가 지나치게 높다는 의미다. 이렇게 된 중요 요인으로 부귀를 삶의 목표로 삼는 전통적인 수직적 개인주의 문화 배경을 들지 않을 수 없다.

이러한 부(富)를 이루고자 하는 욕망은 가난에서 벗어나 이승의 삶을 푸짐하게 누리자는 보상심리에서 나온다. 부를 희망하는 소망은 "가난 구제는 나랏님도 못한다"는 빈곤 사상에서 나온 보상심리다. "돈이 있으면 금수강산이라, 돈만 있으면 귀신도 부릴 수 있고, 돈만 있으면 개도 멍첨지가 된다"는 생각은 언제나 부유해지기를 간절히 소망하는 삶의 목표가 되었다. 그래서 우리는 부귀를 얻으려는 "수단과 과정"보다는 부귀를 쟁취하는 "목표와 결과"에만 집착하는 국민이 되었다.

이러한 흐름은 국민을 지나친 물질 풍요의 길로 잘못 가도록 유도하는 결과를 초래하였다. 한국철도공사(2023)에 의하면 작년 한 해 동안 전국 기차역과 열차에서 습득한 유실물이 총 24만7,275건으로 작년보다 51.9% 늘었다고 한다. 유실물이 많이 발생한 곳은 부산역(4만5,591건)과 서울역(3만7,213건)으로 하루 평균 677건의 유실물이 발생하고 있다. 유실물의 종류를 보면 가방이 15%(3만 6,707건), 지갑이 11.4%(2만8,236건), 쇼핑백이 10.7%(2만6,415건), 휴대전화가 10.4%(2만5,589건)로 가장 많았고 그 밖에도 동물, 의료기구, 군용품, 살아있는 꽃게, 강아지, 뱀, 목발, 지팡이, 커플링, 코골이 양압기, 틀니 등 다양하다. 접수된 유실물 중 56.9%가 본인에게 인도됐으며, 37.7%는 경찰서에 이관됐고, 음식물 등 폐기 처리된 유실물도 4.4%나 되었다. 습득한 유실물은 습득한 역에서 일주일간 보관했다가 주인이 나타나지 않으면 경찰서에 넘겨진다.

이러한 자료로 볼 때 유실물은 기차에 고의로 버린 쓰레기가 아닌 지금 사용하고 있는 물건으로, 잃어버린 이후 신상품을 새로 사겠다는 의도가 더 많은 것 같다. 한국인은 어느새 물건을 기능이 다할 때까지 아껴서 사용하기보다는 싫증이 나면 새 상품으로 교체하겠다는 "신상품 증후 병"에 걸려 있는 환자가 되었다. 전국의 초등학교에서도 고의로 버려서 쌓여만 가는 분실물을 처리하는데 고충이 많다고 한다. 그래서 상품을 광고할 때 상품의 기능이나 내구성보다는 새로운 신상품의 편리함과 그 제품을 소유함으로써 사회적 명성과 지위가 높아질 수 있다는 이웃에 대한 과시형 이미지를 광고 소구점The Point of Appeal을 강조하고 있다. 온고이지신(溫故而知新) 정신은 어디에 갔는지 가난하고 천대받으며 살아왔던 우리의 자존심과 명예와 사회적 지위만을 높이려는 신상품 과시형 전략을 노리며 전개하는 마케팅 전략은 그래서 상당한 효과를 보고 있다.

얼마 전 어느 정당이 "청소년들에게 정치나 경제는 어떻게 되든지 돈만 많이 벌면서 나만 부자가 되면 좋겠다"는 프랑 카드Plan

Card를 제작했다가 논평가들과 국민의 따가운 비판을 받은 사건이 있었는데, 사실은 젊은 청년층의 숨어있는 욕망을 직접적으로 잘 표현해 보려는 의도였을 것이다. 한국방정환재단(2021)에서 발표한 "한국 어린이 청소년 행복 지수"가 22개 OECD 회원국 중에서 22위로 꼴찌를 차지했었다. 우리 청소년들은 행복을 위해 필요한 것으로 "돈, 성적, 자격증" 등 물질적 가치를 꼽은 아이들이 38.6%로 가장 많다. 전년도에 비해서 "가족, 친구" 등 관계라는 가치를 꼽은 비율은 오히려 10.8%로 줄어든 반면에 물질적 가치를 높게 평가한 비율은 9.5% 증가했다. 우리 청소년들의 과도한 지식 중심적인 사교육과 물질주의적 풍조가 청소년을 심각한 스트레스 속으로 밀어 넣은 결과다.

보건복지부 자료에 의하면 우리 아동·청소년의 삶의 만족도가 OECD 국가 중에서 최하위에 속해 있음이 확인되고 있다. 행복하기 위해 열심히 일하는 방법에는 관심이 없고, 오로지 부와 귀만 얻으면 된다는 생각으로 돈뭉치와 높은 의자에 오르려는 욕심만 높아서 맹목적인 세계 최고의 교육열만 키우는 실정이다. 과거 시대 가난에서 벗어나 물질적으로 풍요롭고 사회적으로 높은 자리에 앉겠다는 보상심리와 그런 욕망에 대한 과시욕과 같은 잘못된 사고를 갖도록 교육한 지금의 중년 부모와 조부모 세대들의 자녀 교육관, 그리고 이러한 가치를 방관한 사회적 정치적 환경에 대해 깊이 반성해야 한다.

제1장 우리들의 자아관 현상과 가치관 특징

# 노인의 노화 현상과 노화 특징

🌿 국제연합(UN)은 65세 이상 인구가 전체 인구에서 14% 이상이면 고령사회로 분류하고, 20% 이상이면 초고령 사회로 분류하는데, 행안부(2024)에 의하면 전체 주민등록 인구 5,126만 9,012명 중에서 65세 이상 고령 인구가 1,000만 62명으로 19.51%를 차지하고 있어서 우리도 초고령화가 현실로 다가오고 있다. 국민 5명 중 1명이 노인인 셈인데, 더욱 놀라운 점은 70대 이상 인구(631만9,402명)가 20대 인구(619만7,486명)를 추월했다는 사실이다. 보건복지부의 "2022 OECD 보건통계"에 의하면 한국인의 기대수명은 83.5세로, OECD 평균(80.5세)보다 3년이나 더 장수하고 있어서 38개 OECD 국가 가운데 일본 다음으로 최장수국 자리에 올라 있다.

이제 인류의 평균 수명은 해마다 크게 늘고 있다. 1800년의 평균 수명은 26세에 불과했고, 1900년에는 31세, 1950년에는 49세, 2000년에는 66세, 2010년에는 69세, 2015년에는 71세, 2020년에는 73세로 늘었다. 한국의 기대수명도 지난 100년간 놀라울 정도로 증가했다. 1900년경 우리의 기대수명은 23세로 추산되어 미국과 독일의 기대수명(46~47세)에 절반에 불과했다. 그런 후에 1960년에는 54.3

세로 미국(69.8세)과 독일(69.1세)에 비해 15년 정도로 격차를 좁히더니, 2000년대에 들어서서 기대수명이 76.5세로 미국이나 독일과 비슷한 수준에 올랐고, 2010년에는 80.8세로 이들을 앞섰다.

수명은 보통 살아있는 기간을 말하는 "기대수명"과 건강하게 산 기간을 의미하는 "건강수명"으로 나눈다. 그래서 단순히 오래 사는 기대수명보다는 실제로 활동하며 건강하게 사는 건강수명이 더 중요하다. 건강수명은 세계보건기구WHO가 2000년부터 세계 각국을 조사하여 발표하고 있는데, 이 지표는 각국이 노인들의 건강 정책을 수립하는 참고자료로 활용되고 있다.

세계 191개국 중에서 건강하게 활동할 수 있는 건강수명은 일본(74.5세)이 1위이며, 다음으로 오스트레일리아(73.2세), 프랑스(73.1세), 스웨덴(73.0세) 등이 상위권에 속해 있다. 미국은 24위(70세), 한국은 51위(65세), 중국은 81위(62.3세), 러시아는 91위(61.3세)이며, 건강수명이 가장 짧은 국가는 시에라리온(25.9세), 니제르(29.1세), 말라위(29.4세) 등 아프리카에 속한 국가들이다. 이제 세계 최장수 국가로 "100세 시대"를 눈앞에 두고 있지만, 건강수명으로 본다면 우리는 아직도 세계 중위권에 머물러있다. 기대수명은 증가했으나 삶의 질이 떨어져서 상당 기간을 유병(有病) 장수로 힘들게 살고 있다는 뜻이다.

우리의 기대수명은 83.5세(남 80.5세, 여 86.5세)로 건강수명 73.1세(남 71.3세, 여 74.7세)보다 10.4년의 차이가 있는데, 이러한 10여 년은 노쇠와 질병으로 어렵게 살아가는 기간이다. 그런데 이러한 10년의 기간은 경제적인 발전이나 의료 수준의 차이와는 무관하게 모든 국가에서 공통으로 나타나는 인류의 공통 현상이다. OECD

국가 평균 기대수명(80.5세)과 건강수명(70.3세)과도 약 10년의 차이가 있다. 최장수 국가인 일본(10.1년)이나 독일(10.8년), 프랑스(10.4년), 스페인(10.5년), 이탈리아(11.1년) 등 경제 선진국은 물론이고 기대수명이 53세로 가장 짧은 아프리카의 레소토(6.6년)나 가봉(9.0년)도 상당 기간 유병 기간을 거친다.

인류는 문화권과 무관하게 일반적으로 남자보다 여자가 5%(6~7년) 정도 더 오래 사는 특징이 있는데, 이러한 근거를 생식세포로 설명하는 재미있는 연구가 있다. 일본 오사카 대학 연구진이 아프리카 호수에 사는 작은 물고기인 킬리피시Killifish에서 생식세포를 만들지 못하게 유전자를 차단하였더니 암수 간 수명의 차이가 다르다는 연구 결과를 국제학술지 Science Advances(2024)에 발표했다. 인하대 민경진 교수팀이 조선시대 내시가 당대 궁중 남성의 수명보다 20년이나 더 길었다는 연구 결과를 국제학술지 Current Biology(2012)에 발표한 결과를 지지하는 연구여서 흥미가 있다.

정자를 만들지 못하게 차단한 수컷은 간에서 비타민 D를 더 많이 만드는데, 비타민 D는 뼈와 근육, 피부를 튼튼하게 만들어 몸 전체에 긍정적인 효과를 가져와서 수명을 늘리는 효과가 있었다. 그런데 암컷에서 난자를 만들지 못하게 차단하면 여성 호르몬인 에스트로겐이 줄어들어 심혈관질환의 위험성이 높아지고 암을 유발하여 수명을 줄이는 역작용을 한다. 따라서 이 연구에서 생식세포를 차단하면 수컷의 수명은 늘리고 암컷의 수명은 단축하게 한다는 결론을 얻었다.

인간은 대부분 70세부터는 신체기능이 급격히 약해지는 분기점에 도달한다. 국제과학 기술 및 의학 분야의 유명 출판사인 "인텍오픈InTechOpen"이 출간한 "노인학"에 의하면 신장은 40세 이후 10년마다 1cm씩 줄어들다가 70세부터는 속도가 빨라진다. 근력은 60세 이후 연간 3%씩 감소하기 때문에 가벼운 낙상 사고에도 심한 부상과 골절상 등을 입을 확률이 높다. 장기의 기능도 약해져서 고혈압이나 당뇨병, 치매 등 만성질환이 발병하기 쉬운 나이가 된다.

노화Aging의 이유는 아직 정확히 이해할 수 없는 현상이지만 지금까지는 두 가지 주요 가설이 있다. 하나는 유전적 예정론이고 또 하나는 손상이론이다. 유전적 예정론은 수명은 이미 유전적으로 결정되어 있다는 가설이다. 예정된 생물학적 생체시계가 세포 내의 염색체에 내장되어 있는데 동물마다 수명은 모두 다 다르다. 쥐는 2-3년, 돼지는 10년, 사슴, 원숭이, 호랑이는 20년, 닭, 소, 곰은 30년, 비둘기, 학은 40년, 여왕 흰개미, 악어는 50년, 독수리는 60년, 코끼리는 70년, 거북이는 150년, 붉은 성게는 200년, 코끼리거북은 200~300년, 그린란드 상어는 300~500년, 백합조개는 400~500년, 검은 산호는 4,000년을 살며 인간은 질병이나 사고가 없으면 120년 정도 살 수 있다고 한다.

반면에 손상이론은 세포가 손상되어서 노화가 촉진된다는 이론이다. 세포손상의 주요 원인은 활성 산소에 있다고 한다. 우리 몸은 음식물을 에너지로 바꾸기 위해서 산소를 사용하면서 대사 부산물로 많은 활성 산소를 배출한다. 그래서 우리 몸은 활성 산소가 세포를 손상시키기 전에 항산화 영양소나 항산화 효소의 도움을 받아 활성 산소를 효율적으로 제거해야 한다. 그런데 유해 물질 등에 의해 활성 산소에 과도하게 노출되거나 우리 몸의 항산화제나 항산화 효소가 부족하게 되면 세포손상이 가속화 되어 암을 일으키거나 장기에서 각종 관련 질병을 일으켜 노화가 나타난다고 주장한다.

노화 이유를 세포의 개념으로 설명하기도 한다. 영국 웰컴트러스트생어연구소Wecome Trust Sanger Institute에 의하면 70세 이후부터 줄기세포에 극적인 돌연변이가 나타나서 혈액세포의 다양성이 줄어들어 70세 이후부터 급격한 노화 현상이 일어나게 된다. 65세 이하의 성인은 항상 2만-20만에 이르는 줄기세포에서 혈액세포를 만들어 내는데 70세 이상이 되면 줄기세포에서 만들어내는 세포의 수와 활동성과 다양성이 점차 줄어들어 노화를 촉진한다.

그러나 이러한 손상이론에 이의를 제기하는 한국의 학자가 있다. 노화 연구의 세계적 석학인 박상철 전남대 석좌교수는 오랜 연구 결과 늙은 세포가 젊은 세포보다 외부 환경에 더 건강하게 반응할 뿐만 아니라 줄기세포도 늙은 세포가 만든다면서 아무리 늙어도 회복의 잠재력이 있음을 입증했다.

젊은 세포와 늙은 세포에 자외선이나 화학물질을 같은 저강도로 자극을 주었더니 두 세포 간의 차이가 없었다. 그러나 고강도 자극을 주면 예상과는 달리 젊은 세포는 반응하다가 죽었지만 늙은 세포는 죽지 않는 반대 결과가 나왔다. 그래서 "노화는 증식을 포기하지만, 생존을 추구하는 특성이 있다"는 결론을 내렸다. 즉 노화는 죽기 위한 과정이 아니라 살아남기 위해 최선을 다하는 과정이라는 긍정적인 인식을 하게 되었다. 생명은 죽기 위해 태어나는 것이 아니라 살아남기 위해 존재한다. 늙은 고목은 고사하는 것이 아니라 새싹을 돋아나게 한다는 긍정적인 발견이다. 그래서 그는 노화는 삶의 "마지막 단계final stage"가 아니라 "진행하고 있는 단계on-going stage"로 단순한 소멸이 아니라 새로운 생존전략이 진행되는 단계라고 주장한다. 따라서 신체를 잘 관리하고 노력하면 신체 나이와 상관없이 오래 장수할 수 있다고 주장한다.

그는 100세 이상 장수하고 있는 400명 이상의 노인을 연구하여 장수하는 몇 가지 공통 특징을 확인하고 노년을 위한 "골드 인생 4대 원칙"을 주장했다. 첫째는 '무엇이든 하자"는 원칙이다. 그들은 부지런하다. 잠시도 쉬지 않고 무엇인가를 하려 한다. 남에게 일을 맡기지 않고 스스로 하려고 노력한다. 둘째로 "배우고 베풀자"라는 원칙이다. 그들은 호기심이 왕성하다. 늘 새로운 일에 관심을 가지고 자기 발전을 위해 무엇인가를 계속 배우고 무엇인가 남들에게 나누어 주려고 봉사한다. 셋째로 "솔직하자"라는 원칙이다. 그들은 가슴 속에 담아두지 않고 할 말이나 감정을 그대로 표현하려 한다. 때로는 급하거나 거침없는 성격을 밖으로 발산하여 스트레스도 받지 않는다. 넷째로 "잘 어울리자"는 원칙이다. 그들은 사람들을 좋아해서 혼자 있기보다는 항상 동네 사람들과 어울리며 좋은 관계를 갖고 싶어 한다.

그는 장수하는 사람의 몇 가지 공통적인 식습관도 말하고 있다. 첫째로 가장 중요한 특징은 항상 식사를 규칙적으로 한다. 둘째는 음식을 천천히 오래 씹는다. 셋째는 가족이나 이웃들과 함께 어울려 즐기면서 식사한다. 장수 지역에서는 비록 혼자 살고 있어도 마을 회관이나 이웃과 함께 어울리며 식사하는 습관이 있다. 이러한 습관은 남성보다 여성이 더 활발한데 이것이 남성보다 여성이 더 오래 장수하는 비결일 수도 있다. 지중해 지역도 온 가족이 모여 2~3시간씩 담화하면서 함께 식사를 즐기며, 노인 천국 스칸디나비아에서도 주거는 따로 하지만 식사는 함께 어울려 먹는 집단 가정

제1장 우리들의 자아관 현상과 가치관 특징

Group Home 제도가 널리 보급되어 있어서 관계의 중요성을 다시 한 번 강조하고 있다.

노인이 되면 신체적인 쇠약과 더불어 심리적 특성에도 많은 변화가 온다. 가장 두드러진 성격 변화로 우울증적 경향이 증가한다. 신체 질병, 경제력의 약화, 배우자의 죽음, 가족으로부터의 소외, 일상생활에서 자기 통제력의 약화, 지난 세월에 대한 후회 등이 원인이 되어 우울증이 증가하게 된다. 두 번째로 내향적이고 수동성인 경향이 높아진다. 노년기가 되면 자기 자신에 대한 사고나 감정을 기준으로 판단하는 내향적 경향이 강해지고 누군가의 도움을 받아 문제를 해결하려는 수동적인 경향이 강해진다. 세 번째는 경직성이 강해진다. 노년기에는 새로운 환경에 쉽게 적응하지 못하므로 환경에 대한 학습 능력이나 적응 능력이 현저하게 떨어진다. 네 번째로 조심성이 높아진다. 노인이 되면 시각, 청각 등의 감각 능력과 신체 능력이 쇠퇴하므로 문제를 대할 때 가능하면 조심스럽게 접근하려 하며 확실성이 보장되어야 결정을 내리려 한다. 다섯 번째로 신체적 경제적 정신적 능력이 저하되기 때문에 중요한 사람에게 의존하는 경향이 높아진다.

노화기에 들어서면 신체보다는 감정이 먼저 늙는다. 흔히 사람들은 주름살을 보면서 늙어가는 것을 알 수 있다고 말하지만, 일본 노인학자 히데키(和田秀樹)에 의하면 노화는 지력이나 체력보다 감정에서 먼저 시작된다고 말한다. 감정이 늙어가는 증거로서 "웃음이 사라지고, 눈물이 메마르고, 아름답다는 생각이 줄어들고, 표정이 점점 어둡고 성급해진다"고 주장한다. 젊은 사람 중에서도 감정이 메마른 사람이 있는데 그런 사람들은 노화가 빨리 진행될 확률이 높다고 한다. 여자가 남자보다 더 오래 사는 이유도 공감력과 감성이 뛰어나고 자기감정에 솔직하기 때문이라고 한다. 그래서 빨리 늙고 싶지 않으면 관계를 풍부하게 하고, 더 많이 웃고, 더 많이 울고, 더 많이 감탄하고, 더 즐거워해야 한다. 관계와 감정이 풍부한 사람일수록 더 건강하고 더 아름답게 살 수 있기 때문이다.

뇌는 사회적 상호작용을 하도록 진화해 왔다는 "사회적 뇌" 가설에 의하면 사회적으로 외롭거나 고립되면 인지기능이 떨어진다고 한다. 바꾸어 말하면 사회적 접촉을 활발하게 하면 인지기능의 약화를 예방할 수 있어서 고립과 고독에 주목해야 한다. 일본 규슈(九州)대학 의대 토시하루(二宮利治)가 노인 8,896명을 대상으로 연구한 결과Neurology(2023)에 의하면 사회적 접촉과 관계가 많을수록 뇌 위축, 치매, 우울증 등의 인지능력 저하를 예방한다고 한다. 노인의 사회적 고립은 뇌를 축소하고 우울증을 일으킨다. 친구 관계를 원활하게 유지하는 사회적 접촉은 특히 기억에 관여하는 해마와 편도체에도 영향을 미치기 때문에 치매를 예방하기 위해서도 풍부한 사회적 관계가 중요하다.

교육을 많이 받을수록 천천히 늙고 더 오래 산다는 연구도 있다. 미국의학협회저널 네트워크 오픈JAMA Network Open (2024)에 의하면 교육을 2년 더 받을 때마다 노화 속도가 2~3% 느려진다고 하는데, 이는 조기 사망 위험이 약 10% 낮아지는 효과라 한다. 미국 질병통제예방센터의 조사에 의하면 학사 이상의 학력 소유자는 고교 졸업 이하 학력자보다 9년 이상 오래 사는 것으로 나타났는데, 이는 고학력일수록 좋은 직업을 갖고 미래를 구체적으로 계획하며 건강한 생활방식을 선택하기 때문이라고 한다.

전문가들은 앉아서 생활하는 시간이 많은 사람은 수명이 짧아지고 건강에도 이상이 생길 위험성이 높다고 말한다. 25세 이상 성인이 TV를 보며 앉아 있는 매시간 기대수명이 22분씩 줄어든다고 한다. 또한 부지런하고 꼼꼼한 성격 소유자가 자유 분망하고 느긋한 성격 소유자보다 오래 장수한다는 사실도 밝혀냈다. 신중하고 끈기 있고 정리 정돈도 잘하고 성실한 사람은 자유스럽고 느긋한 사람보다 음식을 주의해서 먹고 담배 같은 불필요한 기호 식품도 멀리하며 대인 관계에서도 신중하므로 건강과 장수에 긍정적인 영향을 끼치는 것으로 알려져 있다.

　노화 현상은 생물학적 관점, 사회학적 관점과 심리학적 관점 등에서 논의할 수 있지만 결국 노인이 건강하고 행복하게 살아가기 위한 수단으로 생물학적인 의료복지 정책과 사회학적 연금정책 못지않게 노쇠하고 병약한 삶을 살아가는 10년 동안 고립되지 않도록 심리 사회적 관계를 풍요롭게 유지해야 한다는 의미를 잘 이해해야 한다.

　영국 케임브리지 대학에서 오래 장수할 수 있는 가장 중요한 조건은 "좋은 인간관계"라는 사실을 발표하여 관계의 중요성을 새삼 강조하고 있다. 흡연, 음주, 경제력, 사회적 지위, 일하는 형태와 같은 습관은 수명에 결정적인 요인이 되지 못한다며, 건강하게 장수하는 사람들에게 가장 중요한 공통 조건은 놀랍게도 우정어린 "친구 관계"라는 사실을 밝히고 있다. 친구가 없는 사람일수록 스트레스에 잘 대처하지 못해서 마음고생이 심하고 쉽게 병에 걸려서 단명한다고 한다.

# 지도에서 사라질 저출생 위기의 한국

동물학자 컬훈John Calhoun이 1968년에 쥐의 출산율 감소 현상을 실험했다. 최대 3,840마리까지 생존할 수 있도록 먹이와 물을 무한정 공급하고 천적이 없어서 노화 이외에는 죽지 않는 210cm³의 실험실을 만들어서 암수 두 마리를 사육하기 시작했다. 쥐는 55일마다 번식하여 실험 315일에는 660마리로 증가했지만, 이후 출산율은 갑자기 감소하여 145일마다 2배 정도로 소폭 증가했다.

실험 600일이 되었을 때 2,200마리로 정점을 이룬 후 감소하기 시작했다. 무력한 수컷은 암컷의 공격을 받기 시작했고 암컷끼리도 같은 암컷의 새끼를 공격하였다. 수컷은 암컷의 공격에 부상과 감염으로 사망하는 일이 벌어지기 시작했다. 잘난 수컷은 자기 새끼와 자기 암컷을 보호하는 데 집착하느라고 생식능력까지 떨어져서 출산율이 저하되기 시작했고, 암컷은 육아를 포기하거나 젖을 떼기도 전에 새끼를 쫓아내는 현상이 나타나기 시작했다.

이러한 현상이 지속되자 실험 600일 이후에 태어난 수컷은 짝짓기 자체를 포기하고 자기 자신만 가꾸기 시작했으며, 암컷은 출산과 육아를 포기하고 동성을 찾는 횟수가 증가하면서 숫자가 줄어들기 시작하다가 결국은 멸종하면서 실험은 종료되고 말았다. 아직 생활할 공간도 넉넉하고 먹이 구하기에도 아무 장애가 없음에도 어째서 출생률이 감소하다가 결국은 멸종하게 되었는지 우리 인간 사회에 시사하는 문제가 무엇인지 반성하게 한다.

이러한 쥐 실험으로 인간의 저출생 현상 원리를 설명하기는 무리겠지만 쥐의 실험에서 얻을 수 있는 몇 가지 시사점을 찾을 수 있다. 첫째로 인류는 자식을 낳아 자기 유전자를 남기려는 생식본능보다는 자식 양육을 위한 경제적 부담을 더 중요하게 인식하여 경제활동에 집착하려 한다. 둘째로 경제적인 여유가 보장되면 생식본능보다는 자기 삶을 위한 여가 활동을 통해 행복을 느끼며 살고 싶어 한다. 쉽게 말하면 젊은이들은 결혼하여 아이를 낳고 힘들게 사는 생식본능보다는 이성적이고 감성적인 능력을 발휘하며 즐겁고 행복하게 살아갈 기회를 선택하려 한다.

과거에는 결혼 이외에는 특별히 여가를 즐길 수 있는 기회가 많지 않았으나, 현대에는 돈과 시간만 있으면 어떠한 취미나 여가 활동도 얼마든지 즐기면서 행복하게 살 수 있게 되었다. 이러한 현상은 차면 기울기 시작한다는 동양의 기본 사상을 다시 한번 성찰하게 한다. 인류 물질문명의 발전이 다 찼기 때문에 이제부터는 기울기 시작하여 스스로 자멸(自滅)의 길로 들어서는 것은 아닌지 깊이 성찰해 보아야 할 때가 되었다고 생각한다.

젊은이들은 혼자서 얼마든지 행복하게 살 수 있다는 조사 자료가 있다. 데이터 컨설팅 기업인 ㈜피엠아이(2024)가 전국 18세 이상 3,000여 명을 대상으로 "연애에 대한 현대인의 관점"을 조사했는데,

응답자의 62.4%가 현재 연애하지 않고 있다고 응답했는데, 그 이유로 "혼자가 편해서"라는 응답이 가장 많았다. 이런 응답을 성별로 보면 약간의 차이가 있는데, 남성은 학업과 금전적 이유로 여건이 되지 않는다(27.9%), 혼자가 편해서(25.9%), 만날 기회가 없어서(24.7%) 등의 순이었으며, 여성은 혼자가 편해서(31.5%), 만날 기회가 없어서(16.1%), 마음에 드는 사람이 없어서(16.0%), 만날 여건이 되지 않아서(14.5%), 그냥 귀찮아서(12.5%) 등의 순이었다.

이러한 생식본능보다 경제 및 취미활동으로 저출생 현상이 일어나는 문제는 경제적 문제가 해결된 OECD 국가가 모두 가지고 있는 세계적인 공통의 문제다. 세계은행(2024)에 따르면 가임기 여성(15~49세)의 세계 평균 출생률이 56년째 계속 내리막길을 걷고 있다. 1968년에 5명의 정점을 찍은 후, 1969년에 4명대에 진입하였고, 1977년에는 3.8명, 1994년에는 2.9명, 2021년에는 2.3명으로 1960년대와 비교하면 출생률이 절반으로 반토막이 났다.

파이낸셜 타임(2024)은 한 세대 인구가 다음 세대로 교체되는 출산율로 2.1명을 유지해야 한다고 한다. 2021년 OECD 38개국 합계 출산율은 1.58명으로 세계 평균(2.28명)보다 0.7명 이상 적고, 2030년에는 세계 평균 합계 출산율까지 2.1명 이하로 떨어질 전망이다.

워싱턴대 보건계량분석연구소(IHME)가 의학저널 란셋(Lancet)에 보고한 결과(2024)에 의하면 1950년에 4.84명에 이르던 세계 출산율이 2021년에는 2.23명으로 줄고, 2030년부터는 2.1명을 밑돌고, 2050년에는 1.83명으로, 2100년에는 1.59명으로 감소한다고 예측했다. 전 세계 204개 국가 중에서 155개국(76%)의 출산율이 2050년이면 현 상태의 인구를 유지하는 인구대체수준인 2.1명 이하로 떨어질 것이며, 2100년에는 198개국(97%)으로 확대될 것으로 전망했다. 한국의 인구도 2017년 현재 5,267만 명에서 2100년에는 반토막으로 줄어서 2,678만 명으로 감소할 것으로 예측했다.

통계청의 2022년도 합계 출산율도 0.78명으로 OECD 합계 출산율(1.58)에 비해 절반 이하로 사실상 OECD 국가 중에서 최저를 기록하고 있다. 전문가들은 합계 출산율이 곧 0.6 수준으로 떨어질 것이고, 서울지역은 0.58로 떨어져 전국 최하위를 기록하고 있어서 한국이라는 국가가 지도에서 없어질지도 모른다는 걱정도 한다. 이러한 급격한 출산율 저하는 유교적 영향을 받는 동북아권 국가들도 같아서 이런 국가들 모두 출산율이 낮아지는 공통점이 있다.

이처럼 결혼을 회피하는 비혼 태도가 강한 것은 결혼생활에서 느끼는 경제적 부담이 크게 작용하지만, 전통적인 유교적인 습관도 상당한 영향을 미치는 것으로 판단된다. 유교문화에 속하는 우리의 전통문화 습관에서는 결혼 후 가정관리와 자녀 양육 문제는 모두 여성이 전담해야 한다는 습관 때문에 여성은 결혼을 꺼리며, 결혼해도 자녀 출산에 부정적인 태도를 보인다.

이러한 저출산으로 교육 현장에도 큰 영향을 미치고 있어서 초등학교 입학 학생 수, 이들을 교육하는 학교와 교사도 모두 상당수 감소되고 있다. 교육개발원 통계(2024)에 의하면 20년 전인 2004년도 초등학교 입학 학생 수가 65만7천 명이었지만 10년이 지난 2014년도에는 47만8천 명으로 급감했고, 지난해에는 40만1천 명으로 40만 명 선에 턱걸이했고, 금년도(2024)에는 초등학교에 입학하는 학생이 35만7천 명으로 1년 동안에 4만여 명이 급감했다.

이러한 추세로 간다면 조만간 20만 명대로 떨어질 것으로 예상되어서 교사 채용 감소와 학교 통폐합 등의 큰 변화가 예상된다. 교육부에 의하면 2023년도 공립 교원 정원을 전년보다 약 3천 명이 적은 344,900명으로 줄였으나 여전히 "임용절벽" 현상은 지속되고 있다. 교육부에 의하면 2024학년도 전국 10개 교대와 2개 초등 교육과의 총 입학 정원 3,800여 명을 2025학년도부터는 12% 감축한 3,300명 대로 줄일 계획이라고 한다. 교육개발연구원(2024)에 의하면 2023년도에 공립유치원을 34개교 신설하였으나 141개 사립유치원이 폐원되고 그 자리에 노인요양원이 들어서고 있다고 한다.

한국은행의 "미혼 인구 증가와 노동 공급 장기추세(2024)" 보고서에 의하면 미혼 인구 증가는 고령화 문제만큼 노동시장에도 상당한 영향을 미친다고 한다. 30~54세의 결혼 핵심 연령층의 미혼 인구 비중이 2000년에는 7.4%에 그쳤으나 2020년에는 24.6%로 17.2%나 증가했다. 평생 결혼하지 않는 생애 미혼율 역시 2013년에 4.8%에서 2023년에 13.7%로 높아져서 10년 사이에 3배나 증가했다. 2013년부터 2023년까지 기혼 남성의 평균 경제활동 참가율은 96%이지만 미혼 남성은 83%로 경제활동이 훨씬 낮았다. 한은 경제연구원(2024)에 따르면 한국 저출생과 고령화 현상으로 한국 경제는 2040년경에는 마이너스 성장을 할 것으로 예측해서 경제적인 심각성을 더해주고 있다.

저출산 영향은 군 방어력에도 영향을 미치고 있다. 미국 CNN은 "한국군의 새로운 적:인구 추계"라는 제목의 기사에서 한국이 서태평양 지역의 새로운 위험에 대처하는데 충분한 병력을 유지하기 어려워질 수 있다고 전망했다. 한국국방연구원(KIDA)이 분석한 병력 수급 전망에 따르면 현재 50만 명 수준인 국군 상비 병력은 오는

2039년에 39만3천 명으로 40만 명 선이 무너지고 2040년에는 36만 명에 그칠 것으로 예상한다. 한국군이 현재의 병력 수준을 계속 유지하려면 연간 20만 명이 입대해야 하는데, 2022년도 출생아 수가 25만 명에 불과하여 남녀 성비를 50대 50으로 계산하면 이들 중 2042년에 입대할 가능 남성은 최대로 12만5천 명에 불과하다.

초혼도 늦어져서 만혼과 비혼 등으로 인구 감소와 성 불균형까지 초래하고 있다. 미국 텍사스 A&M 대학 사회학과의 포스턴(Dudley Poston) 교수가 "The Conversation, 2024)"에서 한국의 심각한 성 불균형을 지적하면서 80만 명의 미혼 남성이 결혼 상대를 찾지 못하고 있다고 경고했다. 자연적인 생식 가능한 암수 성비(性比)는 1:1을 유지하게 되어있는 "피서(Fisher)의 원리"를 따른다. 그런데 사람은 여아 100명 당 남아 104~107명의 범위를 따르는데, 남아를 만드는 Y염색체가 더 가볍고 빨라서 수정에 유리하기 때문이다. 그러나 남아 사망률이 여아 사망률보다 높아서 청소년기를 지나면 점차 1:1에 가까워지게 된다.

많은 국가에서 남아가 조금 더 많이 태어나서 100명당 105~107명의 수준이 이상적인데, 한국은 남아선호 사상으로 이를 크게 넘었다. 1985년에는 여아 100명 당 남아 110명, 1990년에는 여아 100명당 남아 115명으로 계속 늘어나서 80만 명의 결혼 정년 남성이 여성 결혼 상대를 찾지 못하고 있다. 이런 추세는 2000년대 초까지 유지되다가 2010년도에 겨우 정상 범위로 돌아와서 지난 2022년에 비로소 여아 100명 당 남아 105명 수준으로 회복되었다.

# 저출생 현실과 저출생 해결을 위한 정책

🌱 결혼과 행복이라는 현실을 볼 때 출산의 문제는 그렇게 밝지만은 않아 보인다. 통계청(2017)에 의하면 초혼 연령대가 점차 늘어나서, 1950년대에는 19.1세, 1970년대에는 21.9세, 1990년대에는 24.7세, 2010년대에는 29.4세로 반세기 동안에 초혼 나이가 10년 이상 늘어났다. 이제는 결혼해도 가임기를 넘겼기 때문에 임신 자체가 힘들어졌다. 보건복지부 관련 통계(2022)에 의하면 부부생활 1년이 지나도 임신이 되지 않아서 난임 시술의 사례가 2019년에 12만3천 건에서 2021년에는 14만4천 건으로 2년 만에 16.8%나 증가했다. 난임 시술로 태어나는 비중도 점점 높아지고 있어서, 2018년에는 8,973명(2.8%), 2019년에는 26,062명(8.8%), 2020년에는 28,699명(10.6%), 2021년에는 53,640명(12.3%)이 신생아로 태어나서 11명 중에서 1명이 난임 시술로 태어나는 실정이다.

이처럼 임신이 어려워지는 원인으로 가임기를 넘겨서 생기는 불규칙한 생리적 문제와 스트레스, 수면 부족, 환경 호르몬과 같은 생활환경 조건 등을 꼽는다. 그러나 삶의 방식이 힘을 중심으로 하는 생활에서 두뇌로 사는 방식으로 변화된 것에서 근본적 원인을 찾기도 한다. 오랫동안 힘을 바탕으로 하는 농어업과 수렵으로 진화했던 인간이 산업사회 이후 두뇌 중심의 정신적 노동으로 삶의 방식을 바꾸면서 앉아서 일하는 시간이 대폭 늘어났다.

이러한 육체적인 활동량 감소가 남성의 정자 생산, 정자의 질, 활동성 등에 부정적 영향을 끼친다는 증거가 있다. 미국 브리검 여성병원이 직장에서 무거운 물체를 드는 남성이 그렇지 않은 남성보다 더 많은 정자를 생산한다는 사실을 확인했다. 직장에서 육체적 업무가 많은 직원은 그런 업무가 적은 직원에 비해 정자의 농도는 46%, 총 정자 지수는 44% 더 많다는 사실도 확인했다. 직장에서 육체적으로 활동하는 사람은 남성 호르몬인 테스토스테론과 여성 호르몬인 에스트로겐 수치가 더 높았다. 우리는 지금까지 운동이 건강에 좋다는 점은 알고 있었지만, 육체적인 업무가 남성의 생식 능력에 크게 관여한다는 사실도 알게 되었다.

출생률이 감소하는 또 다른 이유는 청년들의 가치관이 시대에 따라 크게 변하기 때문이다. 인구보건복지협회에 따르면 청년들이 결혼을 꺼리는 가장 큰 이유로 "혼자 사는 것이 행복(34.7%)"하다는 것이다. 이러한 가치관은 남성(43.1%)이 여성(29.1%)보다 훨씬 더 높다. 과거에는 비혼족이 죄인과 같은 부정적인 인상을 받았지만, 이제는 긍정적인 시각이 47.8%나 되고 부정적 시각은 겨우 6.9%에 그치고 있다. 결혼 후 출산 의도 역시 긍정적인 태도(43.1%)에 비해 출산하지 않아도 된다는 부정적인 태도(56.9%)가 더 높아서 결혼 이후 출산하지 않아도 괜찮다는 태도도 강하다.

통계청 1인 가구 분석 자료(2023)에 의하면 전체 716만 가구 중에서 1인 가구가 33.4%를 점유하고 있으며, 2050년에는 39.6%로 늘어날 것으로 예측한다. 이들은 혼자 밥 먹고, 혼자 술 마시고, 혼자 여행하면서 집단적인 사회생활에서 점차 홀로 살면서 고독과 외로움의 무덤을 파고 있다. 이들이 노년기에 접어들 때 고독과 외로움의 문제가 심각한 사회적 문제로 등장하게 될 것으로 예측된다. 이미 고독과 외로움에 어려움을 겪고 있는 70세 이상의 노인 세대도 18.1%로 높지만, 29세 이하의 젊은 세대들도 19.8%나 된다.

혼자 사는 젊은 세대 중에서 절반(50.3%)이 미혼인데 결혼은 해도 좋고(47.1%), 결혼하지 않아도 좋다(44.3%)는 미온적 태도로 양분된다. 그러나 이들이 결혼의 필요성을 느끼지 못한다(12.3%)는 태도보다는 결혼자금 부족(30.8%)을 더 큰 원인으로 꼽고 있어서 결혼하고 싶은 욕망은 상당한 것으로 해석된다. 1인 가구 중 절반(42%)이 무직 상태로 남녀(남56.1%, 여43.9%) 모두 수입이 없는 상태여서 수입이 보장되면 결혼할 가능성이 있다는 것으로 해석된다.

이처럼 여러 가지 이유로 결혼도 하지 않고 결혼하더라도 출산하지 않는 인구절벽 현상에서 벗어나기 위해서 관련 기관은 여러 가지 유인책을 쏟아내고 있다. 국토연구원의 "저출생 원인 진단과 부동산 정책 방향(2024)" 보고서를 보면 첫 자녀를 낳을 때 가장 크게 부담되는 것은 주거비 부담이고, 둘째 이상의 자녀 출생부터는 주거비보다는 사교육비 문제가 가장 크다. 첫 자녀 출생 때에는 주거비 문제가 30.4%이고, 사교육비 부담은 5.5%에 그치고 있으나, 둘째 자녀 출산부터는 주거 부담은 28.7%로 줄어들고 사교육비 문제가 9.1%로 증가한다. 셋째를 출산할 때는 주거 부담은 27.5%로 더 감소하고 사교육비 문제가 14.3%로 대폭 증가한다.

따라서 첫 자녀 출생을 유도하기 위해서는 생애주기를 고려한 주택 취득세 면제 도입과 특별 공급 주택 확대 등을 통한 주택 취득 기회 강화, 시세보다 저렴한 공공주택 분양, 거주 주택 마련을 위한 대출 금리 인하 등의 정책이 필요하다. 그리고 둘째 출산부터는 다자녀 기준을 3자녀에서 2자녀로 현실화하여 2자녀부터 교육비를 지원하고, 주거와 자녀 교육을 함께 할 수 있는 육아 친화 마을 조성 등의 대안을 고려해야 한다.

그러나 경제적 소득이 높아야 출산하겠다는 통념은 잘못된 생각이다. 연평균 소득이 7,000만 원 이상인 고소득 신혼부부에게는 무자녀가 더 많다는 자료가 있어서 놀랍다. 통계청이 소득 구간별 자녀 수를 조사한 "2022 신혼부부 통계"에 의하면 연간 소득 7,000만 원 이하 구간에서는 자녀가 있다는 비율(54.8%)이 높았지만, 7,000만 원을 초과하여 1억 원이 넘어도 자녀가 없는 비율은 더 높았다.

그런데 소득이 1억 원 이상인 부부의 경우는 무자녀 비율이 51.6%였고 유자녀 비율은 48.4%로 감소한다. 이는 소득이 높으면 자녀가 더 많을 것이라는 일반적인 통념을 빗나가게 하는 근거다. 이러한 결과는 외벌이 부부보다는 소득이 높은 맞벌이 부부가 오히려 자녀가 더 적을 확률이 높다는 점을 시사하고 있다.

이제 출생률을 높이기 위해서는 단기적인 경제적 지원 정책보다는 장기적으로 결혼의 가치와 자녀 출생이라는 의식이 변화되는 사회적 변화가 도입되어야 한다. 대구 사이버대학 "행복한 가족 만들기 연구소가 보건사회연구(2024)에 보고한 "사회경제적 발전에 따른 출산율과 성평등의 관계에 관한 연구"에 따르면 개발도상국에서는 여성의 교육 및 경제활동 참여 수준이 높아질수록 출산율이 급감하지만, 경제적으로 선진국에 접어들어 성평등 수준이 해소되면 출산율이 회복되는 "역 J자" 곡선이 나타난다고 보고하고 있다.

연구소는 경제 선진국 34개국과 개발도상국 111개국을 대상으로 출산율에 영향을 미치는 요인을 분석해 보았는데, 개발도상국에서는 여성의 교육 수준이 높아질수록 출산율은 오히려 떨어지지만, 후기산업사회 단계에서는 성평등 수준이 해소되면서 출산율은 다시 높아졌다. 성평등이란 투표, 재산, 교육, 건강, 가족 간 부부 역할, 직장 내 남녀역할 등 남녀역할의 평등을 말한다. 연구소는 북유럽과 미국도 출산율이 하락하고 결혼도 줄고 이혼이 늘어나는 "가족 약화 현상"으로 저출산 현상을 보였으나 1990년대 이후 다시 반등하는 "U자 모양" 모델이 확인되고 있다.

이러한 자료를 볼 때 단기적으로는 신혼부부에게 경제적 지원과 양육에 관련된 지원책이 필요하겠지만, 장기적으로는 유교적 가치관에서 기인한 남녀 차별의식에서 벗어나 남녀역할의 평등과 고등교육을 받은 여성의 직업 기회 및 직업 선택에서의 성평등, 직장에서 육아 휴직으로 받는 승진 및 인사상의 불이익, 사회활동에서의 성평등 등과 같은 근본적인 일-가정의 평등과 균형이 지켜지는 워라벨Work-Life Balance 가치를 실현해야 한다.

한양 사이버대학의 최숙희(2024)가 발표한 "여성 경제활동, 생산성 및 소득 불평등과 출산율과의 관계:국제 비교"에 따르면 여성의 경제활동 참여율이 증가할수록 합계 출산율도 상승한다. OECD 회원국 중 경제활동 참여율이 1~3위에 있는 아이슬란드, 뉴질랜드, 스웨덴의 합계 출산율이 각각 1.82, 1.64, 1.67로 OECD 평균 출산율 1.58을 상회하고 있다. 이는 여성의 직업 기회 및 직업 선택 기회에서 남녀의 성평등이 해소되면 여성의 경제활동 참여율이 높아도 합계 출산율에 별다른 영향을 미치지 않는다는 증거이다.

"세계젠더격차보고서Global Gender Gap Report(2024)"에 의하면 한국의 성평등 수준은 세계 146개 국가 중에서 105위를 기록하고 있다. 지수가 1에 가까울수록 양성평등이 잘 이뤄져 있다는 의미인데, 우리는 0.680점으로 2019년에 108위, 2020년에 102위, 2021년에 99위, 2022년에 105위를 기록하고 있다. 한국은 경제 참여 및 기회 부문에서 114위(0.597점), 교육 성취 부문에서 104위(0.977점), 보건 부문에서 46위(0.976점), 정치권력 분배에서 88위(0.169점)를 차지하고 있으며, 특히 경제 참여 부문에서 성평등이 가장 열세에 있다. 한국이 경제적으로는 세계 선진국 대열에 속해 있지만 남녀성평등 지수에서는 아직 후진성을 면치 못하고 있는 증거로, 유교 문화권에 속하는 한국(105위), 중국(107위), 일본(125위)은 아직도 남녀 평등 환경에서 벗어나지 못하고 있다.

통계청의 "지속가능발전목표(SDG) 이행 보고서 2024"에 따르면 여성 임금 근로자가 997만6천 명으로 천만 명에 육박하고 있어서 전체 임금 근로자 중에서 여성이 45.7%를 차지하고 있다. 60년 전인 1963년의 17.4배로 직업 선택에서 남녀의 평등권이 상당히 높아졌다. 그러나 남녀 임금 격차는 2022년 기준 31.2%로 OECD 평균(12.1%)에 비하면 2.6배나 크게 벌어져 있다. 한국은 OECD 회원국 남녀 임금 격차가 가장 심한 1위 국가로 격차가 30% 이상 벌어진 나라로 유일하다. 시간당 임금을 비교하면 남성이 25,886원, 여성이 18,113원으로 남성이 월급 100만 원을 받을 때 여성은 69만 원을 받아서 아직은 남녀별 임금 격차가 크게 벌어져 있다. 직업 기회에서는 성평등이 상당히 해소되고 있으나 임금에서는 격차가 많아서 시급히 해소되어야 한다.

미국의 다빈치Davinci 연구소의 설립자이자 미래학자인 프레이 Thomas Frey는 최근(2024)에 한국이 저출생을 가져온 3가지 주요 요인을 다음과 같이 지적했다. 첫째로 가장 큰 요인으로 치열한 취업 경쟁과 주거비 부담으로 경제적 불안을 가져온 문제, 둘째는 과도한 노동시간과 양성 불평등으로 인한 사회 문화적 압박이고, 셋째로는 치열한 교육 경쟁 시스템으로 결혼과 출산을 꺼리게 한다고 지적하고 있다.

이에 근거하여 한국 정부에 저출생 문제해결을 위한 4가지 정책을 제안했다. 첫째는 일과 가정생활이 조화로운 "워라벨" 정책을 강화하는 것이다. 구체적으로 육아 휴직 확대와 유연한 근무 시스템을 제시했다. 육아 휴직 확대는 휴직 기간을 늘리고 부성(아빠)의 육아 휴직을 적극적으로 장려하는 것을 말한다. 둘째는 재정적 보상을 지급하는 것이다. 예컨대 주택 보조금으로 청년 가장의 가장 큰 부담인 주거비를 줄여주는 한편, 자녀가 있는 가정에는 아동 수당을 지급하고 다양한 교육비 감면 혜택을 주어야 한다는 것이다.

셋째는 직장과 가정에서의 전통적인 일과 성역할 규범을 바꾸는 것이다. 예컨대 근무 시간의 단축, 육아 휴직 등으로 인한 불이익 없애기, 공평한 가사 부담 등 새로운 사회 규범을 만드는 것이다. 넷째는 탄탄한 육아 지원시스템을 구축하는 것이다. 이를 위해서는 잘 훈련된 보육 서비스 제공자를 양성해서 양질의 서비스를 합리적인 가격에 이용할 수 있도록 보장하고, 기업에서는 사내 보육, 또는 육아 지원 프로그램을 마련해서 자녀를 가진 직원들이 가정생활을 어려움 없이 병행할 수 있도록 지원해야 한다.

제1장 우리들의 자아관 현상과 가치관 특징

# 사람과의 관계

사람은 사회적 동물로서 서로 친밀한 관계를 맺고 살아야 한다. 빨리 가려면 혼자 가고 멀리 가려면 함께 가라는 아프리카 속담처럼 먼 인생의 길을 가려면 함께 갈 사람과 좋은 인간관계가 있어야만 한다. 현대사회는 지식도 필요하겠지만 이웃과의 공존지수도 반드시 높아야 할 이유가 여기에 있다. 공존지수가 높을수록 다른 사람과 소통하기 쉽고 소통으로 얻은 것을 자원으로 삼아 더 성공하기 쉽다. 함께 하며 얻는 행복감은 전염성이 강해서 행복한 사람과 친밀한 관계를 맺게 되면 덩달아 나도 행복해질 확률이 높아진다.

그러므로 우리가 살면서 느끼는 가장 큰 복은 "좋은 만남"이다. 그중에서도 배우자와의 만남, 친구 간의 만남이 으뜸이다. 부부는 평생의 동반자이고, 친구는 인생의 동반자이기 때문이다. 어린 시절은 부모 형제와 동행하면서 살지만 나이 들면서는 부부, 친구와 관계를 맺으며 살아간다. 특히 어떤 친구는 형제보다도 더 친밀하기도 해서 문제가 생길 때 깊이 상의도 할 수도 있고, 다른 사람에게 밝히기 어려운 속마음도 털어놓을 수 있다. 마음이 아플 때 서로 의지하고 싶은 친구가 있다면 무엇보다도 더 소중한 자산이 아닐 수 없다.

힌두교 속담에 "우리는 자신이 좋아하는 사람과 비슷해진다"라는 말이 있고, 공자는 "그의 친구를 보면 그 사람을 이해할 수 있다"고 했다. 영국 시인 블레이크(William Blake)도 "새에게는 둥지가 있고, 거미에게는 거미줄이 있듯이 사람에게는 우정이 있다"고 말했다. 신은 인간이 혼자서는 행복할 수 없도록 만들어졌기 때문에 친구에게 필요한 사람으로 살아야 삶이 아름답고 행복해진다.

그러므로 좋은 친구를 만나기 위해서는 내가 먼저 좋은 생각을 해야 하고, 내가 먼저 따뜻한 마음을 품어야 따뜻한 사람을 만날 수 있다. 진실하고 강한 우정을 쌓는 사람이 건강하고 아름답고 행복하게 살며 활기찬 인생을 살아간다.

이 장에서는 관계가 중요한 진화론적 의미, 일과 가정과 여가의 균형 문제, 관계의 가치와 관계를 잘 맺기 위한 조건, 관계가 이기적인 조건이어야 하는 이유, 한국의 가족관계 특징과 변화, 진정한 친구의 의미, 부부관계가 주는 행복, 노인의 관계 특징과 경제적인 연금, 좋은 인간관계로 행복하게 살아가는 북유럽권 국가의 행복의 기준 등에 대해서 살펴본다.

# 관계가 중요한 진화론적 근거

인간은 사회적 동물이므로 사회적으로 무엇인가와 만나며 살아야 한다. 처음의 만남은 하늘이 만들어주는 인연으로 시작하겠지만 그 다음 만남은 인간이 스스로 노력하면서 만남이라는 관계를 발전시켜야 한다. 관계를 잘 만들어가면 성공적으로 삶을 살아갈 확률이 높아지지만, 그런 인연을 잘 이용하지 못하면 삶의 과정이 점점 힘들어지기 쉽다. 관계를 좋게 유지하면 상대방의 장점만 보이게 되지만, 관계가 좋지 않으면 단점만 보인다. 인간은 만남으로 자란다는 말처럼 만남이라는 관계를 어떻게 정립하느냐에 따라서 삶의 방향이 달라진다.

인류의 최초 조상은 600~700만 년 전 유인원으로부터 갈라진 오스트랄로피데쿠스Australopithecus에서 시작되었다고 한다. 이때의 뇌 무게는 400g 정도로 작았지만, 이후 초기 100만 년 동안은 매 10만 년마다 4.6%씩 커졌고, 호모사피엔스가 출현한 이후부터는 매 10만 년마다 7.6%씩 폭풍 성장하였다.

남아프리카에서 400만 년 전에 발견된 남방의 원숭이라는 뜻의 오스트랄로피데쿠스Australopithecus 화석의 뇌 용량은 400g 정도로 추정되며, 이후 170만 년 전에 발굴된 직립원인(直立猿人)인 호모 에렉투스Homo Erectus의 뇌 용량은 1,000g 정도로 늘어난다. 그리고 13만 년 전에 독일의 계곡에서 발견된 인류 조상으로 추정되는 네안데르탈인Neanderthalensis의 뇌 용량은 1,600g까지 커진다. 이처럼 인간의 뇌는 200만 년 가까이 계속된 진화를 통해서 점점 커져서, 뇌의 크기는 지능과 관련된 척도가 된다는 전제하에 여러 인종을 구분하는 기준으로도 사용되었다. 그러다가 지난 2만 년 이후부터는 갑자기 뇌의 크기는 오히려 줄어들기 시작하였다.

이처럼 인류의 뇌 용량이 진화하면서 점차 커지다가 갑자기 작아지게 되는 이유가 무엇일까? 아프리카 지역에서 살아온 초기 인류 조상은 열매, 뿌리, 과일 등 식물성 자원들이 풍부했지만 갑작스러운 기후의 변화로 생활 터전이 건조하게 변화하자 식물만을 의존하는 방식으로는 생존하기 어렵게 되어 더욱 다양한 먹거리를 찾아 거리가 먼 곳까지 이동하게 되었다. 이제 처음에 이동하지 않고 살던 때보다 더 많은 에너지가 필요하게 되었고, 결국은 생존을 위해서 원래는 먹지 않던 고기도 먹을 수밖에 없게 되었다.

날카로운 발톱과 이빨을 가진 사자와 같은 동물들은 자신이 가지고 태어난 신체적 특징만으로도 살아가는데 불편하지 않아서 별도로 지적 능력을 발달시킬 필요가 없었으나, 날카로운 발톱도 털가죽도 없는 인간이 스스로 먹거리를 구하기 위해서는 반드시 어떤 특유의 수단이 필요했고, 이런 이유로 인간은 획기적인 생존 방법을 찾게 된다. 사자, 하이에나, 독수리 같은 맹수들이 내장과 고기를 먹고 버린 뼈에서 돌을 이용해 골수를 빼먹는 방법을 찾게 되고, 이러한 돌은 점차 쓸만한 석기로 발전하게 된다. 이러한 오랜 세월을 거치면서 석기를 이용해 점차 고기를 먹게 되고, 그 결과 필요 양보다 더 많은 영양분을 단번에 섭취할 수 있는 기회를 얻게 되었다. 이러한 생활은 사바나 일부 지역에서 선택했던 전략이었고 그렇게 해서 생존하게 된 초기 인간이 우리의 조상이라고 가정하게 된다.

400~500만 년 전의 뇌의 무게는 오늘날의 침팬지 뇌의 무게와 비슷해서 400g 정도였고, 이후 200~300만 년 전의 호모 하빌리스 Homo Habilis 때에는 750g 정도로 커졌지만, 몸은 여전히 100cm 전후로 작았다. 그리고 200만 년 전 호모 에렉투스Homo Erectus의 뇌 무게는 1,000g에 육박하였고 몸집도 170cm 정도로 커진다. 결국 1,000g의 뇌를 가진 호모 에렉투스는 150만 년 전에 불을 사용하는 능력을 터득하게 되고 건장한 체력과 뛰어난 전술로 석기를 다루어 많은 동물을 사냥할 수 있게 되었다.

그러나 그 많은 고기를 다 먹기 위해서는 보다 나은 소화기관을 갖추어야 할 당면 문제가 생기게 되었다. 이제까지 식물을 먹는데 길 들었던 몸은 기름진 고기도 소화할 수 있는 "아포지방 단백질 Apolipoprotein"을 분비하는 소화 기능이 진화되었고, 그래서 150만 년 전에는 이와 관련된 유전자가 출현하게 된다. 마침내 호모 에렉투스는 큰 두뇌와 건장한 몸집을 하고 상당히 효율적인 소화력을 갖추면서 본격적으로 사냥을 즐기면서 간간이 육류를 먹거리로 먹기 시작하게 되었다. 이제 고기 소화에 사용되었던 에너지는 상당히 절약되고 소화기관의 크기도 줄면서 남는 에너지는 뇌의 조직을 키우는 곳에 쓰이게 되었다. 이러한 결과로 석기시대에는 뇌가 1,500g 정도로 초기보다 4배 정도 커지게 되었지만, 이후 2만 년 전부터는 뇌의 무게가 줄기 시작해서 지금은 오히려 1,400g 정도로

13%, 즉 100g 줄어들어서 인간의 뇌는 테니스공 하나 정도의 크기를 잃어버리는 꼴이 되었다.

이처럼 뇌가 커지다가 다시 줄어들게 된 것에 대한 객관적인 근거를 들어야 한다. 이를 설명하는 근거로 "기억"해야 할 자료가 대폭 감소하였기 때문이라는 가설이 있다. 원시 수렵시대에는 사냥기술, 먹을 것과 먹을 수 없는 것을 구분하는 지식, 주변 환경과 지리에 관련된 기억, 도구를 만들고, 생활 터전을 잡는 방법에 이르기까지 하나하나를 모두 스스로 해결해야만 했다. 그리고 이런 지식을 모두 기억했다가 다음 세대에 정확히 전달해 주어야 했다. 이와 같은 일로 뇌가 클수록 생존경쟁에 유리했을 것이다.

그러나 부족을 구성하는 단위가 커지면서 점차 사회적 조직체계가 구성되고 자료를 함께 나누어 공유하면서 생존에 필요한 자료들을 모두 기억해 두지 않아도 충분하게 생존할 수 있게 되었고, 특히 언어와 기호 발달로 두뇌를 가성비 있게 사용할 수 있어서 큰 뇌가 불필요했을 것이다. 그러므로 뇌의 용량은 점차 자연스럽게 줄게 되었다는 논리다. 정확히 말하면 인간이 가족 단위라는 작은 개인적인 생활을 하다가 점차 집단적 생활로 변화하게 되었고, 이런 집단생활은 개인이 알아야 하고 기억해야 했던 정보들을 여러 사람이 함께 공유하면서 뇌의 크기가 줄어들어도 생활하는데 특별히 위협을 받지 않게 되었다. 즉 인간은 더욱 넓은 협력관계 속에 모여 살면서 스스로 "자기 가축화"하며 길들인 결과 정보를 나누어서 공유할 수 있게 되었다. 이처럼 점차 집단화가 이루어지면서 분업이 유리하다는 진리를 인식하게 되었다. 인간이 사회적 동물로 분업화되고 사회화되고 가축화가 되었기 때문에 현대는 개인적으로 고립상

제2장 사람과의 관계

태에 빠지거나 격리되는 것을 두려워하게 되었다.

이처럼 개인적인 행동보다는 집단적인 분업이 훨씬 더 효과적이라는 사실을 깨닫는 결정적인 계기가 된 것은 아마도 제1차 산업혁명 기간이었을 것이다. 1776년에 스미스가 국부론을 출간하면서 분업과 전문화가 생산성 향상에 미치는 영향력을 비교한 재미있는 고전적 실험이 있다. 옷핀 공장에서 10명이 처음부터 끝까지 모든 공정을 각자가 혼자서 만든다고 가정하면 한 사람이 하루에 20개를 만들 수 있어서 10명이 하루에 총 200개의 옷핀을 만들 수 있었다. 그런데 옷핀 제조 공정을 18개 단위로 세분화하여 분업했더니 한 사람이 하루에 4,800개를 만들어서 10명이 하루에 총 48,000개를 만들어 낼 수 있었다. 개인별 작업에 비해 분업이 무려 240배나 더 높은 생산성을 가지게 되는 결과를 낳았다.

이제 집단적 사회관계의 망 속에 살면서 생활에 필요한 정보를 개인별로 모든 것을 기억할 필요가 없어졌다. 즉 정보의 분업화와 전문화를 통해서 더 많은 정보를 더 빨리 이뤄내는 시대에서 살게 되었다. 뇌가 진화를 거치면서 초기 아날로그 형식으로 용량이 커지는 방향으로 발전하다가 2만 년 전부터는 디지털 형식으로 진화하는 모습을 보인 것이다. 뇌 조직의 관계망이 기능적으로 더 복잡하게 연결되면서 뇌 영역 간 정보를 처리하는 양과 속도 측면이 발전해 가는 형태로 뇌가 진화한 것이다.

예를 들면 머리의 뒤통수 아래쪽에 야구공 크기의 소뇌 조직이 있는데, 소뇌는 운동 조절에 관여한다는 원시적인 가설만이 알려져 있었다. 그러나 20여 년 전부터 소뇌의 다른 새로운 기능이 밝혀졌다. 소뇌에는 대뇌피질에 비해서 주름이 더 많은데, 기존에 알려졌던 운동과 관련된 조절 능력은 일부 기능이고 오히려 감각의 통합과 조절, 그리고 대뇌피질과 연합하는 학습 기능이 더 중요한 기능을 한다는 새로운 사실이 밝혀지고 있다.

인류 인지능력의 진화과정은 단순한 뇌 용량의 크기뿐만 아니라 다른 뇌 부위끼리 새롭게 협력관계를 구축하면서 진화를 거듭하고 있다. 정보를 처리하는 세포의 수가 수천억 개가 있고, 세포마다 각각의 기지국이라고 하는 시냅스가 수백조가 되는 정보처리 기능이 있다. 사실 인간의 뇌는 진화를 거듭하면서 크기가 커지기도 했지만 크기보다는 관계의 기능이 더 정교하게 진화하고 있다.

인간의 뇌는 이미 2만 년 전부터 아날로그 시대를 뛰어넘어 디지털 시대로 진화 방향을 전환하였다. 그리고 인간은 초기 원시시대의 개별적인 개인 생활에서 점차 집단적인 생활을 거치면서 사회적인 동물로 진화하고 분업의 장점을 터득하게 되었고 이제 전문화 시대로 접어들어 뇌 기능도 크기에서 협동과 협력이라는 사회적 관계라는 기능 중심으로 진화하고 있다. 이제 인간은 개별적으로 홀로 살아가기 어려운 사회적 동물로서 관계의 망을 넓히면서 살아가도록 진화하고 있다. 개인적인 행동보다는 집단적인 행동이 훨씬 더 효율적이라는 것이 증명되었다. 그래서 진화론적으로 볼 때 삶에서 개인주의보다는 집단주의가 더 효율성이 크다는 사실을 이해하게 된다. 이제 국가건 가족이건 개인이건 모든 조직은 아무리 힘이 강해도 혼자서는 외롭고 쓸쓸해서 살아갈 수가 없다. 반세기 전만 해도 이웃집 숟가락이 몇 개인지 알았을 정도로 이웃 간 교류가 활발한 협동적인 집단주의가 주류를 이루었으나 지금은 극단적인 개인주의로 세대 간 심각한 가치관 충돌로 사회가 시끄러워졌다.

# 관계가 갖는 긍정적인 효과

🌱 일명 신경초Sensitive Plant(神經草)라고 불리는 미모사Mimosa 는 잎을 건드리면 바로 잎을 움츠려 반으로 접는 특징이 있는 유명한 식물이다. 이렇게 잎을 움츠리는 반응은 일종의 방어기제인데, 식물의 운동은 동물보다 에너지 효율성이 매우 나빠서 반응하는데 상당히 많은 에너지를 소모하기 때문에 이러한 움직임이 신기하여 계속 만지면 지나친 스트레스로 시들어 말라 버릴 수 있다. 그러나 동물의 고의적인 자극이 아닌 자연에 의한 반복적인 자극은 기억하고 있어서 자연적인 바람이나 비와 같은 기후에 의한 자극에는 몇 번 움츠리는 반응을 하다가 곧 잎을 접는 반응을 멈춘다. 미모사는 자연적인 자극과 고의적인 접촉 자극을 구별할 수 있는 능력이 있는 것이다.

집에서 기르는 화초에 사랑의 마음을 담아 잎도 다듬어 주며 정성껏 물을 주고 키우면 화초도 이런 접촉 관계를 알아차리고 긍정적으로 반응하지만, 귀찮아하는 부정적인 마음으로 억지로 키우면 화초도 부정적인 반응을 보이면서 잘 자라지 않는다. 식물도 주변의 접촉 관계라는 자극에 적절히 선택적으로 긍정적인 반응도 하고 부정적인 반응도 한다.

동물도 홀로 살아가는 것을 좋아하는 동물도 있지만, 대부분 동물은 동료와 깊은 관계를 맺으며 함께 살아가기를 좋아하는 사회적 동물이다. 현대는 홀로 살기를 좋아해서 혼밥, 혼술, 혼자 여행하며 혼자 행동하고 혼자 결정하기를 좋아하는 1인 가구가 증가하고 있지만, 기본적으로 사람도 사회적 동물이기 때문에 관계의 망을 떠나서 홀로 살게 되면 심리적인 외로움과 고독에서 헤어나기 힘들게 된다. 사람은 진화를 거듭하면서 사람과의 관계는 물론이고 자연과도 긍정적인 관계를 맺으며 살아왔다. 그래서 죄수에게 내리는 가장 무거운 벌칙은 독방에서 혼자 살게 하는 것일 만큼 사람은 누구와도 완전히 관계를 끊고 살 수는 없다.

사람은 산업사회에 돌입하면서 도시에 모여 살고 있지만 오래전부터 자연과 관계를 맺고 싶은 "자연으로의 회귀" 본능이 타고난 유전적인 관계 본능이다. 하버드 대학의 생물학자 윌슨Edward Wilson 교수가 1984년에 처음으로 바이오 필리아Biophilia, 즉 "녹색 갈증"이라는 용어를 사용했는데, 현대인은 과학의 발달로 도시에서 편하게 생활하고 있지만 언제나 자연을 느끼고 자연 속에서 살고 싶은 "자연으로의 회귀 본능"을 가지고 있다는 것이 인간의 유전적인 관계 본능이라고 주장한다. 이처럼 진화 심리학자들도 인간은 아직도 인류 조상들이 거주하던 아프리카 동부와 비슷한 환경에 본능적으로 이끌리게 된다는 "사바나 가설"을 주장하고 있다.

아마도 인간 최초로 경험하는 인간과의 "접촉 관계"는 출산할 때 엄마의 산도를 통해서 세상에 나오는 순간일 것이다. 요즘은 의료 혜택의 기술로 눈이 부실 정도로 밝은 조명이 켜진 분만실에 누워서 편하게 분만하고 있지만, 물체는 중력에 의해 밑으로 떨어진다는 만유인력(萬有引力)의 법칙이라는 자연의 법칙에 따라 아이를 출산할 때는 예수님이 탄생하던 모습처럼 조명이 없는 어두운 밤에 무릎을 꿇은 자세로 아이를 밑으로 떨어뜨려 낳아야 한다. 그리고 당연히 자연 분만으로 엄마와의 접촉 관계를 통해 출산하고 모유를 먹어야 건강한 아이로 자랄 수 있다. 엄마의 산도를 통해 그냥 미끄러져 나오는 것이 아니라 나선형으로 빙빙 돌면서 온몸에 강력한 물리적인 "접촉 관계"를 흠뻑 받으면서 세상에 나와야 한다. 이런 접촉 관계없이 제왕절개술로 세상에 태어나면 면역력이 약할 뿐만 아니라 소두아(小頭兒)로 지적인 발달에도 장애가 될 수 있다.

동물은 자기가 낳은 새끼를 끝없이 핥아준다. 특히 머리와 복부를 많이 핥아주며 배변 때에는 항문도 핥아준다. 이런 접촉의 의미를 이해하기 위해 염소가 새끼를 낳을 때 새끼의 반은 어미가 직접 키우고, 반은 사람이 만든 좋은 시설에서 키웠다. 몇 주간 키운 다음 두 집단의 새끼에게 어떤 차이가 있는지 머리 부분에서 혈액을 채취하여 성분을 분석했는데 몇 가지 분명한 차이가 있었다.

첫째는 혈액의 양에서 차이가 있었다. 어미가 핥아 준 세끼의 머리에는 많은 혈액이 흘렀는데, 이는 혈액을 통해서 그만큼 많은 영양분이 공급되고 있다는 긍정적인 증거다. 둘째는 성장 호르몬 분비에서 차이가 있었다. 새끼들이 출산 후 가장 빨리 성장해야 할 부분은 머리 부분인데, 어미가 핥아주는 행위로 이 영역에 성장 호르몬이 활발하게 공급이 되는 것이다. 셋째는 면역성분에서 큰 차이가 있었다. 핥아주는 부분에 면역성분이 집중적으로 공급되므로 여러 병원균으로부터 안정적으로 대처할 수 있다. 노인들에게도 마사

지라는 신체 접촉 관계를 통해 면역력을 강화하면 욕창 등 다양한 피부 질환을 예방할 수 있음을 경험을 통해서 알고 있다.

아이들은 태어난 후에도 성장하면서 친밀한 관계를 표현하기 위해서 칭찬이나 귀엽다는 의미로 머리를 쓰다듬거나 엉덩이를 토닥이는 짧은 신체적 접촉 관계를 받으면서 자란다. 인간은 만남으로 자란다는 말처럼 원시시대의 녹색 갈증을 풀기 위해서 적절한 대리 대상으로 인간과의 관계를 통해 대리만족을 느끼려 하는 것이 인간관계의 참모습이다. 이러한 원초적인 접촉 관계를 상실하게 되면 사회에서 고립되어 외로움이나 우울증 같은 심리적 부작용을 겪게 된다.

신체적인 접촉 관계의 효과에 대한 최초의 실험은 위스콘신대 심리학과의 할로우Harry F. Harlow 교수가 1962년에 실시한 원숭이에 대한 "애착 실험"일 것이다. 할로우는 어미와 새끼와의 접촉 관계를 두 가지 다른 조건으로 분리해서 실험했다. 한 조건은 어미와 새끼의 관계를 분리하여 "철사"로 조잡스럽게 만든 대리모 인형과 함께 놀도록 했고, 또 한 조건은 "부드러운 천"으로 만든 대리모 인형과 함께 놀도록 했다. 그런 후 실험실을 개방했더니 모든 새끼가 "철사 대리모"에서 떨어져서 "천 대리모"와 많은 시간을 보내며 놀고 있는 것을 알게 되었다. 이 실험으로 새끼와 어미와의 애착 관계에서 "수유"가 가장 중요하다고 믿어왔던 종래의 가설에서 접촉이라는 "관계"가 훨씬 더 중요하다는 새로운 가설을 주장하는 계기가 되었다.

아프리카 내전으로 부모를 잃은 아이들에게 영양분을 충분히 공급하는 보육원에서 보살폈는데도 계속 아픈 환자가 발생하고 죽어

제2장 사람과의 관계

가는 아이들이 발생하였다. 그래서 영양분 공급 이외에 별도로 자주 사랑으로 안아주는 따듯한 접촉 관계를 맺었더니 건강에 상당히 긍정적인 효과를 볼 수 있어서 질병 발병률과 사망률 모두 급격하게 감소하였다. 신체적인 접촉뿐 아니라 심리적인 접촉 관계 모두 건강과 행복에 중요한 역할을 한다는 사실을 확인한 것이다.

사랑하는 가족, 연인과 포옹이라는 물리적 접촉 관계로 감사를 표현하면 옥시토신 호르몬이 분비되어 마음을 안정시켜주고 면역력도 강화된다. 그뿐 아니라 코르티졸 호르몬 분비를 억제하여 불면증이나 우울증에서 벗어날 수도 있고, 스트레스 해소에도 도움이 된다. 400여 국가를 대상으로 일상적으로 포옹하는 국가와 그렇지 않은 국가 어린이의 질병 발병률을 비교해 보았더니 포옹이 질병 발병률을 낮추는 효과가 있었다.

모든 인간은 기본적으로 사회적 동물이므로 부단한 접촉 관계를 맺으며 건강하고 행복한 감정을 교환해야 한다. 존스 홉킨스 의대 연구(2024)에 따르면 긍정적인 관계를 맺으면 세로토닌이라는 행복 호르몬이 분비되어 우울증을 예방할 수 있다고 한다. 세로토닌은 감정조절은 물론 소화 촉진 등 여러 신체 기능에 관여하는 신경전달물질이다. 그래서 이 호르몬이 부족하면 우울감, 불안감이 상승하고 알츠하이머와 관련된 기억력 저하, 식욕부진과 불면증도 일으킨다.

이러한 세로토닌을 직접 섭취할 수는 없으나 바나나, 두부, 귀리, 견과류, 달걀, 연어, 칠면조와 같은 음식을 섭취하여 세로토닌 수준을 간접적으로 늘릴 수 있다. 그러나 직접적인 접촉이라는 관계망을 통해서 세로토닌 수치를 늘리는 효과가 큰 방법이 있다. 햇볕을

쬐며 야외 환경에서 걷기, 사람들을 만나서 소통하고 웃고 서로 돕는 행동, 가족과 함께 즐기는 신체적 관계 등도 모두 행복과 관련된 세로토닌 호르몬을 늘리는 좋은 방법이다. 생각만 해도 기분이 좋아지는 사람들과의 관계를 떠올리기, 행복한 기억이 담긴 사진을 보는 것 등과 같은 간접적인 관계망을 갖는 것도 행복 호르몬을 늘리는 좋은 방법이다.

좋은 관계를 맺고 사는 것이 가장 행복한 삶이라는 증거를 확인한 연구가 있어서 주목받고 있다. 하버드 의대에서 1938년부터 2012년까지 연구비 2,500만 달러(290억 원)를 쓰면서 724명을 75년 동안 추적 조사하여 "성인 발달 종단 연구"라는 제목으로 결과를 발표했다. 1938년 당시 최정상급에 속한 하버드대학 엘리트 청년 2학년 학생과 냉온수조차 제대로 나오지 않는 가정에서 자란 청년 724명을 75년 동안 그들이 어떤 삶을 살았는지 추적 연구하였다. 청년들은 자라면서 공장 인부, 벽돌공, 변호사, 대통령(케네디)으로 당선되기도 했고, 의사로 살기도 했고, 몇 명은 알코올 중독자가 되고, 몇 명은 정신분열증 환자가 되기도 했다. 또 어떤 청년은 신분이 상승하여 밑바닥에서 맨 꼭대기까지 올라갔으며 또 몇 명은 그 반대의 길을 걷기도 했다.

그러면 이러한 청년 중에서 누가 가장 건강하고 행복한 삶을 살았을까? 젊었을 때부터 부와 명성, 높은 성취를 추구하는데 인생을 걸어왔던 사람에 관한 연구 결과를 요약하면 놀라지 않을 수 없다. 삶을 정말 행복하고 건강하게 했던 것은 우리가 예측한 것처럼 "물질적 부와 명예"가 아니라 평생을 "좋은 관계"를 맺고 사는 것이었다. 이 연구의 네 번째 연구자였던 월딩어Robert Waldinger 교수는 이들이 젊은 시절에는 부와 명성, 높은 성취를 통해 좋은 삶을 살 수 있다고 생각했었다. 사회 역시 우리에게 열심히 일하고 노력하라고 말했지만, 우리를 진정으로 건강하고 행복하게 만들어 준 것은 "좋은 관계"라는 것이었다. 좋은 관계라는 것이 구체적으로 어떤 의미인지를 보면 다음과 같은 것이었다.

첫째로 사회적 연결 관계는 우리 삶에 매우 유익한 것이었지만, 고독은 삶에서 해로운 결과를 준다는 것이었다. 연구 결과 가족, 친구, 공동체와 항상 긴밀하게 연결되어 있을수록 더 행복하고 건강하고 오래 장수하였다. 그러나 사회적으로 고립되어 있으면 그런 사람은 덜 행복했고 중년기가 되면 빠른 속도로 건강도 나빠지고 뇌 기능도 일찍 저하되었다.

둘째로 관계에서 친구의 "숫자"는 그렇게 중요하지 않았고 중요한 것은 "관계의 질"이라는 것이 밝혀졌다. 친구가 많더라도 갈등이나 싸움 등 좋지 않은 관계를 지속한다면 건강에 해롭다. 단 한 명의 친구라도 그와의 관계에 만족한다면 그것으로 충분하다.

셋째로 좋은 관계를 맺고 사는 것은 신체 건강뿐 아니라 뇌에도 긍정적인 영향을 준다. 애착 관계가 돈독하게 형성된 80대 노인들은 그렇지 않은 노인들에 비해 더 좋은 기억력을 유지하고 있었다.

결론적으로 말하면 가장 행복한 삶을 살아가는 사람은 가족과 친구, 공동체와 늘 좋은 관계를 유지하는 사람으로 좋은 관계가 더 좋은 삶을 만들었다. 만남이라는 관계는 인생을 위한 영양소이자 조미료와 같아서 만남으로 인생은 건강하고 행복해질 수 있다. 좋은 관계를 유지하는 것은 쉬운 일은 아니겠지만 친구가 반드시 많을 필요는 없다고 하니 관우와 포숙과 같은 한두 명의 좋은 친구만 있어도 좋을 것 같다.

　그런데 현대는 아직 완숙하지 않은 개인주의적인 가치관과 정제되지 않은 표현의 자유로 사람들과의 접촉 관계가 위축되어 기껏해야 식구들과만 소통하면서 살아가는 사람들이 많다. 인간은 "관계"라는 영양제를 먹으며 살아야 배가 부르고 건강하고 행복할 수 있는 사회적 동물이므로 관계를 함께하면 건강과 행복을 약속할 수 있다. 그러나 헤어져서 혼자 살게 되면 외롭고 쓸쓸하여 육체적으로 병에 걸리게 되고 심리적으로 마음의 고독이 찾아와 괴로워지고 우울해진다. 고독하고 우울한 감정이 지나치면 정신병적 증상으로 발전하는데, 이때 정신 에너지가 안으로 향하면 자학하거나 심하면 자살까지 이어지고, 밖으로 향하면 세상을 원망하면서 심해지면 도시를 파괴하고 폭파하려는 공격행동으로 나타날 수 있고 사람에게 향하면 증오를 넘어서 상해나 살해 등의 행위까지 이어진다.

# 좋은 관계 맺기를 위한 기본 조건

세상은 배우고 노력하지 않으면 원만한 관계를 이루며 살기 어렵다. 사람의 관계란 우연히 만나게 되지만 서로 관심을 가지면 인연이 되고 여기에 노력을 들이면 필연이 된다. 우연이 10%라면 노력은 90%다. 아무리 좋은 인연도 서로 노력 없이는 오래갈 수 없고 아무리 나쁜 인연도 서로 노력하면 좋은 인연이 된다. 이러한 관계는 부모와의 혈연관계를 시작으로 학교 선후배라는 학연, 출생지와 동향과 같은 지연 등의 인연으로 시작하는데, MZ세대들은 그러한 인연보다는 직장의 "가치관과 취향"을 가장 중요한 기준으로 인간관계를 시작한다고 한다.

어떤 인연으로 시작해도 좋은 관계를 위해서는 서로를 이해하고 배려하는 마음이 있어야 한다, 우리말에 말 한마디로 천 냥 빚을 갚는다는 말처럼 상대방에게 좋은 말 한마디가 인간관계를 긍정적으로 유도할 수 있다. 사람의 지적 수준을 측정하는 지능지수IQ, 감성 수준을 측정하는 감성지수EQ가 있듯이 사회적 관계 수준을 측정하는 공존지수NQ: Network Quotient가 있다. 무한경쟁 시대에서 사람과의 소통과 관계가 중요해지면서 공존지수 개념이 강조되고 있다.

그렇지만 사회가 점차 개인주의적 성향으로 바뀌면서 이웃, 친구는 물론이고 친척, 부모-자식 간에도 공존지수가 떨어져서 서로 도움도 주지 않는 관계로 살아가는 경향이 많아지고 있다. 그러나 사람은 사회적 동물로서 공존지수가 높을수록 다른 사람들과의 소통과 관계 맺기가 쉬워지고, 그런 관계와 소통을 통해 얻는 자원으로 사회적으로 성공하는 밑거름으로 활용할 수 있다.

식물이나 동물 모두 생명체이므로 자신에게 도움이 되는 환경이나 자극에는 긍정적으로 접근하고, 도움이 되지 않는 자극에는 부정적으로 회피하는 행동을 한다. 그래서 집에서 키우는 화초도 공감하면서 사랑하면 잘 자라지만 그런 마음이 없으면 잘 자라지 않는다. 미국 중앙정보국 거짓말 탐지기 전문가 벅스터Cleve Backster는 1960년에 식물의 잎을 자르려고 가위를 대면 전류 흐름이 빠르게 변하는 것을 발견하고, 식물도 사람의 마음을 읽는 능력이 있음을 알아냈다. 농업진흥공사에서도 이와 같은 사실을 확인했다. 서로 다른 옆방에서 뽕나무를 키우면서 한쪽 방에 있는 나무를 막대기로 두드리면 옆방에 있는 나무도 아픔을 함께 공감하였다. 그러나 다른 쪽 방에 있는 나무에 아무런 자극을 주지 않으면 옆방에 있는 나무도 어떤 반응을 보이지 않는 것으로 보아 뽕나무도 서로 아픔이라는 자극을 함께 공유하고 공감한다고 해석할 수 있다.

포르투갈의 심리학 교수 올리베이라Rui Oliveira는 잉어과 열대어인 제브라피시Zebrafish도 동료의 고통을 함께 공감한다는 사실을 사이언스(2023)에 발표했다. 실험집단 고기에게는 고통을 느끼는 환경을 조성해서 급격한 스트레스를 받게 했고, 비교집단에는 아무런 고통을 주지 않으면서 행동을 관찰했는데, 비교집단의 고기가 스트

제2장 사람과의 관계

레스를 받는 실험집단의 고기가 있는 곳으로 접근하여 헤엄쳐 간다. 이는 고통을 함께하는 공감 행동의 신호로 스트레스를 받는 물고기 쪽으로 가는 물고기에서 옥시토신이라는 호르몬이 분비되고 있다는 사실을 확인했다, 이 호르몬은 시상하부에 있는 신경세포로 호감이 가는 상대를 만나거나 매력을 느낄 때 분비되는 감성 관계 역할을 하는 "사랑의 호르몬"으로, 이 호르몬이 활성화된다는 것은 고통을 함께 공유하겠다는 증거로 충분히 해석된다.

사람에게도 이처럼 접근하려는 관계 지향적인 행동이 자연스럽게 나타나는 것일까? 불특정 다수와 함께 사는 사회에서 낯선 사람과 처음부터 좋은 인간관계를 맺는 과정은 참으로 복잡하고 다면적이어서 긍정적인 관계를 맺는 일은 그리 쉬운 일이 아니다. 그러나 사람에게도 관계에 긍정적으로 공감하는 뇌의 특수 부위가 준비되어 있어서 이 영역을 깨워서 훈련하면 된다. 어린 시절은 가정에서 부모로부터 받은 가정교육 결과에 따라서, 청년기 이후는 사람들과 스스로 공감하려고 애쓰고 노력한 의식적인 결과에 따라서 뇌가 공감하는 영역을 유용하게 활용할 수 있다.

우리 뇌에는 "거울 뉴런Mirror neuron"이라는 특수 영역이 있는데, 이 뉴런은 "공감"할 때 반응한다(Iacoboni, 2008)고 한다. 타인의 얼굴이나 몸짓을 보고 떠오르는 감정을 읽는 순간에 공감이 시작되는 뇌 영역으로 자신과 타인 사이의 장벽을 없애는 감정 이입을 담당하는 세포로 인간이 사회적 존재라는 명제를 밝혀주는 단서가 된다. 다른 사람들의 행동을 따라 한다든지, 처해 있는 상황을 보고 그 마음을 짐작하거나, 다른 사람의 말을 듣거나 그에게 공감하는 것은 모두 거울 뉴런이 활성화하기 때문이다. 청각 자극에도 반응하여 다른 사람의 행동을 듣기만 해도 함께 공감할 수 있다.

흥미로운 것은 자기 자신에 대해 이야기할 때 뇌가 활동하는 부위가 쾌락 중추와 유사하다. 자기에 관한 이야기를 할 때 느끼는 쾌감은 음식이나 돈과 같은 보상이 생겼을 때 느끼는 행복감과 관련된 부위와 같다고 한다. 그래서 남의 이야기를 듣는 것보다는 자기 이야기 하는 것에 더 큰 희열을 느끼는 이유가 여기에 있다. 그래서 자기 이야기를 끊임없이 하는 사람은 자주 자기도취에 빠져서 그칠 줄 모르고 이어간다. 따라서 장기적인 행복을 느끼기 위해서는 자신과의 관계는 물론이고 타인과의 참된 공감을 공유해야 한다.

이처럼 사회적 동물로서 인간관계를 맺을 때 긍정적으로 공감하는 감정을 갖는 것은 매우 중요한데 우리는 안타깝게도 이러한 긍정적인 감정 수준이 세계 최하위 수준이다. 세계 159개 국가 중에서 우리는 부정적 감정 지수 40개 국가에서도 최하위 수준인 39위에 있다. 우리는 지금 세계 경제 선진국 대열에 합류했지만 슬프고 힘들었던 과거 역사 때문에 우리는 긍정적 감정보다는 부정적 감정이 우선한다.

세상에는 기쁜 일이 있어도 공감하거나 감사할 줄 모르는 사람이 있고, 기쁜 일이 있을 때만 공감하고 감사하는 사람이 있는가 하면 역경 속에서도 항상 공감과 감사하는 사람이 있다. 우리는 기쁜 일이 있어도 공감도 감사도 할 줄 모르는 민족인지 모르겠다. 관계를 맺고 싶지 않은 사람에 대해서는 부정적인 일만 기억하고, 긍정적인 관계를 맺고 싶은 사람에게는 긍정적인 일만 기억할 뿐 아니라 그런 일에 감사하고 감탄까지 표하려는 경향이 강하다. 그런데 우리 민족은 부정적인 것만 기억하는 데 집착하는 것 같다.

이제부터라도 우리는 무한경쟁 시대에 살면서 환경과 사물을 보는 관점은 물론이고 사람을 대하는 관점도 긍정적으로 변해야 한다. 사람을 보는 관점이 긍정적으로 바꾸어야 사회적 인간관계도 좋아질 수 있고 그렇게 해야 참된 행복 선진국 대열에 합류할 수 있다. 자연환경을 사랑하고 가족과 친구 관계도 긍정적으로 좋은 관계를 맺도록 연습하고 노력해야 한다.

음악에서 최고의 경지에 오른 사람을 악성(樂聖)이라 하고, 바둑의 최고 경지를 기성(棋聖), 시의 최고 경지를 시성(詩聖)이라고 하듯이 인간 최고의 경지에 오른 사람을 성인(聖仁)이라 한다. 최고의 성공 경지에 오른 의미를 뜻하는 "성(聖)"이라는 말은 耳＋口＋王이 합쳐진 말로 우선 남의 말을 잘 듣고, 그다음에 입을 여는 것은 왕이 되는 것과 같이 어렵다는 뜻이 있다. 말을 배우는 것은 2년이면 충분하지만 남의 말을 경청하는 방법을 배우는 것은 60년 넘게 걸리는 어려운 일이다. 이제부터 의도적으로 노력해서 인간관계를 좋게 만드는 공감 능력에 대해서 구체적으로 알아보겠다.

공감Empathy 능력이란 상대방을 이해하고 공유하는 능력으로 인간관계를 좋은 방향으로 유지하는 데 필요하고 핵심적인 조건이다. 공감한다는 것은 상대방의 이야기를 적극적으로 경청하는 습관이다. 상대방 입장이 되어 상대의 감정과 경험에 경청하면서 그의 말, 감정, 비언어적 단서에 세심하게 주의하여 의도를 정확히 파악하려고 노력해야 한다. 특히 상대방 처지를 이해하기 위해서 "왜 그렇게 생각하는지 이해할 수 있어" 또는 "정말로 힘들겠다"라는 등의 조언으로 상대방의 감정을 인정하고 경험을 확인해 주면 더 많은 공감을 얻을 수 있다. 그러나 상대방 처지를 이해하더라도 단언하거나 상대방의 경험이나 감정에 과도하게 공감하면 오히려 관계가 나빠질 수 있으므로 지나치게 빠르게 공감하는 것도 주의해야 한다.

이러한 공감 능력은 다음과 같은 몇 가지 중요한 역할을 하므로 인간관계에서 매우 중요한 역할을 한다.

첫째는 경청하는 자세가 필요하다. 상대방의 이야기에 집중하고 그의 생각과 감정을 이해하기 위해서 귀 기울이는 것이 중요하다. 상대방이 말하는 동안 말을 끊지 않고 듣고 이해하려는 노력을 통해 공감 능력을 향상할 수 있다.

둘째는 몸짓과 표정에 주목해야 한다. 상대방의 몸짓, 표정, 목소리 등 비언어적 요소에 주목하여 상대방의 감정 상태를 파악하여 상대방의 감정에 공감하면서 적절히 대응하도록 노력해야 한다.

셋째는 상대방 입장에서 생각해 본다. 상대방의 처지에서 생각하고 그가 겪고 있는 문제점과 감정을 이해하려고 노력해야 한다. 이를 통해서 공감 능력을 키우고 상대방에게 도움이 되는 조언과 지원을 해줄 수 있다.

넷째는 비판적인 생각을 줄여야 한다. 상대방의 의견에 대해 비판적으로 접근하지 말고 이해하려는 자세를 갖도록 노력해야 한다. 비판보다는 이해와 공감을 통해서 상대방과 더 가까워질 수 있다.

다섯째는 개방적이고 존중하는 태도로 대화해야 한다. 상대방의 의견을 존중하고 다양한 관점을 받아들일 수 있는 준비를 항상 하고 있어야 한다. 이를 통해서 서로 신뢰를 구축하고 더 많은 대화를 이끌 수 있다.

여섯째는 진심으로 질문해야 한다. 상대방의 이야기에 관심을 가지고 진심을 담은 질문을 통해 상대방의 감정과 생각을 더 깊이 이해할 수 있다. 이러한 과정에서 공감 능력을 발전시키고 상대방과의 관계를 더욱 강화할 수 있다.

일곱째는 자신의 감정과 경험을 공유하려고 노력한다. 자신의 감정과 경험을 상대방과 공유하여 서로 간의 이해를 높이고 공감 대상이 되어주려고 노력한다.

여덟 번째는 도움을 주고 지지하는 노력을 한다. 상대방이 도움이 필요한 상황이 되거나 어려움을 겪고 있다면 지지와 도움을 주도록 한다. 이를 통해서 상대방과의 관계를 견고히 하고 공감 능력을 발전시킬 수 있다.

아홉 번째는 자기 성찰을 통해 공감 능력을 개발한다. 자기 성찰을 통해서 공감 능력을 평가하고 개선할 수 있는 방법을 찾아본다. 이를 통해 지속적인 성장을 이루어 더 나은 인간관계와 소통 능력을 갖출 수 있다.

결국 공감한다는 것은 상대방을 이해하는 능력이 있어야 한다. 이것이 상대방의 감정과 경험을 이해하는 첫 번째 단계다. 상대방의 감정을 이해하고 공유한다면 상대방도 나를 더 이해하고 신뢰할 것이다. 공감은 상대방과의 갈등을 해결하면서 관계를 개선해야 한다. 그래야 공감은 갈등 상황에서도 효과적인 역할을 할 수 있다. 상대방의 처지를 이해하고 공감하면 갈등을 해결하고 관계를 개선하는 데 도움이 된다. 공감을 통해서 감정적인 안정감을 주어야 한다. 상대방의 감정에 공감한다는 사실은 그에게 감정적 안정감을 제공하는 것이다. 상대방의 감정을 받아들이고 이해한다면 상대방도 나를 지지하게 될 것이기 때문에 건강하고 균형 있는 인간관계를 다질 수 있다.

# 불편하다고 생각되는 성격은 바꿀 수 있다

🌱 아끼던 물건을 잃어버리면 똑같은 물건을 다시 사면 되지만 좋았던 인간관계를 잃어버리면 다시 회복하기 어렵다. 물건처럼 똑같은 사람을 절대로 다시 찾을 수 없으므로 좋았던 인간관계를 놓치면 다시는 그런 관계를 맺을 기회가 오기 어렵다. 미국 컬럼비아 대학의 심리학자 히긴스Tori Higgins는 인간의 동기를 접근(接近)과 회피(回避)라는 두 유형으로 구분하여 설명한다. 접근 동기는 무엇인가 좋은 것을 얻기 위해, 즉 그것에 가까워지기 위해 열심히 의도적인 행동을 하는 것이다. 반면에 회피 동기는 무엇인가 좋지 않은 것에서 벗어나거나 회피하기 위해 행동하는 것을 말한다. 사람은 누구나 인간관계에서 내일은 그 사람과 더 잘 지내겠다는 결심을 하지만 오늘이 되면 그런 생각은 없어지고 가까이하지 않으려는 회피 동기만 생각나서 피하고 만다. 현재에 가까울수록 접근하려는 동기보다는 회피하려는 동기가 더 강하고 먼 미래일수록 접근하려는 동기가 더 강하다.

한편 심리학자 호나이Karen Horney는 인간관계를 접근 유형, 회피 유형과 적대 유형으로 구분하여 설명한다. 접근 유형은 그에게 접근하여 친밀한 관계를 형성하고 싶은 사람이다. 이러한 유형을 정상적이고 바람직한 태도라고 평가하지만 지나치게 상대에게 의존적인 행동을 하거나 혼자 있는 것을 견디지 못해 불안하거나 두려워할 수 있다. 회피 유형은 인간관계를 회피하려 하고 설령 관계를 갖더라도 깊이 있고 친밀한 관계를 두려워하고 불편해한다. 혼자 있는 것을 편하게 느끼며 다른 사람과 가까워짐으로써 발생하는 갈등에 대한 부담과 두려움을 가지고 있다. 적대 유형은 상대방에게 접근하려는 태도는 있지만 상대방을 적이나 경쟁 대상으로 느끼게 되어 공격적이거나 지배적인 태도를 나타낸다. 이런 사람은 상대에 대한 분노와 적개심을 느껴서 자주 다투거나 갈등을 일으킬 수 있다. 흔히 긍정적인 관계는 접근 유형의 행동을 유도하고, 부정적인 관계는 회피 유형의 행동을 유도한다.

이러한 접근-회피 동기는 문화적으로 접근 동기가 강한 문화가 있고 회피 동기가 강한 문화가 있는데 한국은 쌀 문화로 특징되는 집단주의와 유교적인 문화로 세계적으로 유명한 회피 동기가 강한 특성을 보인다. "나" 개인적으로는 접근 동기가 강하지만, "우리"가 회피 동기에 부합하는 집단주의, 관계주의 문화 속에서 살고 있어서 "우리와 의리"를 내세우면서 항상 우리들의 관계를 강조한다.

그러나 해방 이후 서양의 개인주의 특성을 교육받은 50대 이전 젊은 신세대는 관계보다는 나를 중심으로 하는 개인주의에 집착하여 집단적 관계를 회피하려 한다. 젊은 시절에는 혼밥, 혼술, 홀로 여행하면서 홀로 즐기며 살아갈 수 있지만, 나이 들어 노인 세대로 진입하면 외롭고 고독하여 홀로 살아가기가 어려워진다. 현재 OECD 국가에서 한국의 노인 자살률과 고독사가 가장 높다는 사실을 잊어서는 안 된다.

따라서 인간은 사회적 동물로 유머 감각이 있고 사교적 특성을 가지면 생활하는 데 상당히 유리하다. 그래서 사교적이지 못하고 사람들과 충분한 관계를 맺지 못하고 홀로 지내기를 좋아하면 고독감을 느낄 수 있고 심하면 우울증을 느껴서 상담이나 치료까지 받는 경우도 발생한다. 그래서 우리는 대인관계를 맺을 때 나의 자아관 때문에 관계 맺기에서 부정적인 결과를 초래하는 경우가 있어서 당황하는 경우가 있다.

사춘기 이전의 자아관은 대체로 유전적 소인과 부모의 가정교육에 따라서 영향을 받으므로 어쩔 수 없다고 하더라도 사춘기 이후부터 성인기에도 자신의 자아관이나 성격에 만족하지 않는다면 그것은 전적으로 자기 자신의 책임이다. 그래서 가족 간에 화목하지 못한 가정에서 태어난 것은 죄가 아니지만, 성인이 된 지금 내 가정이 화목하지 못하다면 그것은 전적으로 나의 책임이고 나의 잘못이다.

행복은 성적순이 아니라 성격 순으로 결정된다고 보는 것이 객관적으로 타당한 말이다. 이에 관한 흥미로운 쌍둥이의 연구사례를 예로 들어 보겠다. 어떤 이유로 쌍둥이가 태어나면서 곧바로 각자 다른 가정으로 입양되어 40년간 한 번도 만날 기회조차 없이 성인으로 성장하다가 우여곡절 끝에 함께 만났다는 기사가 1979년에 미국의 한 신문에 실리면서 미국 사회에 큰 화제가 된 일이 있었다. 이와 같은 기사를 접한 미국의 심리학자가 이들 쌍둥이가 어떤 점이 비슷하고 어떤 점이 다른지 연구해 보았다. 그들은 서로 성장했던 환경이 다르므로 당연히 상당히 많은 부분에서 다를 것으로 추정했다. 그런데 아주 놀랍게도 쌍둥이 형제는 모두 습관적으로 손

톱을 물어뜯고, 목공 일이 취미였고, 똑같이 농구를 싫어했다.

그래서 연구팀은 계속해서 생각이나 습관이 유전에 의한 영향력이 어느 정도인가 하는 문제를 연구했다. 이 연구팀과 유전자 결정론을 주장하는 연구자들은 습관적인 거짓말이나 도벽 같은 습관도 아동 시절에 입은 정신적 충격보다는 유전적인 요인이 더 큰 영향을 준다고 주장했다. 심지어는 사랑과 야망, 호기심, 창조성 등 정신적 특성까지도 유전자에 의해 좌우된다고 주장한다.

대부분의 현대 성격 이론가들은 보통 성격을 내향성과 외향성, 정서 안정성, 개방성, 성실성, 유쾌성 등 5개 특성으로 나누어 설명하면서 그간의 쌍둥이 연구에 의하면 내외향성, 정서 안정성과 개방성이 성실성과 유쾌성에 비해 유전적 영향을 더 많이 받는다고 보고하고 있다.

이 연구팀은 미국과 캐나다에 거주하는 백인과 흑인, 아시아인 등 모든 인종의 성격 변화의 흐름도 추적 연구했다. 그 결과 나이를 먹을수록 성실성과 유쾌성은 점차 증가하지만, 정서 안정성과 개방성은 점차 감소된다고 주장했다. 일에 대한 계획성과 치밀성을 대표하는 성실성은 나이를 먹을수록 강화되는데, 특히 독립하게 되는 20대에는 성실성이 매우 높아진다. 그리고 30대에는 대인관계에서 중요하게 강조되는 유쾌성(상냥함)이 매우 발달하는데, 이 두 개의 특성은 쌍둥이 연구에서도 유전적 영향력이 비교적 낮은 것으로 나타났다. 결국 나이를 먹을수록 사회적인 환경에 적응하면서 더 성실하고 더 상냥한 성격을 발달시키게 된다.

이제는 유전자가 한 인간을 100% 결정하는 것이 아니라는 데 의견을 모으고 있다. 유전자는 잠재적인 소질일 뿐이고 그런 유전자의 스위치를 켜서 유전적인 특질이 나타나게 하는 것은 환경이다. 인간은 한편으로는 유전적 소질에 의해 조종되기도 하지만 다른 한편으로는 환경적 요인에 의해 성장하고 발달한다. 따라서 적당한 시기에 적절한 환경적 자극을 받게 되면 가장 합리적인 성격을 가질 수 있다.

그래서 유전으로 이어받은 기본적인 성격과 살아온 환경에 의해 습득한 성격 유형의 조합에 따라서 행복을 경험하는 결과가 달라진다. 새로운 경험에 대해 얼마나 마음을 여는가 하는 "개방성"이 높은 성격은 예술, 문화, 이국적인 것을 찾거나 창의적인 것에 관심이 많지만, 개방성이 낮은 성격은 익숙한 것이나 친숙한 것에만 매달리는 경향이 높아서 새로운 것을 추구하려 하지 않는다. 특히 외향적인 성격은 사람들과의 관계를 즐기고 자기 지향적인 성향에 맞는 경험을 적극적으로 즐기므로 내향적인 사람들보다 행복 수준이 높은 편이라고 한다. 결국 외향적인 성격은 행복과 정비례하는 경향이 높아서 친구가 많고 그들로부터 긍정적인 피드백을 많이 받기 때문에 행복 수준이 높아질 확률이 높다는 해석이다.

반면에 사회적 관계에서 친밀성이 낮고 신경증적인 성격을 가진 사람은 걱정이 많고 감정의 변화가 심하므로 불안, 분노, 불면증, 만성 스트레스 등을 호소하는 경향이 높다. 이러한 부정적인 감정이 높은 사람은 행복한 생활을 해야 그만큼 신경 과민성을 낮출 수 있지만, 대부분의 신경증적인 사람은 스스로 부정적 사건과 문제에 집착하는 경향이 높아서 가족관계를 비롯한 많은 인간관계에서 갈등과 불화를 자초하고 부정적인 정서에 더 예민하게 반응한다.

화를 잘 내는 성격을 가진 사람의 입김을 고무풍선 안에 담아서 이를 냉각시켜 액체로 만들어서 이 액체를 주사기로 뽑아 쥐에게 주사했더니 쥐가 3분 만에 발작하다가 죽었다. 화를 내는 것이 얼마나 해로운 것인지 가히 짐작할 수 있다. 그래서 우리는 항상 긍정적인 마인드 콘트롤을 해야 하는 근거가 여기에 있다. 매사 공격적이고 급하고 비판적이거나 언제나 불만을 표하며 비협조적이고 신경증적인 성격은 수명까지 짧다는 연구 결과도 있다.

우리 주변에는 외향적인 사람만큼 내향적인 사람도 많다. 내향성이라는 말은 "안"을 뜻하는 독일어 인트로버티어트Introvertiert와 "향하다"를 뜻하는 라틴어 인트로Intro를 합한 단어로 "안쪽으로 향하고 있다"는 의미를 뜻한다. 한마디로 정신적인 에너지가 외부보다는 자기 내면으로 향해 있어서 특정한 소수 사람이나 자가 자신에게 더 많은 시간과 에너지를 사용하는 특성을 가진 사람을 "내형적 성격"이라고 부른다. 그러나 외향적인 사람과 내향적인 사람은 똑같이 50%의 유전과 50%의 환경적인 영향으로 결정된 성격 특성이다. 유전적 요인을 제외하면 어떤 성장 환경이나 배경, 즉 어떤 가정에서 어떻게 양육되고, 학교에서 어떤 교육을 받았는지, 대인관계를 맺을 때 어떤 원칙을 적용했는지, 어떤 직업을 선택하고 적용해 왔는지 등의 개인적인 특정 행동과 그에 대한 반응에 따라서 나머지 50%가 결정된다. 결국 한 개인을 "내향적" 혹은 "외향적"으로 결정짓는 요인은 생물학적 요인과 사회심리적 요인이지만, 어느 시기에 어떤 요인이 어떻게 영향을 미쳤는지에 따라 그 결정되는 방향이 달라진다.

내향적인 성격은 외향적인 성격에 비해 자극에 더 민감하고 뇌의 반응 속도 역시 빨라서 쉽게 지치는 경향이 있다. 그러기 때문에 스스로 많은 자극을 차단해서 혼자 충전하는 시간이 더 필요하다. 내향적인 성격을 가진 사람을 휴식할 때 MRI로 뇌파를 촬영하면 외향적인 사람에 비해 뇌가 더 활발하게 활동하는 것으로 보인다. 이로 볼 때 내향적인 사람은 같은 자극에도 더 크게 반응하고 더 크게 감정 변화를 보인다고 볼 수 있다. 뇌 속의 혈류 역시 외향적인 성격에 비해 더 길고 더 복잡한 것으로 보인다. 구체적으로 보면 내향적인 사람은 뇌간에서 멀리 떨어져 있는 전두엽과 언어 등을 통제하는 브로카Broca 영역에 더 많은 혈류가 공급되고, 외향적인 사람은 뇌간 주변에 있는 감각 표현 및 감정 인지를 담당하는 영역에 혈류가 집중된다. 내향적인 사람은 행동을 억제하고 에너지 보전역할을 하는 부교감 신경이 더 활발해지며, 외향적인 사람은 행동을 자극하는 도파민에 의해 활성화되는 교감신경이 더 활성화된다.

이제 자기 성격이 사회활동에 부정적이거나 행복에 부정적인 영향을 준다면 그런 성격을 바꿀 수 있는가 하는 문제에 관심이 간다. 앞에서 본 바와 같이 성격은 유전적 소질과 환경적 영향의 합작품으로 본다면 성격을 바꿀 가능성은 얼마든지 있다. 원하지 않는 성격을 원하는 성격으로 변화시키는 원리는 간단하다. 행동주의 심리학자인 제임스William James는 인간은 자기의 태도를 바꾸어서 스스로 자신의 인생을 변화시킬 능력을 지니고 태어났다고 주장한다. 그는 생각을 바꾸면 태도가 바뀌고, 태도가 바뀌면 행동이 바뀌고, 행동이 바뀌면 습관이 바뀌고, 습관이 바뀌면 운명이 바뀌고, 마침내 운명이 바뀌면 행복이 찾아온다고 주장했다.

성격은 내가 원하는 대로 바꿀 수 있지만 하루아침에 바뀌는 것은 아니다. 꾸준한 노력과 반복 연습으로 바꿔야 한다. 어떤 것을

제2장 사람과의 관계

좋아하게 되면 점차 그것을 좋아하는 성격으로 변하게 되고, 어떤 것을 싫어하게 되면 그것을 싫어하는 성격으로 점차 변하게 된다. 내향적이고 소심한 사람은 소심한 것을 좋아하고 활발한 것을 싫어하지만, 외형적인 사람은 오히려 소심한 것을 싫어하고 활발한 것을 좋아하는 상반되는 성격이다. 그래서 내향적인 사람이 외향적인 성격으로 바꾸려면 소심하게 행동하는 것이 좋지 않다는 것을 확실하게 이해해야 한다. 예를 들면 내향적인 성격은 무엇이든지 주저하는 경향이 많아서 많은 기회를 놓칠 수 있어서 삶을 살아가는데 상당한 손해를 입게 된다는 사실을 확실하게 이해해야 한다.

　이러한 사실을 확실하게 이해하게 되면 이제부터는 내 삶에서 부정적인 결과를 불러오는 그런 성격을 바꿀 각오를 하면 된다. 내 삶에 부정적인 영향을 미친다는 사실을 확실하게 알게 되면 자연스럽게 그런 성격은 서서히 바뀌게 된다. 이와 더불어 외향적인 성격이 나의 삶의 과정에서 많은 장점이 있을 수 있다는 사실도 확실히 이해해야 한다. 이렇게 내향적인 성격이 나의 삶에서 부정적인 것이 많고 외향적으로 바꾸면 여러 장점이 많다는 것을 인식하고 이해하게 되면 자연스럽게 외향적인 삶을 살아가기 시작한다. 이것이 성격을 바꾸는 기본적인 원리다. 이와 마찬가지로 외향적인 사람이 내향적인 성격으로 바꾸는 절차도 마찬가지로 외향적인 성격의 단점과 내향적인 성격의 장점을 확실하게 파악하고 꾸준히 내 성격을 바꾸도록 연습하고 실천하면 된다.

# 관계의 조건은 이기적인가 이타적인가?

인간이 이기적 동물인지 이타적 동물인지에 대한 물음에 대해서는 오래전부터 있었던 질문이다. 이 문제는 인간이 살아온 과정에서 환경과의 관계를 규정하는 관점에 따라서 상당히 달라진다. 서양권은 대체로 기독교적 배경과 철학적 가치관에 따라서 인간을 이기적인 존재로 보려는 경향이 강하다. 기독교에서는 선악과를 따먹은 인간의 죄를 원죄로 보면서 인간을 기본적으로 악으로 규정한다. 기독교에서는 하느님을 선(善)으로 보고, 세상을 악(惡)으로 규정한다. 세상에는 인격성의 존재는 "하느님과 사탄과 인간" 뿐인데, 하느님은 절대 선(善)의 근원이고 사탄은 절대 악(惡)의 근원으로 본다. 그러므로 모든 선은 하느님에게서 나오고, 모든 악은 사탄에게서 나온다고 믿는다. 따라서 인간이 하느님과 가까우면 선이요, 사탄과 가까우면 악이 되는 것이다. 결국 성경은 악인 사탄에 붙어서 죄를 짓지 말고 선하신 하느님의 힘으로 악을 이기라고, 즉 "악에 지지 말고 선으로 악을 이기라(롬 12:21)"고 설교한다.

서양 철학에서도 정신적 가치를 형이상학(形而上學)으로 설정하고, 물질적 가치를 형이하학(形而下學)으로 규정한다. 그리고 정신적인 가치가 물질적 가치를 지배할 때 선(善)이라 하고, 반대로 물질적 가치가 정신적인 가치를 지배할 때 악(惡)이라고 생각한다. 따라서 물질적인 풍요와 마음의 행복과의 관계는 마치 기차 철길과 같아서 영원히 만날 수 없는 평행선을 이룬다고 생각한다. 결국 물질적인 풍요만으로는 절대로 정신적인 행복을 담보할 수 없다는 연구가 많이 있다.

소크라테스는 40~70세까지 30년간 아테네 시민에게 정신적 혁명을 강조하며 생을 바쳤다. 그는 윤리적 측면을 강조하면서 타락한 사람의 양심과 허영심을 바로 잡으려 했다. 그는 감옥에서 독배를 마시기 전 제자 플라톤에게 "사는 것이 중요한 문제가 아니라, 바로 사는 것이 중요하다"고 강조했다. "바로" 산다는 것은 첫째로 진실하게 사는 것이요, 둘째로 아름답게 사는 것이요, 셋째로 보람 있게 사는 것이라고 주장했다. 그렇게 살기 위해서 우리는 항상 말을 바로 하고, 생각을 바로 하고, 행동을 바로 하고, 생활을 바로 하는 습관을 지녀야 한다. 그래야 정치도 바로 설 수 있고, 경제도 바로 설 수 있고, 교육도 바로 설 수 있다. 모든 것이 바로 설 때 비로소 바로 되는 것이다. 잘 사는 것이 중요한 문제가 아니라 바로 사는 것이 중요하다.

프로이트가 인간은 죽음의 본능과 삶의 본능이 서로 경쟁하는 존재라고 주장하는 것처럼 인간의 마음속에는 항상 선악이 공존하는 양면의 칼날이다. 사회적 동물로서 인간은 부부관계, 자녀 관계, 가족관계와 같은 생식본능의 관계에서는 선을 전제로 하는 이타적 본능이 작동하지만, 삶을 살아가는 생존본능에서는 자신의 이익을 전제로 하는 이기적 본능이 작동하게 되어서 관계의 조건에 따라 양면의 칼날을 사용하는 방법이 다르게 작용한다.

인간 행동을 생물학적이고 이기적인 본능의 존재로 설명하려는 대표적인 학자 중에 도킨스Richard Dawkins가 있는데, 그는 1976년에 35세의 젊은 나이에 "이기적 유전자The selfish gene"라는 책을 출판하여 학계를 놀라게 했다. 그는 인간의 생물학적인 유전자 본능을 충실하게 수행하기 위해서 원래의 목적도 이기적이지만 간혹 보이는 이타적인 행동까지도 자신과 비슷한 유전자를 남기려는 행동의 한 부분일 뿐이라고 주장한다.

그는 모성애든지 부성애도 자신에게 투자하는 것보다 나보다 더 오래 살 수 있는 자식에게 더 많이 투자하는 것이 종족 번식과 보존을 위해서 현명한 방법이라고 각인된 유전자의 명령이라고 본다. 그러므로 자식이나 손주가 나를 닮을수록 더 예뻐 보이고 더 애착이 가는 것도 이런 이기적인 유전자 명령에 따른 결과다. 그러나 부모가 자식에게 하는 것처럼 자식은 부모에게 그렇게 본능적이고 이타적인 행동을 하지 않는다. 우리 핏속에는 "내리사랑은 있어도 치사랑은 없다"는 속담이나 "한 아버지가 열 아들을 키워낼 수 있지만 열 아들은 한 아버지를 봉양하기 어렵다"는 독일의 속담도 이런 이기적 유전자의 명령이 담겨 흐르고 있기 때문이다.

사마귀 수컷은 교미를 위해 암놈 위에 올라야 하는데, 교미하려는 순간에 암놈에게 걸리면 수컷은 머리부터 잡아 먹힌다. 이렇게 머리를 잡아 먹혀도 목숨이 붙어있는 동안에 교미 행동을 무사히 완수한다. 어째서 수컷은 목숨을 걸면서까지 교미 행동을 완수하는 것일까? 이는 목숨을 바쳐서라도 번식이라는 이기적 유전자 명령에 따라야 하는 본능의 명령이 있기 때문이라고 설명한다. 이러한 행동을 "집단 선택설"이라고 부르는데, 자신이 희생되어도 개체군을 통해서 자기 유전자가 살아남도록 하는 본능적 프로그램이 작동하는 것이다.

집단선택 이론의 또 다른 좋은 예는 꿀벌의 사회적 행동에서도 볼 수 있다. 꿀벌 세계는 크게 여왕벌과 일벌로 나눠진다. 정자를 보관할 주머니를 따로 가지고 있는 여왕벌이 숫벌과 교미를 통해서 수억 마리의 정자를 받아 저장하고 있다가 난자가 생성될 때 저장했던 정자 일부를 뿌려 수정한다. 이때 가장 빠른 정자를 받아 수정한 후, 정자 주머니에 그대로 남아 있는 정자는 무성 생식을 통해 번식 능력이 없는 일벌로 태어난다.

그러기 때문에 일벌은 평생 여왕벌을 위해서 목숨을 바칠 뿐만 아니라 침입자들을 퇴치하기 위해서 독침을 쏘고 장렬히 죽어간다. 이같이 번식행위 한 번 못하고 평생 일과 방어에 바치는 행동은 유전적으로 개체군에 유리한 집단 이기적 본능으로 해석된다. 이러한 행동은 겉으로는 집단에 희생하는 것으로 보일지 모르지만 자기 자신의 희생을 통해서 집단이라는 종족을 지속시키려는 호혜적 이기주의적 행동으로 설명한다.

그는 이처럼 종Species의 진화 현상도 적자생존의 자연선택 과정을 통해서 이뤄진다고 말한 다윈Charles Darwin의 적자생존 이론과 자연선택의 개념도 유전자의 단위로 설명하고자 했다. 도킨스에 의하면 다윈이 밝혀낸 진화의 메커니즘이란 바로 자연의 선택이며 곧 유전자의 역사라는 것이다. 그러므로 동식물은 물론 인간에 대한 분석 틀도 이기적인 유전자 개념에서 설명해야 한다고 주장한다. 유전자 입장으로 볼 때 동식물은 모두 유전자의 자기 본능적 욕구를 충실히 수행하는 생존 기계에 불과하므로 인간도 유전자를 보존하기 위해 계속 진화해 나가려는 일종의 생존 기계에 불과한 것이라고 주장한다.

그래서 성공적인 유전자의 중요한 특징은 "이기적"인 것이다. 자신의 생존 가능성을 높이는 행동은 이기적이고, 반대로 자신의 생존 가능성을 낮추는 행동은 이타적이라고 정의한다. 이러한 이기적 유전자 개념은 생존본능뿐만 아니라 인간의 문화적인 행동에도 확대해서 적용하고 있다. 그리스어 "모방"을 뜻하는 미메메mimeme라는 말에서 빌린 "밈meme"이라는 용어를 만들어서 음악, 사상, 패션, 관습, 의식, 건축, 언어, 종교 등 각 영역의 문화적 요소를 복제해서 다음의 세대까지 전달해 주는 매개 역할을 담당하는 것으로 설명한다. 생물학적 복제를 유전자gene가 담당한다면 정신적 문화적인 것의 복제는 밈meme이 담당한다.

다윈이 1859년에 "종의 기원"에서 진화론을 발표할 당시에 기독교가 지배하고 있던 유럽 사회에 엄청난 파장이 일어났다. 그 파장은 지금도 이어져 내려오고 있어서 진화론에 반대하는 기독교 신학자와 진화론자 간의 찬반 논쟁이 지속되고 있다. 그런데 여기에 도킨스가 생명 진화과정을 유전자 단위로 설명하는 "이기적 유전자설"은 불난 집에 기름을 붓듯이 논증이 한층 더 심화되었다.

이 이론이 사회생물학자와 진화생물학자들의 관심거리가 되었던 것은 생명체의 진화가 단지 유전자만으로 설명할 수 있는 생물학적 환원주의 또는 결정론에 빠지게 되는 논란을 촉발하게 하였고, 동물과 달리 문화를 가지고 사회를 이루는 특별한 존재라고 생각되어 온 인간도 유전자만 살아남으려는 허울 좋은 껍질일 뿐이라는 가설에 대한 반발을 일으켰기 때문이었다. 학자들은 본능과 정반대 쪽에 있는 이성과 자유의지라는 개념을 가지고 있는 인간이 과연 유전자 명령에만 따를 것인지, 아니면 어떠한 목적을 가지고 행동하지만 결국 이기적 유전자에 의해 조정당하는 것인지 등 여러 가지 의문점에 대한 논쟁이 이어지고 있다.

한편 불교에서는 서양의 입장과는 달리 착하게 산다는 것은 선악(善惡)을 철저하게 구분하여 옳고 그름을 가리는 "반 선악(反善惡)"의 개념에서 출발하지 않고, 오히려 거기에서 초탈(超脫)하는 "탈 선악(脫善惡)"의 길로 가려는 열반(涅槃) 또는 "깨달음"의 세계에서 삶의 의미를 찾으려 한다. 그렇다면 무엇을 깨닫는 것일까? 그것은 세상 현상에 대하여 정확히 아는 것이다. 그런 현상을 머리로 정확히 알았다 해도 실천하지 않고 경험하지 않게 되면 아무런 의미가 없다. 그래서 깨달음은 세상을 이해하고(解), 믿고(信), 실천하고(行), 증독(證)하는 것을 모두 갖추는 것이다. 이렇게 해서 깨달은 상태, 즉 열반의 상태에 들어갈 때 "참 행복"과 "참 자유"를 얻는 해탈의 경지로 도달할 준비가 된다고 생각한다.

이런 깨달음의 길에는 여덟 가지 바른길, 즉 팔정도(八正道)가 있다. 첫째는 바르게 보는 정견(正見), 둘째는 바른 생각을 하는 정 사유(正思惟), 셋째는 바른 말하는 정어(正語), 넷째는 바른 행위를 하는 정업(正業), 다섯째는 바르게 생명을 유지하는 일로서의 직업인 정명(正命), 여섯째는 올바르게 노력하는 정정진(正精進), 일곱째는 바른 견해를 갖는 정념(正念), 마지막 여덟째는 바른 생활을 하는 정정(正定)으로 이런 마음이 중생을 깨달음의 세계로 실어 내는 수레와 같은 길이라고 생각한다.

또한 동양권의 중국에서 주장하는 인간성에 대한 이해의 관점에는 성선설(性善說)과 성악설(性惡說)이라는 상반된 이론이 있다. 성선설은 맹자(孟子)가 주장하였고, 성악설(性惡說)은 순자(荀子)가 주장하였던 핵심 개념이다. 순자는 도덕성이 선천적일 것이라는 가정을 부정하며, 사람의 성(性)은 악(惡)인 것이고, 선(善)은 인위적인 것으로 설명한다. 성(性)은 선천적인 이기적인 욕망이며 위(爲)라는 것은 작위(作爲) 즉, 후천적인 노력이라 말하고 사람들은 이 후천적인 노력을 통해 예(禮)를 따르도록 힘써 선(善)을 발휘해야 한다고 주장한다.

그러나 공자(孔子)의 사상을 이어받은 맹자는 성선설을 주장한 대표적인 사상가다. 맹자는 추(鄒)라는 지방 출신으로 공자의 고향인 곡부(曲阜)에서 멀지 않은 가까운 곳이다. 그는 공자의 손자이며 증자(曾子)의 제자이기도 한 자사(子思) 밑에서 유학(儒學)을 배웠고 유가의 이상을 실천한 그는 인간의 본성은 착할 것이라고 가정한다. 그렇다면 인간의 본성이 착하다는 사실을 어떻게 알 수 있을까? 이에 대해 다음과 같은 예를 들어 설명한다. 인간은 누구나 남의 고통을 차마 보지 못하는 마음을 가지고 있다. 가령 한 어린아이가 갑자기 우물에 빠지려는 것을 보고 있다고 하자. 그러면 누구나 놀라서 그를 구하려 할 것이다. 이것은 아이의 부모와 잘 사귀려는 의도가 있는 것도 아니며, 동네 사람들로부터 칭찬받으려고 하기 때문도 아니며, 아이의 비명을 듣기 거북해서 그러는 것도 아니다. 이런 측은한 마음이 없으면 인간이 아니라고 생각한다.

이 같은 맥락에서 맹자는 인간의 마음에는 다음의 네 가지 "착함의 처음"이 있다고 주장한다. 측은하게 여기는 마음은 어짊의 시작이요, 부끄러워하는 마음은 의로움의 시작이요, 사양하는 마음은 예절의 시작이요, 옳고 그름을 가리는 마음은 지혜의 시작이라 하였다. 다시 말하면 첫째로 누구든지 다른 사람의 고통을 보면 불쌍히 여기는 마음이 생기는데, 이것은 사람이 모두 선천적으로 어질다(仁)고 하는 증거로 이를 측은지심(惻隱之心)이라 한다. 둘째로 누구나 자기가 저지른 잘못에 대해서 부끄러워하는 마음이 있다. 이것은 모든 사람이 선천적으로 의롭다(義)고 하는 증거로 이를 수오지심(羞惡之心)이라 한다. 셋째로 사람들은 누구나 다른 사람에게 양보하고자 하는 마음이 있는데, 이것은 모든 사람이 선천적으로 예의 바르다(禮)고 하는 증거로 이를 사양지심(辭讓之心)이라 한다. 그리고 넷째로 누구나 어떤 일이 옳은지 그른지를 판단할 수 있는 데, 이것은 사람이 선천적으로 지혜롭다(智)고 하는 증거로 이를 시비지심(是非之心)이라 한다. 맹자는 이런 선천적인 인의예지(人義禮智)의 네 개의 덕(四德)이 인간의 본성이라는 사단설(四端說)을 주장한다. 그러므로 사람은 이처럼 타고난 본성대로 행동하면 누구나 착해질 수 있다고 가정한다.

여기서 주목할 것은 지(智)는 선(善)의 한 부분에 지나지 않는다는 점이다. 흔히 지적 수준이 높으면 그러한 사람은 착할 것이라고 기대하는데, 사실은 그렇지 않다는 것이다. 지식과 양식도 필요에 따라 언제든지 악의 편에 이용될 수 있기 때문이다. 착한 인간의 마음도 불의 불씨나 물의 샘과 같아서 그것을 바르게 잘 이끌면 커다란 물길을 일으키고 큰 강이 될 수 있지만, 그렇게 하지 못하면 불이 꺼지거나 물이 말라버리기 쉬운 것처럼 인간도 누구나 선하게 될 수도 있고 악하게 될 수도 있는 양면성을 가지고 있다. 그래서 지식이 많은 사람도 선(善)하려는 노력이 뒷받침되고 끊임없이 마음의 수양을 위해 힘쓰지 않으면 안 된다는 과제가 있는 것이다.

　이제 우리는 어떻게 하면 다시 착하게 살아갈 수 있을까? 선한 하느님이 악한 사탄을 물리치는 기독교적인 길을 갈 수도 있고, 서양의 사상가들처럼 정신적으로 선한 내가 타락한 나와 끝없이 결투하여 승리하는 철학적인 길로 갈 수도 있고, 동양권의 입장에서 선악을 초월하는 깨달음의 세계로 들어가는 불교의 길로 갈 수도 있고, 동양 사상가들처럼 정신적 수양과 수련을 통하여 선한 본성이 악한 본성을 물리치는 심신 수련의 길로 갈 수도 있다. 어떤 길을 택하던 결국 선(善)한 인간의 본성이 악(惡)해질 수 있는 세상을 통제하면서 살아간다면 진정 행복한 삶을 살아가는 길이 될 것이다.

　인간의 본능은 기본적으로 이기적인가 아니면 이타적인가 하는 문제의 답은 결국 두 가지 본능을 모두 가지고 있는 양면적인 존재이므로 누구나 어느 한쪽을 자유롭게 선택할 수 있는 문제라고 본다. 인간의 본능에는 이기적인 본능뿐 아니라 이타적인 특성도 존재한다는 증거를 살펴보겠다. 먼저 사람도 의식적으로 아무런 보상 없이도 순수하게 이웃을 돕는 이타적인 행동도 한다는 사실을 펜실베니아와 조지타운 대학 연구팀이 확인했다. 한 번도 본 적이 없는 낯선 사람에게 자기의 신체 기관인 신장(腎臟, 콩팥)을 익명으로 기증했던 사람의 신경계를 관찰했는데, 이들은 자신이 직접 고통을 당할 때나 낯선 사람의 고통을 접할 때나 신경계 활성화 부분이 거의 같다는 것을 확인했다(Psychological Science, 2018). 이런 결과는 이타성이 높은 사람은 타인의 고통을 보는 것만으로도 자기 고통처럼 똑같이 반응한다고 해석할 수 있다.

이와 같은 본능적인 이타행동에 관한 연구는 독일의 막스 플랑크 협회Max Planck Gesellschaft의 진화인류학 연구소의 토마셀로Michael Tomasello 소장에 의해서 더욱 발전하게 되었다. 그는 생후 18~24개월 된 어린이와 어린 침팬지의 행동을 비교 연구했는데, 원숭이에게 보이는 합리적인 이기성과는 다르게 어린이는 선천적으로 이타적인 본성을 갖고 있다는 것을 확인하였다. 이런 타고난 이타적 본성에 따라서 반복적으로 협력하여 마침내 사회와 제도를 만들어내고 결국 인간이라는 종을 성공적으로 진화시켰다고 주장한다.

동물의 "문화"라는 것은 전적으로 모방과 착취의 과정에 기반을 둔다면 인류의 "문화"는 이러한 착취를 넘어선 "협력적" 과정에 기반을 두고 있다는 특징이 있다. 인류의 조상 호모사피엔스는 전례가 없을 정도로 서로 협력적인 생각과 행동을 허용하면서 진화했다. 인간이 가장 특징적이라고 할 인지적인 성취물들, 즉 복잡한 기술과 언어와 수학적 상징과 복잡한 사회 제도는 모두 각자가 개인적으로 홀로 행동한 결과가 아니라 서로 돕는 상호작용이라는 과정을 통해서 얻은 결과다. 사회적 동물인 인간의 이러한 이타성이라는 선천적인 씨앗이 없었다면 이타적 사회, 제도, 이념, 규범, 종교와 같은 제도가 생길 수 없었을 것이다.

어린이들은 성장해가면서 점차 이런 협력적인 집단적 사고에 참여하게 된다. 이처럼 대가성도 없이 남을 돕는 행위는 나의 행복 수준을 얼마나 높여주는가? 캐나다 브리티시 컬럼비아 대학교의 심리학과 던Elizabeth Dunn 교수가 재미있는 실험을 했다. 직장에 출근하는 46명을 두 집단으로 나눠 각각 20달러씩 나눠 주고 한 집단에는 "자기 자신을 위해서 쓰고", 또 다른 한 집단은 "다른 사람들을 위해서 쓰라"고 했다. 다음 날 오후에 행복 수준을 측정했더니 타인을 위해서 돈을 사용했던 집단에서만 행복 수준이 높아진 현상을 발견했다. 그래서 돈이 적어 그런 효과가 나타났는가 하여 다시 50달러씩 주고 같은 실험을 반복했는데도 같은 결과를 얻었다.

이처럼 친절하고 이타적인 행동을 하게 되면 여러 긍정적 효과가 있다는 연구 결과가 많이 있다. 사람들은 도움을 받을 때보다 도움을 줄 때 더 큰 만족감을 느끼고 불평불만은 줄어든다고 한다. 류보머스키Sonya Lyubomirsky(2008)에 의하면 자발적인 봉사활동을 하면 그렇지 않은 집단에 비해 우울감이나 불안 수준이 낮더라도 미래에 더 긍정적인 태도를 보이게 한다. 이같이 남을 돕는 사람에 대해 사람들이 그들의 첫인상을 평할 때 75%는 행복할 것이라고 평가하지만, 자기 자신만 아끼는 이기적인 사람을 평가할 때는 95%가 불행할 것이라는 첫인상을 보인다. 이는 다른 사람들의 눈에 이기적인 행동을 하는 사람은 불행할 것이고, 이타적인 행동을 하는 사람은 행복할 것이라는 첫인상을 갖게 한다는 의미이다.

이뿐만 아니라 심리학자 포스트Post는 이타적 감정과 행동은 행복, 건강, 수명과 깊은 정적 관계에 있다며, 주관적 행복의 수준이 높은 사람은 이타적인 행동도 많이 한다는 연구 결과를 발표했다. 베풀고 나누면서 살아가는 이타행동을 좋아하는 사람들은 그렇지 않은 사람에 비해서 장수한다는 연구 결과도 있다.

독일 막스 플랑크 인구통계학 연구소의 클루그와 포그트Kluge & Vogt는 "미국 국립과학원회보PNAS(2020)"에서 관대함과 수명과는 선형적인 정적 관계에 있다고 주장했다. 세계 34개국을 대상으로 연구한 결과 서유럽 국가들은 대체로 이웃과 함께 나누며 살아서 수명도 더 길었다. 한편 세네갈 같은 사하라 이남 아프리카 국민은 평생 소득에서 타인과 공유하는 비율이 가장 낮았고 사망률도 가장 높았다. 그런데 남아프리카 국가는 아프리카 다른 국가에 비해 경제적으로 발전한 국가이지만 소유 자원에 대한 재분배는 거의 없고 사망률은 상대적으로 더 높았다. 그러나 서유럽권의 프랑스와 일본은 많이 나누고 공유하며 사는데 사망률은 가장 낮았다. 이러한 국가의 국민은 평생 소득의 68~69%를 다른 이웃과 함께 나누며 살고 있다. 사람은 혼자 살 수 없으므로 모두가 크고 작은 사회를 구성하면서 살아가는데 서로 무엇인가를 주고받는 행동은 행복감의 수준을 증대시키고 이것은 건강에도 긍정적 영향을 끼치게 되는 것이다.

이런 남을 돕는 이타행동은 어느 때부터 교육 가능한가? 이 문제에 답하는 실험이 있다. 그루세크와 리들러Grusec & Redler(1980)는 친구들에게 필요한 연필을 나누고 친구가 힘들어하는 일을 도와주는 등 이타행동을 하도록 유도했다. 실험집단 아이들에게는 자신이 친구들을 돕는 좋은 아이라고 생각하도록 긍정적인 칭찬을 했고, 통제 집단은 아무런 조치를 하지 않았다. 실험 결과 8세 아동은 이타적인 강화에 고무되어서 친구를 돕는 이타 행동을 많이 증가시켰지만, 5세 유아에게는 그와 같은 효과가 상대적으로 적었다. 이로 미루어 볼 때 아동들의 이타행동은 8세부터 교육 될 수 있음을 확인하는 실험 결과다. 이러한 이타 행동을 유도할 방법으로 강화와 모방 방법도 유효하다. 아동이 친구를 도와주는 이타행동을 할 때마다 칭찬과 격려 등의 강화를 하면 이타행동을 증가시킬 수 있게 된다. 모방으로도 이러한 이타행동을 촉진할 수 있다. 에런과 휴스만Eron & Huesmann(1986)의 연구에 의하면 이타행동을 관찰하거나 필름을 이용해서 이타행동을 관찰한 집단은 그렇지 않은 집단보다 자신의 물건을 더 잘 나누어 주었다.

그러나 이타행동을 하기 전에 반드시 "공감"하는 능력을 먼저 배워야 한다. 주변 사람의 감정, 생각, 상황 등을 이해할 수 있는 공감하는 능력을 높여서 타인과 관계를 갖는 고리로 연결해야 한다. 공감에는 인지적 요소와 정서적 요소가 개입되어야 한다. 인지적 요소는 타인의 생각, 감정을 수용하고 이해를 통해 자아 중심에서 벗어나는 자기 탈피 과정을 말하며, 정서적 요소는 공감적 관심, 즉 그 사람의 처지에서 생각하는 정서적인 관계를 의미한다. 요즘 개인주의 가치관이 강한 청장년 세대는 특히 이러한 공감하는 능력을 익혀서 관계의 고리를 넓혀야 한다. 이타행동은 각 개개인의 행복감을 높여 줄 뿐만 아니라 행복하게 살아가면 이타행동도 증가하는 상호의존적인 관계이기 때문에 공감 능력 향상은 메마른 사회를 기름지게 할 수 있다.

서양권이든 동양권이든 선악의 개념을 강조하는 면은 다르겠지만 악을 멀리하고 선하게 살아야 한다는 권선징악의 삶을 살아야 한다는 철학적 개념은 크게 다르지 않다. 사람 중에서 일부는 악도 마다하지 않고 개인의 부와 권력을 위해 이기적 본능을 앞세우는 사람도 있지만 이웃과 함께 교류하면서 행복하게 살고자 하는 이타적인 사람들이 많은 이상 인간은 밝은 방향으로 진화할 것이라고 믿어 의심하지 않는다.

# 관계 맺기에서 혼동하는 중도의 의미

🌱 맹자는 옳은 것을 옳다고 말하려면 때때 목숨을 거는 용기가 필요할 때도 있다고 했다. 틀린 것을 틀렸다고 말하려면 밥줄이 끊길 각오를 해야 할 때도 있다. 그래서 그런 두려움 때문에 옳은 것을 옳다고 말하지 못하고 틀린 것을 틀렸다고 말하지 못하는 경우가 많다. 우리는 인간관계를 맺을 때 가끔 서로의 가치가 달라서 관계를 지속하기 어려울 때가 있다. 특히 서로 보수와 진보라는 가치가 달라서 관계 맺기가 어려울 때가 많다.

통계청(2024)이 발표한 "2023년 한국의 사회지표"에 따르면 국민의 가장 큰 사회적 갈등으로 82.9%가 "보수와 진보의 갈등"이고, 다음으로 빈곤층과 중산층의 빈부 갈등 문제(76.1%)다. 지금 정치인, 연예인, 운동선수 등 특정인을 지나치게 좋아하는 팬덤Fandom 집단이 끼리끼리 몰려다니면서 서로 다른 가치를 주장하면서 사회를 혼란에 빠뜨리고 있다. 팬덤은 자칫하면 좋아하는 사람이 도덕적 품위를 손상했거나 범법을 저질렀어도 그런 행위를 무시하고 추종하는 4류의 국민 의식을 보여주기 쉽다. 특히 정치계의 팬덤 갈등은 똥 싼 놈이 더 성질을 낸다는 말처럼 국력을 끝없이 소모하며 국가의 운명까지도 걱정하는 수준까지 이르렀다. 프로이트는 이러한 팬덤 현상은 자신의 부족한 면을 대리 충족해 주는 대리만족 대상을 닮으려고 추종하는 원시형 동일시(同一視) 현상으로 해석한다.

그런데 정치계의 진보와 보수라는 용어를 잘못 사용하고 있어서 정확히 정리할 필요가 있다. 사실 보수와 진보라는 말은 경제적인 생각의 차이를 구별할 때 사용하는 용어로, 개인의 능력을 보장하면서 시장의 자유로운 입장을 허용해야 한다고 주장하는 가치를 "보수"라고 부르고, 개인의 능력보다는 정부의 통제와 개입을 통해 모든 국민이 다 같이 평등하게 살아야 한다고 주장하는 가치를 "진보"라고 부른다. 결국 보수와 진보를 구별하는 기준은 경제 분야에서 신자유주의를 "수용"하느냐 또는 "통제와 거부"에 중점을 두느냐 하는 가치에 따라 다르다.

신자유주의란 국가권력의 시장개입을 억제하고 시장의 기능과 개인의 자유로운 활동을 중시하는 이론으로 자본가와 기업의 이익을 존중하는 개념이다. 이와는 반대로 정부가 세금을 높이고 규제를 강화하여 노동자, 농민, 서민 등 생산수단과 자본력이 없는 시민들의 복지에 집중하여 국민 간의 상대적 박탈감을 최소화하려는 정책에 동의하는 진보적 가치도 있다. 이런 보수와 진보 중에서 어느 정책이 옳은가 하는 문제를 선택하는 것은 마치 선악을 고르는 것처럼 간단하지 않아서 보수와 진보의 장단점을 세밀하게 검토해서 선택해야 한다.

보수정권이 집권한다는 것은 세금과 복지정책을 줄이고 자본가와 기업의 이익을 보장하는 정책으로 자본가의 기술과 능력과 투자가 활성화된다. 그러나 세금이 줄어들면 재정이 부족하여 복지의 축소와 빈부격차의 심화로 소외계층의 불만을 일으켜 사회적 갈등을 낳을 수 있다. 그러나 진보적 가치를 주장하는 정부는 세금을 높여서 복지 수준을 높이고 사회적 약자의 삶의 질을 개선해서 빈부격차를 줄여서 사회적 갈등을 감소시킬 수 있지만 세금이 높아지기 때문에 자본가의 능력과 기술을 감소시키고 기업가의 투자 의욕도 상실할 수 있어서 국가의 경쟁력을 낮추어 세계적 기업과의 경쟁에서 우위를 점하기 어렵다.

그런데 국가와 국민을 위해 밀알이 되겠다는 우리의 많은 민주화 운동가와 이에 동조하는 국민은 국가적인 남북통일 문제와 관련된 통일 지향적인 정책의 문제로 보수와 진보라는 용어를 잘못 사용하고 있다. 민주화 운동의 결과로 부귀를 얻는다면, 민주화 운동이라는 수단과 방법을 이용하여 부귀영화를 얻는 또 다른 보수주의자의 길을 걷는 것에 불과하다. 오늘날 정치인은 모두 국민의 눈높이에 맞는 정치를 해야 한다고 외친다. 국민은 1급, 기업은 2급, 경제는 3급, 정치는 4급이라는 누명을 벗기 위해서 국민의 눈높이에 맞게 정치를 하려고 한다. 그런데 많은 국민이 인품이 한참 부족한 정치인을 뽑아주는 것으로 보아 아직도 5급 국민이 많이 있는 것 같다. 하급 정치인들은 속으로는 출세나 하여 권력이나 행사하고 돈이나 많이 벌자는 속셈을 감추고 겉으로만 국민의 눈높이를 외치는 국민 사기꾼이 아닌지 모르겠다. 정치지도자와 국민이 모두 하등급 의식에 빠져서 "학습된 무기력"에 빠지게 된다면 국가의 미래를 희망의 나라로 이끌어 가기 어려워진다.

정치인의 신뢰도는 길거리에서 만난 사람보다 신뢰도가 더 낮다는 말이 있을 정도로 신뢰도가 아주 낮은데, 이런 불신 현상은 우리만의 문제가 아니라 세계적으로 공통된 현상이다. 신뢰(信賴)에서 신(信)이라는 말은 "사람(人)"과 "말(言)"을 합한 말로 사람들이 말한 내용을 얼마나 믿을 수 있느냐 하는 뜻이 숨어있다. 여야 정치인은 모두 국민 눈높이에 맞는 정치를 하자고 외친다. 그래서 국민의 눈높이가 3류에 해당하면 정치도 3류로 해야 하겠다는 논리로 들린다. 그런데 여러 학자가 국민의 정치 수준을 높게 평가하지 않고 있어서 정치인의 일류정치를 유도하기 위해서 반드시 국민의 정치 수준이 일류가 되어야 한다.

스웨덴의 선거와 관련된 연구소인 "민주주의와 선거지원연구소 IDEA: Institute for Democracy and Electoral Assistance(2024)"가 세계 19개국의 선거 공정성에 대한 조사 결과를 발표했다. 미국, 덴마크, 이탈리아 등 유럽 4개국, 브라질 등 남미 3개국, 탄자니아 등 아프리카 4개국, 인도, 한국 등 아시아 7개국에서 각 1,500명을 선정하여 조사했다. 보고서에 의하면 11개 국가에서 최근 선거에 대한 신뢰를 표한 사람이 겨우 절반 이하이며, 실제로 전 세계 인구의 70%는 비민주국가나 민주주의 후진국에서 살고 있다고 본다. 실제로 민주주의 후진국은 세계 인구의 30% 이상을 차지하고 있으며, 겨우 9%만이 민주주의 고성능 국가로 여겨지는 나라에 살고 있다.

전문가들이 선거 신뢰성이 매우 높다고 평가하는 대만에서 2020년에 실시한 선거 신뢰도가 겨우 40%를 넘지 못했다는 결과를 발표하여 충격적이다. 한국은 선거와 표현의 자유에서 긍정적인 반응이 50%를 겨우 넘었고, 법원 신뢰와 정부에 대한 만족도는 30%를 밑돌았다. 미국은 응답자의 47%만이 선거 절차에 대한 신뢰를 표시하고 있으며, 선거 신뢰도가 가장 높은 나라는 덴마크와 탄자니아로 70% 이상 신뢰한다고 응답했다.

우리말에 "가만 있으면 중간은 간다"라는 말이 있는데, 사실 중간이라는 뜻을 의미하는 중도(中道)라는 말의 사전적 의미는 어느 한 쪽으로 치우치지 않는 바른길, 또는 바른 도리라고 되어 있어서, 사전적으로 "바른길"이나 "바른 도리" 쪽에 서는 것을 중도라 한다. 불교에서도 "양극단에 치우치지 않는 바른길을 "중도 사상Majjihima Patipada"이라 했고, 서양에서 플라톤은 어디에서 그치는지 그 지점을 알거나 그곳에서 머무는 것을 인식하는 것이 최고의 지혜라고 하면서 크기의 양적 측정이 아닌 모든 가치의 질적인 비교를 중용이라고 했다. 아리스토텔레스도 마땅한 정도를 초과하거나 미달하는 것은 악덕이며 그 중간을 찾는 것을 참다운 미덕으로 판단했다.

이처럼 중간이라는 의미는 산술적으로 "모든 것의 가운데"라는 뜻이 아니라 질적인 면에서의 중간, 즉 진리라는 "참 중심에서 벗어나지 않는 지점"을 중간이라고 한다. 그래서 우리가 이쪽도 저쪽도 아닌 어정쩡하게 가운데 있는 중간을 선택하는 집단을 중도라고 잘못 사용하고 있는데, 현재 상황을 정확히 이해하여 정부의 통제와 허용의 정도를 가장 객관적이고 합리적으로 판단하고 결정하는 가치를 가진 집단을 "중도 집단"이라고 말해야 한다.

유교에서는 이를 "중용(中庸)"이라고 표현하는데, 이 말은 춘추전국시대 유학 사상이 출현하면서 처음으로 쓰이기 시작했다. 그런 후 근대의 중용사상은 자사(子思)로부터 기초가 이뤄졌고, 전한 시기에 이르기까지 여러 유학자의 보충을 거쳐 현대의 모습은 주자(朱子, 또는 朱熹)가 정리한 중용장구(中庸章句)에서 비롯된 개념이다. 중용(中庸)이라는 뜻은 "극단 혹은 충돌하는 모든 결정에서 중간의 도(道)를 택하는 교리"인데, 우리는 "중용을 지키자"라는 의미를 보통 "중립을 유지한다거나 중간적인 입장이다"라는 뜻으로 사용하고 있다. 결국 이런 의미는 중용의 본질을 크게 오용할 소지가 커서, 중용이 의미하는 "중(中)과 용(庸)"이라는 글자의 형성과 그 의미를 상세히 알아보겠다.

갑골문에서 "중(中)"이라는 글자는 깃발이 펄럭이는 모양으로 바람이 부는 방향에 따라 깃발이 상하좌우로 나부끼는 형상을 뜻한다. "깃발"은 바람이라는 상황과 여건에 따라서 이리저리 펄럭일 수 있지만 "깃대"는 하나의 축을 기준으로 굳건히 움직이지 않고 자리하고 있다. 그래서 깃대는 깃발과의 관계에서 중심(中心) 혹은 중점(中點)이라는 의미가 있다. 그런데 갑골문에서는 "용(庸)"이라는 글자가 보이지 않지만, 설문해자(說文解字)라는 책에 보면 "쓰임 용(用)"이라는 의미로 표현된다. 즉 인간 생활에서 쓰임(用), 직무(功), 일상(常) 등과 관련되어서, 중(中)이 진리라는 형이상학에 해당한다면 용(庸)은 실제라는 형이하학에 해당한다.

따라서 중용(中庸)을 하나의 개념으로 합쳐서 이해하면 "어떤 진리라는 기준에 근거하여 끊임없이 자기를 변화시켜 가는 상황"으로 이해하면 된다. 그러므로 중용은 상황의 진행에 따라 계속 균형을 취하며 조절하는 형평과 조화를 의미하는 균형의 극치를 의미한다. 상반적이거나 상대되는 뒤섞임 속에서 균형과 조화를 중(中)의 핵심적인 의미로 본다.

이런 맥락에서 볼 때 중용은 인간이 담당해야 할 문제를 두 가지 차원에서 제기한다. 하나는 초월적 존재로서의 성(性)이나 천도(天

道)의 관계를 깨닫는 것이고 또 다른 하나는 도덕을 실천하는 공부
론(功夫論)과 수양론(修養論)을 중시하는 삶에서 윤리와 도덕을 확
인하는 인간학, 수학을 통해 이행하는 교육적 작업을 강조한다. 맹
자의 인의예지(仁義禮智) 사상은 사람의 본성을 착하다고 보는데,
본성을 그대로 방치해도 저절로 나타나는 것이 아니므로 부단히 노
력해서 실천해 나가야 한다고 했다. 그래서 인간은 마음을 어떻게
사용하느냐에 따라서 선한 인간이 될 수도 있고, 본성의 흔적조차
찾을 수 없는 나쁜 인간이 될 수도 있다고 보았다.

그런데 요즘에는 막대기를 들고 깃대라고 우기는 사람, 가짜 깃
대를 메고 이곳저곳에 형식적으로 인간관계를 맺으며 살아가는 카
멜레온과 같은 사이비 인간이 넘쳐난다. 아무리 세찬 태풍으로 깃
발이 찢겨나가도 자기 깃대만은 굳건히 지킬 줄 아는 신념을 가지
고 살아가는 삶의 철학이 필요할 때다.

# 친구와 좋은 인간관계 맺기

예로부터 그 사람의 미래를 알고 싶으면 사귀고 있는 벗을 보라고 했다. 누구나 친구는 다 있지만 친구라고 다 친구가 아니다. 술 먹고 밥 먹을 때는 형님 동생하던 친구가 천 명이나 있지만(酒食兄弟千個有), 급하거나 어려울 때 나를 도와줄 친구는 막상 한 명도 없다(急難之朋一個無)는 경우가 흔하다. 친구는 절박한 상황으로 만날 때도 있지만 보통은 우연히 겉으로 보이는 외모, 특히 얼굴에 끌려서 서로 친근하게 사귀게 된다. 얼굴이라는 말은 얼(魂)이란 의미를 가진 영혼이라는 뜻과 굴(窟)이란 통로라는 뜻의 합성어로 혼이 들락거리는 통로라는 뜻이다.

신체 근육 가운데 얼굴의 근육은 80개로 가장 많아서 얼굴의 모습은 7천 가지의 표정을 지을 수 있으므로 기분이 좋은 사람과 기분이 나쁜 사람과의 얼굴을 쉽게 구별할 수 있다. 얼이 제대로 박혀 있는지, 빠져있는지, 편안한지, 불편한지는 인격의 현주소인 얼굴 모습으로 나타난다. 그래서 사람의 마음을 파악하려고 먼저 얼굴을 관찰하는 것은 마음의 상태에 따라 얼굴이 달라지기 때문이다. 처음 사람을 만났을 때 첫인상은 6초 만에 결정되는데, 외모 표정이

80%, 목소리와 말하는 표정이 13%, 인격이 7% 정도 관여한다고 한다.

영국 그래스고 대학University of Glasgow의 스도티르 교수팀(2024)은 얼굴 모양으로 부자와 가난한 자를 판정한다고 주장한다. 얼굴이 좁고, 웃는 입, 뚜렷한 이목구비, 넓은 미간, 불그레한 뺨, 신뢰가 가고 유능해보이는 얼굴, 인상이 정직한 사람은 부유하게 보는데 이는 상대를 볼 때 부와 관련한 사회적 계층을 판단하는 고정관념으로 사용하기 때문이라고 한다. 이런 얼굴은 신뢰감을 주고 따뜻하고 유능해 보이는 것을 넘어서 지배적이고 정직해 보여 믿을만한 인상을 준다고 한다. 반면에 못생겼다는 얼굴은 눈썹이 낮게 위치하고, 턱이 짧고, 입은 쳐졌으며, 피부는 어둡고 차가운 빛을 내는 둥근 얼굴에 뚜렷하지 않은 이목구비를 가진 유아적 모습이라고 한다. 이런 얼굴은 체력이 안 좋고 지능이 낮으며 복종적인 성격을 가졌다고 인식한다. 그러나 연구팀은 외모만 보고 성급하게 판단하지 말아야 한다며 이렇게 판단하는 기준은 많은 사람에게 상당히 잘못된 결과를 줄 수 있다며 주의를 당부한다.

친구 관계는 이러한 겉으로 보이는 얼굴 생김새와 외모로 시작하지만 진정한 친구 관계는 보이지 않는 마음이 끌려서 우정 관계를 지속한다. 대표적인 진정한 우정 관계는 추사 김정희(金正喜)와 이상적(李尙迪)의 경우를 들 수 있다. 한때 잘 나가던 김정희가 먼 제주도로 귀양을 간 후 그렇게 많던 친구들은 모두 어디로 가고 한 사람 찾아오는 이가 없었다. 이런 그에게 전에 중국에 사절로 함께 간 이상적이 중국에서 많은 서적을 구입해서 제주도까지 가져왔다. 극도로 외로워서 육체적 정신적으로 힘들어하던 추사에게 그의 우정은 큰 위로와 감동을 주었다. 추사는 이러한 우정을 한 폭의 그림에 담았는데 그것이 바로 유명한 세한도(歲寒圖)이다. 논어에 나오는 세한연후 지송백지후조야(歲寒然後 知松柏之後彫也)라는 구절, 즉 "날씨가 차가워지고 난 후에야 소나무의 푸르름을 안다"는 구절에서 따온 글이다. 보통 인생의 5가지 부자로 돈, 시간, 친구, 취미, 건강을 꼽는데 친구야말로 인생의 넉넉한 진짜 부자다.

성공은 친구를 만들고 역경은 친구를 시험한다는 말처럼 불행은 누가 친구가 아닌지를 보여준다. 아리스토텔레스는 "불행은 누가 친구가 아닌지를 보여 준다"고 했고, 인디언은 친구는 "내 슬픔을 등에 지고 가는 자"라며 친구는 어려울 때 힘이 되는 친구가 진짜라고 했다. 이런 친구가 3명만 있어도 성공한 인생이라는 말이 있는데 정말로 진실한 친구 한 명도 갖기 어렵다는 생각이 든다. 진정한 벗은 수보다 그 깊이가 중요하다.

중국 남북조 시대 남사(南史)에 송계아(宋季雅)라는 고위 관리가 퇴직 후 살게 될 집을 천백만금(千百萬金)을 주고 여승진(呂僧珍)의 이웃집을 샀다는 이야기가 있다. 백만금밖에 되지 않는 집을 그리 비싸게 샀다는 말을 들은 송계아는 백만금은 집값이고, 천만금은 그분과 이웃이 되기 위한 프리미엄이라고 말했다. 꽃향기는 백 리를 가고(花香百里), 술향기는 천 리를 가고(酒香千里), 사람 향기는 만 리를 간다(人香萬里)는 옛말처럼 이웃은 매우 중요하다.

행복하게 살고 싶으면 행복하게 살아가는 사람 옆에서 행복하게 살아가는 방법을 배우면 된다. 하버드의 크리스태키스와 파울러 Nicholas Christakis & James Fowler(2008)는 "행복의 생성과 확산에 관한 연구"에서 이런 사실을 입증했다. 내 친구가 행복을 느끼면 나의 행복 수준도 함께 15% 오르고, 내 친구의 친구가 행복하게 살아가면 나의 행복 수준도 10% 증가하고, 내 친구의 친구의 친구가 행복을 느끼면 나의 행복 수준도 6% 오른다고 한다. 행복감은 전염성이 그만큼 크다는 것을 알 수 있는데, 행복의 전염성은 친구가 네 단계를 거쳐야 그 영향력이 없어진다. 또 다른 연구에 의하면 행복한 친구와 옆 동네에 살고 있어도 내 행복 수준은 34% 오르고, 1마일 떨어져 있으면 25% 오른다고 한다. 행복하게 사는 형제들과 이웃에서 살면 나의 행복 수준은 14%나 올라간다고 한다. 그래서 사람들은 서로 같은 사람과 끼리끼리 모여서 살게 되는 모양이다.

중국의 기원전 7세기 춘추시대 관중(管中)과 포숙아(鮑叔牙)의 우정을 그린 관포지교(管鮑之交)라는 우정 관계 이야기가 있다. 두 사람은 어린 시절부터 깊이 이해하고 믿으면서 절친한 친구로 지냈다. 동업할 때 가정이 다소 부유했던 포숙아가 출자금을 더 많이 출자했으나 이익금은 항상 동등하게 분배했고, 관중이 세 차례나 관직에서 파직당해도 관중의 무능을 탓하기보다는 그의 능력을 알아주지 못해서 그러니 실망할 필요가 없다고 위로했다.

당시 제나라 국정이 혼란한 시기여서 왕자들은 이웃으로 피신하여 잠시 화를 면하고자 했다. 이때 관중(官中)은 노(魯) 나라에 거주하던 둘째 왕자 규(糾)를 보좌했고, 포숙아(鮑叔牙)는 셋째 왕자 소백(小白)을 보좌했다. 급기야 규와 소백의 군대가 전투를 했고, 이때 관중이 소백을 향해 활을 쏘았는데 다행히 소백의 혁대 고리에 맞아 화를 면하게 되었다. 결국 소백의 군대가 승리하여 소백이 왕위에 올랐고, 다른 적장들은 모두 소백에게 충성을 맹세했으나 관중은 옥살이를 택한다.

결국 사형당하는 처지가 되자 절친인 포숙아가 앞으로 나와 왕이 된 소백에게 아뢴다. 전하, 제 나라만 통치하시겠다면 신 하나만으로도 충분합니다. 그러나 천하를 통치하려면 관중 이외에는 다른 인물이 없을 것입니다. 관중은 오직 규 왕자만을 위해 충성을 다 했을 뿐입니다. 관중은 단 한 사람의 주인을 위하여 자신의 모든 것을 바칠 줄 아는 장수이니 그를 등용하기를 권한다. 결국 포숙의 설득으로 관중은 감옥에서 풀려난다. 그런 후에 포숙이 사망하자 관중은 그의 묘지 앞에서 "나를 알아준 이는 부모지만, 나를 이해한 사람은 포숙이다"라며 그의 죽음을 슬퍼했다고 한다.

서양에도 생사를 함께한 전설적인 두 인물이 있다. 기원전 4세기에 그리스에 사는 다몬Damon과 피티아스Pythias라는 두 친구가 디오니시스가 지배하는 지역인 시라쿠스로 여행을 가게 되었다. 그런데 여행 중 피티아스가 디오니시스를 살해하려 했다는 누명으로 사형선고를 받게 되었다. 그러나 피티아스는 죽기 전에 하나뿐인 여동생의 결혼식에 참석하는 것이 마지막 소원이었다. 그는 용기를 내서 왕에게 사정을 말하고 3일 동안 석방해 주기를 간청했다. 왕이 고심하자 다몬이 보증하니 그를 보내주라고 간청한다. 피티아스가 돌아오지 않으면 제가 친구를 잘못 사귄 죄로 대신 교수형을 받겠다고 했다. 피티아스가 돌아오면 바로 죽을 운명인데 그가 돌아오려 해도 그의 부모가 보내주지 않으려 할 것이니 너는 지금 만용을 부리는 것이라고 왕이 말했다. 저는 피티아스의 진정한 친구가 되길 원합니다. 저의 목숨을 걸고 부탁드리오니 허락해주십시오. 이에 왕은 어쩔 수 없이 허락하고 말았다.

드디어 교수형이 집행되는 날이 밝았으나 피티아스는 돌아오지 않았다. 사람들은 바보같이 다몬이 죽게 되었다며 그를 비웃었다. 정오가 되고 다몬이 교수대로 끌려 나왔다. 그의 목에 밧줄이 걸리자 주변에 있던 친척들이 우정을 저버린 피티아스를 욕하며 저주도 했다. 그러자 목에 밧줄을 건 다몬이 화를 내며 외쳤다. 내 친구 피티아스를 욕되게 하지 말라. 당신들이 내 친구를 어찌 알겠느냐! 죽음을 앞둔 다몬이 결연히 말하자 모두 꿀 먹은 벙어리가 되었다.

드디어 왕이 교수형을 집행하라고 엄지손가락을 아래로 내렸다. 이때 멀리서 피티아스가 말을 재촉하며 제가 돌아왔다고 소리쳤다. 사형수인 제가 돌아왔으니 이제 다몬을 풀어 주십시오. 둘은 서로를 끌어안고 작별을 고했다. 피티아스가 다몬에게 말했다. 나의 소중한 친구여! 저세상에 가서도 자네를 잊지 않겠네! 그러자 다몬도 피티아스에게 응대한다. 피티아스! 자네가 먼저 가는 것뿐일세! 다음 세상에서 또 만나도 우리는 반드시 좋은 친구가 될꺼야! 이를 지켜보던 왕이 큰 소리로 외쳤다. 피티아스의 죄를 사면하노라!

그리스의 쾌락주의 철학자 에피쿠로스Epicurus는 사람이 평생 행복하게 살아가기 위해서 가장 필요한 것은 친구라고 말했다. 신은 인간이 혼자서는 행복을 누릴 수 없도록 만들어졌기 때문에 행복은 친구가 있는 사람만이 누릴 수 있는 특권이라고 했다. 행복은 부모와 자식, 친구, 스승과의 관계 속에서 이루어진다. 아무리 돈이 많고 권력이 있어도 마음을 기댈 수 있는 친구가 없다면 그는 분명 불행한 인생임이 틀림없다.

친구는 보통 네 종류로 나눈다. 첫째는 화우(花友)로 자기가 좋을 때만 찾는 꿀과 같은 친구다. 둘째는 추우(錘友)로 이익에 따라 저울과 같이 움직이는 친구다. 셋째로 산우(山友)로 안식처와 다름없는 산처럼 편안하고 든든한 친구다. 넷째로 지우(地友)로 언제나 한결같이 땅과 같은 친구를 말한다. 익자삼우(益者三友)라고 유익한 친구는 세 종류가 있다. 첫째는 정직한 사람이고, 둘째는 신의가 있는 사람이고, 셋째는 견문이 많은 사람을 말한다.

반면에 친구로 삼지 말아야 할 사람으로 옛날부터 무정(無情), 무례(無禮), 무식(無識), 무도(無道), 무능(無能) 등 5무(無)를 들고 있다. 손자삼우(損者三友)라는 말도 있다. 남의 비위를 잘 맞추는 사람, 착하기는 하지만 줏대가 없는 사람, 겉으로는 친한 척하고 속으로는 상실하지 못한 사람이다. 상명대학 연구팀(2024)이 한국, 미국, 영국에 거주하는 성인 남녀 748명을 대상으로 연구한 결과, 친구 관계를 맺지 말아야 하는 유형으로 첫째로 자신의 이야기만 늘어놓는 유형, 둘째로 상대방의 처지를 이해하지 않는 유형, 셋째로 매사에 부정적인 성향이 강한 유형, 넷째로 자주 남을 험담하는 유형 등 4가지 유형을 꼽았다.

우리는 보통 부와 명성, 그리고 높은 사회적 성취를 통해 좋은 삶을 살 수 있다고 생각하고 있다. 사회 역시 우리에게 그렇게 살라며 열심히 일하고 노력하자고 말한다. 하지만 우리를 진정으로 건강하고 행복하게 만드는 것은 "좋은 관계"를 맺으며 살아가는 것이다. 좋은 관계를 맺으면서 살아가면 행복하게 살아가는 여러 가지 장점이 있다. 첫째로 사회적인 연결 관계는 우리 삶에 매우 유익하지만, 반대로 관계가 좋지 않은 고독은 삶에 매우 해롭다. 연구 결과 가족, 친구, 공동체와 항상 긴밀하게 연결망을 유지하는 사람일수록 더 행복하고 건강하게 장수할 수 있다. 그러나 사회적으로 고립되어 있으면 그런 사람은 덜 행복했고 중년기가 되면 빠른 속도로 건강이 나빠지게 되며 뇌 기능까지도 저하되는 증상을 보였다. 둘째로 친구 관계에서 "친구의 숫자"는 그렇게 중요하지 않다. 중요한 것은 "관계의 질"이다. 단 한 명의 친구라도 그와의 관계에 만족한다면 그것으로 충분하다. 셋째로 좋은 관계를 맺는 것은 신체뿐 아니라 뇌에도 긍정적인 영향을 준다. 애착 관계가 긴밀하게 형성된 80대 노인들은 그렇지 않은 노인에 비해 상당히 좋은 기억력을 유지하고 있다.

미국 하버드 의과대학이 85년 동안 행복한 삶이 무엇인지를 밝히기 위해서 85년 동안 계속 추적하여 연구한 4대 책임자 웰딩어 Robert Waldinger가 제시한 행복의 조건은 "좋은 관계"를 맺고 사는 것인데, 좋은 관계를 갖기 위한 조건은 다음과 같다.

첫째는 감정에 솔직해야 한다는 것이다. 현재 느끼고 있는 감정을 인정하고 그 감정에 집중하라고 권한다. 둘째는 현재에 집중하라는 것이다. 이미 지나가 버린 과거나 아직 도착하지 않은 미래에 대해 걱정하지 말고 현재에 집중하며 살아야 한다고 권한다. 셋째는 나의 목소리를 적절히 내라는 것이다. 머릿속에서만 상상하지 말고 지금 내가 느끼는 감정과 생각을 솔직히 말하라고 권한다. 넷째는 원하는 것이 있으면 기다리지 말라고 한다. 내가 원하는 것은 내가 가장 잘 알기 때문에 바라는 꿈이 있거나 가지고 싶은 것이 있다면 기다리는 것은 바람직하지 않으므로 지금 표현하라고 권한다. 다섯째로 싫어하는 것은 단호하게 거절하라고 한다. 소중한 나를 위해서 아닌 것은 아니라고 확실하게 거절할 줄 알아야 한다고 권한다.

# 일, 가정, 여가 활동이 조화로운 워라벨

🌿 원시시대에 어떤 사람은 일하는 데 하루를 다 쓰는 사람도 있었고, 누구는 하루를 친구들과 즐겁게 시간을 보내는 사람도 있었다. 그러나 산업화와 사회에서 점차 사람은 8시간은 일하고, 8시간은 가정일을 하고, 8시간은 여가 활동을 하며 하루를 보내도록 관리되고 있다. 이런 계획은 1970년대 후반 영국의 노동자 운동으로부터 시작되었다고 본다. 여성이 전통적으로 육아와 가정사에 전념하다가 노동력 부족으로 여성도 산업 현장에 투입되면서 가정사와 직장 일의 균형을 요구하면서 시작된 노동운동의 한 부분이었다. 이후 점차 성별과 결혼 여부와 상관없이 모든 노동자의 근무 시간은 직장과 가정생활의 양립이라는 개념으로 발전하면서 2000년대부터 일과 삶의 균형이 사회적 문제로 주목받게 되었다.

이런 개념으로 볼 때 한국의 근로시간은 OECD 국가에서 일하는 시간이 많은 나라 5위에 속한다. 기업에서 인간관계와 과업 중에서 어느 쪽이 더 중요한지 구분하기 어려운 문제지만, 1964년에 이런 문제를 이해하기 쉽게 설명하는 브레이크와 모튼Robert Blake & Jane Mouton의 관리 격자Managerial Grid 이론이 있다. 관리자가 인간과 과업에 관해 갖는 관심의 정도를 각각 9단계로 구분하여 관리 유형을 구분하고 있다. 인간 중심의 관리를 1에서 9까지 9단계로 나누고, 과업 중심의 관리도 1에서 9까지 9단계로 나누면 모두 91(9×9=81)개의 관리 형태로 구분하는데 보통 간단하게 5가지 유형으로 요약해서 설명한다.

1. **무관심형**(Impoverished Leader/ 1.1) – 인간과 생산에 관한 관심이 모두 낮은 리더 유형으로 자유방임과 불성실한 관리 유형이다. 자기 자신의 직분 유지에 필요한 최소한의 노력만을 투입하는 리더 유형이다.

2. **인기형**(Country Club Leader/1.9) – 인간에 관한 관심은 대단히 높지만 일에 관한 관심은 낮은 유형으로 구성원 간의 관계를 원만하고 친밀한 분위기 조성에 주력하는 리더 유형이다.

3. **과업형**(Task Leadership, 9.1) – 사람보다 일에 관한 관심은 매우 높지만, 사람에 관한 관심은 극히 낮은 유형으로 일의 효율성을 높이기 위해 인간적 요소를 최소화하고 과업 수행 능력을 우선하는 관리 유형이다.

4. **중용형**(Middle of the Road Leader, 5.5) – 일과 사람 모두 적당한 정도의 관심을 두고 과업 능률과 인간적 요소 양자를 모두 절충하는 스타일로 적당한 성과를 유도하는 관리 유형이다.

5. **팀형**(Team Leader, 9.9) – 단어에서 볼 수 있듯이 가장 이상적인 스타일로 조직의 공동 목표와 상호 의존 관계를 모두 강조하여 구성원의 몰입을 통해 과업을 달성하려는 관리 유형이다.

어떤 유형으로 관리하든 퇴직할 때까지 일주일에 5~6일, 하루에

8시간씩 일해야 하므로 직장은 근로자에게 만족감을 주어야 한다. 브라인드Blind와 한국 노동연구원이 공동으로 직장인 50,212명을 대상으로 "직장인 행복도 브라인드 지수Blind Index(2023)"를 조사한 결과 100점 만점에 41점으로 높은 스트레스 수준과 낮은 직무 만족감으로 2019년 이후 한 번도 50점을 넘은 경우가 없다. 직군별로는 의사(60점), 약사(59점), 변호사(59점)의 행복감이 가장 높았고, 직업 군인(30점), 언론인(34점)의 행복감이 가장 낮았다.

보건사회연구(2023)에 발표한 "일-생활 균형 시간 보장의 유형화"에 의하면 OECD 31개 회원국의 연간 평균 근로시간은 1,601시간으로 근로시간이 가장 긴 국가는 한국(1,915시간)이며 다음으로 그리스(1,872시간), 폴란드(1,830시간)가 뒤를 잇고 있다. 근로시간이 가장 낮은 독일(1,349시간)에 비하면 한국의 근로시간은 연간 50%가량 더 많다. 주당 근무 48시간을 초과하는 "장시간 근로자" 비율도 OECD 평균(7.4%)보다 한국(18.9%)이 훨씬 더 높다. 유자녀 고용률에서도 OECD(73.5%) 국가에서 스웨덴(87.2%)이 가장 높았고, 한국(57.0%)은 이탈리아(56.7%)에 이어 두 번째로 낮아서 한국은 자녀가 있으면 고용에서 제외되는 경향이 높다. 남녀의 임금 격차도 OECD 평균(11.5%)보다 훨씬 낮은 31.1%로 2위인 에스토니아(19.6%)보다도 10% 이상 더 높은 차이로 최하위에 있다.

연구진은 한국은 가족과 함께하는 시간과 노동시간 보장 수준이 모두 낮아서 일-생활 균형 시간을 보장하는 정도가 매우 열악한 국가로 분류된다. 이처럼 직장에서의 행복도가 낮은 한국인은 일과 가정과의 양립에 관심을 두고 직장에서 잃은 행복감을 가정에서 만회하려는 방안을 깊이 고려해야 하지만, 일-가정 양립으로 가정에서 행복을 추구하는 길은 아직은 멀고도 멀다고 판단된다.

사람은 직장에서 8시간, 가정에서 8시간을 보내며 행복하게 살아야 하지만 한국인은 직장에서나 가정에서나 행복한 시간을 보내기 어려운 실정이다. 이제 하루 중에서 남은 8시간은 여가를 통해 행복을 느껴야 한다. 그런데 한국의 여가 활동에 대한 개념도 아직은 크게 발전하지 못한 실정이다.

장자(莊子)는 삶에서 일보다는 소풍(消風)을 권했다. 우리는 일하러 세상에 온 것도 아니고 성공하려고 세상에 온 것도 아니다. 삶이라는 여행은 어떤 목적지가 있는 것이 아니고 여행하는 과정 자체가 목적이다. 장자의 소요유(逍遙遊)란 말을 이해하고 실천해야 할 때가 되었다. 옛날부터 우리 선조는 산과 들을 찾아 자연과 함께하는 취미는 생각하기 어려웠으나 이제부터라도 자연을 즐겨야 한다.

서양인 최초로 1890년대에 합법적인 절차를 거쳐서 입국했던 독일인 빌렌도르프Willendorf가 중국인 통역관과 정동에 있는 대사관에서 미국인 선교사와 테니스를 즐겼는데 이 광경을 지켜보던 고종이 "그리 힘든 일은 아래 것들이나 시키지 그리 땀을 흘리며 고생하느냐"며 관전평을 했다는 기록이 있다. 양반의 체통을 중시했던 유교 문화가 여가 활동을 어떻게 생각했는지 짐작할 수 있다.

그렇지만 1883년 10월에 한국 최초의 신문인 한성신보가 발행되었고, 1896년 4월에는 서재필 박사가 독립신문을 창간했고, 1898년에는 매일신문, 제국신문, 황성신문 등이 창간되어 한국 최초로 "보는 취미" 시대가 열리게 되었으나 보는 취미가 일반화도 되기 전에 일제 강점기(1910~1945)를 겪게 된다. 일제 강점기인 1927년 2월에 한국 최초로 라디오 방송인 경성방송을 개국했는데 이때 라디오를 보유한 사람은 겨우 275명에 불과했다. 그래도 국민은 "보는 레저 문화"에서 "듣는 레저 문화"로 넘어가는 계기를 마련하였다.

해방 이후 1956년 5월에 한국 최초로 TV 방송국을 설립했으나 당시에 TV 보급 대수도 겨우 3,000대 정도였으며, 1961년에는 한국방송공사 KBS를 설립했고, 1964년에 사설 방송인 동양방송TBS를 개국하였다. 이제 "읽는 레저"에서 "듣는 레저"를 거쳐서 다시 "보고 듣는 레저" 시대까지 왔다. 이러한 언론매체를 제외하면, 화투 놀이나 사우나 이외에는 별다른 여가 활동 없이 6.25가 끝나고 1960년대까지 농구, 축구, 송구, 야구 등 스포츠 경기를 관람하는 정도의 취미로 그치다가 1970년대부터 테니스와 같은 스스로 참여하는 여가 활동 인구가 늘어나기 시작했다.

1980년 12월부터 컬러 TV 방송을 시작하면서 레저 산업의 질적인 변화가 일어났고, 골프를 즐기는 인구가 2015년까지 399만 명으로 늘어난다. 1980년대에 들어 아시안 게임과 올림픽 등 국제행사를 유치하면서 스포츠가 빠르게 대중에게 전파되어 수영, 조깅, 마라톤, 사이클, 배드민턴, 볼링, 탁구, 에어로빅 동호회가 전국에 생겼다. 야외 레저 산업으로 캠핑용품도 매우 빠르게 성장하여 1975년부터 1982년까지 무려 299.9% 성장한 254억9천만 원의 매출 신기록을 올렸다. 등산용품 시장도 폭발적으로 증가하여 2014년에는 7조 원의 시장 규모로 커졌다.

2000년대에 들어서며 1991년에 소개된 가라오케 문화가 노래방이라는 이름으로 전국으로 유행하면서 오늘날까지 K-팝을 전국적으로 보급하는 역할을 하게 되었다. 이어서 세계 최초로 초고속 인터넷 서비스가 시작되면서 스타크레프트가 폭발적으로 유행하면서 게임 중독자가 속출하였고, 인라인스케이트나 스키, 스노보드 등이 여름과 겨울을 대표하는 취미로 자리를 잡았다.

2010년대에 들어서는 웰빙이 신체적인 건강을 대표하면서 웰빙 Well-Being과 행복Happiness과 건강Fitness를 포괄하는 합성어 웰니스 Wellness라는 개념이 도입되면서 신체 건강과 정신건강을 아우르는 사회적 건강 상태까지 추구하는 시대에 돌입했다. 최근에는 짧은 영상 콘텐츠인 숏폼Short-Form을 즐기는 취미활동도 급등하고 있다. 숏폼은 15초에서 최대 10분을 넘기지 않는 짧은 영상으로 제작된 콘텐츠로 짧고 강렬하면서도 많은 집중력을 요구하지 않는다. 그러나 숏폼을 지나치게 보면 마약과 같은 중독 현상에 빠질 수 있어 주의해야 한다. 소비자 데이터 "플렛폼 오픈 서베이"가 전국 남녀 54,000명을 대상으로 설문 조사하여 발표한 "소셜미디어 검색포털 리포트 2023"에 의하면 68.9%가 숏폼을 시청한 경험이 있다. 특징적인 것은 10대는 85%, 20대는 82.9%, 30대는 73.9%, 40대는 65.8%, 50대는 53.2%가 시청 경험이 있어서 연령대가 점차 낮아지고 있다. 한국언론진흥재단의 "2022 10대 청소년 미디어 이용 조사(2023)"에 의하면 청소년이 가장 많이 이용하는 동영상 플렛폼은 유튜브(93.7%), 유튜브 쇼츠(68.9%), 인스타그램 릴스(47.6%), 틱톡(39.6%)으로 모두 숏폼 콘텐츠였다.

그리스 철학자는 학문, 예술, 정치 등 분야에서도 "자기 계발 활동"에 시간을 활용할 때만 진정한 인간이 될 수 있다고 전제하면서 학교를 의미하는 "school"을 여가라는 "scholea"에서 빌려 온 것처럼 여가를 효과적으로 활용하는 일이 올바른 학문의 길이라고 주장한다. 그러나 현대에는 이 같은 여가의 개념과 달리 TV 시청, 컴퓨터 보기, 신문이나 잡지를 보거나 능동적으로 활동하는 자율적인 활동을 모두 여가라는 의미로 활용하고 있다.

하루 중에서 긍정적 반응이 가장 많이 나타나는 활동은 여가와 관련된 시간인데, 여기에는 뜻밖의 숨은 진실이 있다. 신문을 읽고 텔레비전을 보거나 그냥 쉬는 수동적 여가는 짧은 즐거움을 줄 수 있지만, 정신 집중을 요구하지 않아서 몰입하기 어렵다. 그러나 직접 능동적으로 참여하면서 노력도 많이 요구되는 여가는 많은 긍정적인 이득을 얻을 수 있다. 그래서 운동이나 악기를 연주하거나 작품을 만드는 활동은 더 많은 행복을 느끼며 의욕도 넘쳐서 집중력도 높아지고 몰입 경험을 하게 될 확률도 높아진다. 능동적 활동은 그만큼 노력과 의지와 창조성과 같은 요인이 필요하므로 수동적인 여가 활동과의 효과는 하늘과 땅만큼 차이가 크다.

미국에서 10대 청소년들의 몰입 수준을 연구한 결과 TV를 볼 때는 13%가, 취미활동을 할 때는 34%가, 운동이나 게임을 할 때 44%가 몰입을 경험한다. 이는 TV를 보는 것보다 취미활동이 2.5배 정도, 적극적 운동이나 게임은 3배나 더 즐거움을 선사하는데도 10대들은 운동보다 TV 시청에 4배나 더 많은 시간을 쓰고 있다. 절반에도 미치지 못하는 즐거움을 얻기 위해서 4배나 많은 시간을 낭비하는 것이다. 자전거 타기, 농구나 피아노를 치는 일이 할 일 없이 거리를 배회하는 활동보다 훨씬 더 즐겁다는 사실을 인정하지만, 운동이나 취미활동을 하려면 그만큼 사전에 많은 준비 시간이 필요하므로 그렇게 하기를 싫어한다.

독일인 6,469명의 의견을 물었더니 23%가 몰입 경험을 자주하고, 40%가 가끔 경험하고, 25%는 거의 느끼지 못하고, 12%는 전혀 경험하지 못한다고 응답했다. 미국인을 대상으로 한 조사에서는 15%가 살아가면서 단 한 번도 몰입 경험을 한 적이 없다는 연구 결과가 있다. 무려 수천만 미국인이 가치 있는 삶을 스스로 포기하고 있다는 계산이다. 청소년이 일주일에 몰입 경험을 몇 번이나 하는지 2년 간격으로 조사해 보았다. 그 결과 60%의 학생이 2년 전이나 2년 후나 큰 변화가 없었다. 그러나 40%의 학생은 2년 동안에 큰 변화를 겪어서 그 절반은 몰입 경험을 더 많이 했고, 그 절반은 몰입 경험의 빈도가 감소했다. 몰입 경험이 늘어난 학생들은 물론 공부를 더 많이 하면서 그 대신에 수동적인 여가 활동을 줄였다.

청소년들이 여가 활동으로 거리를 배회하거나 쇼핑하거나 TV나 영화를 보는 등 특별한 노력을 하지 않아도 되는 그런 활동에 시간을 보내거나, 학교 공부나 체력훈련, 소양 교육과 같은 상당한 노력과 힘든 과정이 요구되는 활동에 몰입할 수도 있다. 그러나 같은 몰입이라도 그 활동이 성인 이후의 삶에 도움이 되는 활동인지 하는 가성비(價性比), 즉 효율성으로 비교했을 때 청소년 시절 다소 힘들고 노력이 필요했던 활동을 할 때, 성인 이후에 더 가치가 있고 더 효용성이 있었다는 것을 알 수 있다.

이러한 자료를 근거로 볼 때 힘겨운 난관을 극복하는 문제는 나의 마음 먹기에 따라서 달라진다. 나를 극적으로 변화시키지는 못해도 적어도 스스로가 하는 일을 가치 있게 전환할 기회는 얼마든지 있다. 하루를 일하는 데 쓰든지, 유지 활동하는 데 쓰든지, 여가 활동을 하는 데 쓰든지 항상 즐거운 마음으로 최선을 다해서 항상 새로운 것을 찾고 그런 과정에서 몰입 경험까지 한다면 행복한 삶을 약속할 수 있을 것이다.

# 결혼하는 것이 더 좋은 선택이다

🌿 사람을 포함한 모든 동식물은 성장하면 생물학적으로 자기의 후손을 남기려는 생식본능에 충실해야 한다. 결혼하면 생물학적인 생식본능을 충족하여 후손도 낳을 수 있다. 하버드 대학의 베일런트Vaillant는 행복의 조건 7가지 중에서 "안정된 결혼생활"을 포함하고 있다. 행복하기 위해 결혼이 그만큼 중요하다는 의미다.

시카고 대학 리서치 센터Research Center에 의하면 기혼자 중에서는 40%가 행복하다고 하지만, 미혼자와 이혼자 중에서는 24%만이 행복하다고 했다. 한국의 인구보건복지협회(2024)가 "제1차 국민인구형태조사"를 발표한 자료에 의하면 결혼하여 자녀가 있을 때 학비와 자녀의 미래에 대한 걱정거리도 있지만, 결혼하여 얻는 긍정적인 가치로 "관계적 안정감(89.9%), 전반적 행복감(89.0%), 사회적 안정(78.5%), 경제적 여유(71.8%) 등을 들고 있다.

결혼하는 것이 미혼보다 수명과 건강에 긍정적이라는 연구가 많다. 영국 통계청이 2010년~2019년까지 사망한 500만 명을 혼인 여부에 따라 분석한 결과 연령대나 성별과 관계없이 미혼자가 기혼자보다 2~3배 더 빨리 사망했다. 일본 후생노동성의 인구동태조사

(2022) 자료를 보아도 미혼 남성의 수명(67.2세)이 기혼 남성의 수명(81.6세)보다 14년 이상 짧았다. 노르웨이 연구진이 1970년~2007년까지 37년간 국가 암 등록 프로그램 대상자 남녀 44만 명을 대상으로 사망을 분석했는데, 미혼자의 암 생존율이 기혼자보다 남성의 경우 35%, 여성의 경우 22% 더 짧았다.

대만 진리대학(眞理大學)의 왕신충(2017) 등 3명의 공동 연구원이 "생명보험에서 위험요인으로서의 배우자 유무"라는 논문에서 기혼자가 미혼자보다 남성은 8년, 여성은 2.9년 더 오래 장수한다는 사실을 확인했다. 한국의 삼육대학 사회복지학과 천성수(千聖秀)가 사망원인 통계 연보를 참고하여 분석한 연구(1999)에서도 이러한 경향을 확인할 수 있었다. 남성의 경우 배우자가 있을 때 74.8세, 평생 독신자는 65.2세, 이혼자는 64.6세, 사별자는 54.1세에 사망했다. 여성도 배우자가 있을 때는 78.8세, 이혼자는 71세, 미혼자는 69.3세, 사별자는 54.1세에 사망하여 남녀 모두 결혼한 기혼자가 미혼자보다 10년 이상 더 오래 살았다.

스웨덴에서 60세 이상 남자 704,481명과 여자 725,290명 등 140만 명을 대상으로 연구한 결과 자녀의 존재가 부모의 수명을 연장할 수 있음도 확인되었다. 자녀가 없는 사람보다 자녀가 있는 사람이 2년 정도 수명이 더 길었다. 80세에 이르면 남자는 자녀가 없을 때는 기대수명이 7.0년이었으나 자녀가 있을 때는 7.7년으로 0.7년 더 길었다. 여자도 자녀가 있을 때는 9.5년이었으나, 자녀가 없을 때는 8.9년으로 0.6년의 차이가 있었다. 수명의 차이가 나는 이유는 혼자 살 때보다 자녀가 있으면 더 건강한 습관을 갖게 되어서 자녀가 부모의 수명을 늘려주는 이유가 되고, 또 다른 이유는 결혼한 사람은 배우자를 돕고 보살피는 습관이 있기 때문이라고 한다.

이처럼 기혼자가 미혼자보다 수명과 건강에 더 유리한 원인으로 생활 습관을 가장 크게 꼽는다. 을지대학 백진영(2021)이 20~30대 청년 5,325명에게 "국민건강영양조사"를 조사한 결과 혼자 사는 청년은 2인 이상 가구에 비해 고혈압 등 만성질환에 걸릴 위험이 1.4배 더 높은 것으로 나타났다. 일반적으로 미혼자는 기혼자보다 음주와 흡연을 더 즐기고 건강하지 않은 음식을 먹는 경우가 많지만, 기혼자는 항상 건강에 민감하여 건강검진을 통해 중증질환을 조기에 발견하고, 병이 들거나 몸이 아프면 배우자의 도움도 받을 수 있는 등 여러 장점이 있기 때문이다.

그런데 현재는 결혼해도 결혼생활이 그렇게 평탄하지 못하다는 자료가 많다. 통계청(2021)의 결혼 및 이혼 자료를 볼 때 혼인 건은 19만3천 건, 이혼 건수는 10만2천 건 이다. 혼인한 후 4년 이내 이혼율이 18.8%, 5~9년 이내 17.1%, 30년 이상 17.6%로 결혼 기간과 무관하게 꾸준히 이혼이 발생하고 있다.

이혼하는 이유(2020)로 성격 차이(46.2%), 경제적 문제(11.1%), 배우자의 부정 문제(7.3%), 가족 간 불화(7.3%), 정신적 육체적 학대(3.8%), 건강 문제(0.6%), 기타(23.6%)의 순이다. 거의 과반수가 성격 차이로 헤어지는데 화합과 조화를 위한 대화보다 개인주의적인 가치관이 갈등을 일으키는 중요 문제가 된다. 이혼은 심각한 우울증을 유발하여 처음의 행복 수준으로 되돌아가는 회귀시간이 남성보다 여성이 훨씬 더 많이 필요하다. 남성은 불행한 결혼으로부터 빠르게 회복하지만, 여성은 더 많은 시간이 필요하다.

조선시대에도 이혼이 있었을 뿐 아니라 방법도 간단하였다. 일반인이 이혼하는 절차는 보통 사정파의(事情罷議)와 할급휴서(割給休書) 등 두 가지 방법이 있다. 사정파의란 특별한 사유가 있어서 사정을 말하고 결별하는 것이고, 할급휴서는 저고리 앞섶을 칼로 베어 그 조각을 상대방에게 이혼 표시로 전달하는 방법이다. 일반인은 이렇게 간단한 방식으로 이혼했지만, 전체 인구의 10%를 차지했던 양반 사대부의 이혼은 사회적 관습과 법질서 유지, 그리고 유교적 덕목 실천이라는 이유로 개인적인 이혼은 매우 어려워서 임금의 허락이나 명이 필요했다. 양반이 이혼하려면 우선 사헌부(司憲府)에 문서를 올리면 조정에서 적법 심사를 거쳐 국가의 명으로 허락하게 된다.

평민의 이혼 절차가 비교적 간편했던 이유는 이혼할 때 위자료는 현 시세로 100만 원이면 되어서 서로 나눌 재산이 많지 않았고, 남의 눈치나 예의를 차리지 않아도 되었고, 자신을 속여가며 지내야 하는 가문의 명예도 크지 않았기 때문이다.

부부가 생활하면서 어려운 문제가 생길 때 서로가 합심해서 문제를 해결하려고 노력해야 하는데 해방 이후 개인주의적인 서양권의 이혼 관련 법이 도입되면서 부부 단둘이 이혼에 합의하면 수일 내로 법적 이혼이 성립된다. 그러나 이혼이 너무 성급하게 처리된다는 사회적 비판으로 2007년 12월에 "이혼 숙려 기간" 제도를 도입하여 합의 이혼이라도 미성년 자녀가 있으면 3개월, 그 밖의 경우 1개월의 기간이 지난 후에 법적으로 이혼을 허락한다.

그러나 자녀들이 이혼을 결정하는 과정에서 집단주의 가치관에 젖어 있는 양가 부모의 개입 없이 자녀들만의 합의로 쉽게 이혼하는 제도에는 문제가 많다. 이혼의 문제가 자녀만의 고유 권한인 것으로 생각하여 부모 개입 없이 단독으로 이혼을 결정하는 것은 착각이다. 자녀들이 결혼할 때 부모의 의견과 관계없이 자기들이 자유롭게 상대를 결정하고, 자기들만의 힘으로 사회생활을 시작하는 서양의 개인주의 문화와는 전혀 다르기 때문이다. 자녀가 상대를 선택할 때부터 결혼과 결혼 후 생활까지 경제적으로나 정신적으로 전적인 지원을 받으며 사회생활을 시작하는 한국 특유의 문화에서 자녀들만의 이혼 결정은 양가 부모에게 큰 고통이 아닐 수 없다. 서양권에서는 자녀의 결혼 의사에 부모가 동의만 하는 수준이므로 이혼한다고 하더라도 부모가 입게 되는 정신적 경제적 상실감이 그렇게 크지 않기 때문이다.

워싱턴 대학의 심리학과 가트맨Gottman 명예 교수가 3천 쌍의 부부를 40년간 추적해서 행복한 결혼생활을 7가지 원칙을 발표했다.

1. 성격은 모두 다르다. 세계 80억 인구의 성격은 모두 다 다르다. 심지어 내가 나의 성격과도 맞지 않는 경우가 있는 것처럼 모두 완벽한 합리주의자가 아니므로 완벽한 성격을 가지고 태어난 사람은 없다. 2022년 한국인의 의식조사 보고에 따르면 배우자를 택할 때 성격을 가장 중요하게 생각한다는 반응이 63.1%로 가장 높다. 자기에게 맞는 성격을 찾기보다 자신의 성격이 더 이상 갈등의 문제가 되지 않도록 끊임없이 화합하고 조정하는 노력이 필요하다. 그러기 위해서는 부부가 서로 마주 보고 상대방의 문제점만 찾으려 하지 말고 공통의 목표를 향해 서로 같은 곳을 바라보며 살아야 한다.

2. 공통된 취미를 개발하려고 노력해야 한다. 공통의 취미를 잘 이용하면 부부관계의 즐거움과 서로 간의 행복감을 상승시킬 수 있

제2장 사람과의 관계

다. 그러나 취미를 공유하면서 서로 비판하거나 부정적인 대화가 오간다면 오히려 공통 취미가 없는 것이 더 낫다.

3. 베푸는 것만큼만 받을 수 있다는 원칙을 기억해야 한다. 가는 말이 고와야 오는 말이 곱다는 속담처럼 부부가 서로 이기적 계산만 한다면 불행이 시작된다. 가사 분담은 서로가 상대방을 위하는 마음에서 자발적으로 이뤄져야 한다.

4. 갈등 문제가 있으면 적극적으로 해결해야 한다. 서로 다투기 싫어서 갈등을 회피하려는 부부, 자주 다투는 부부, 갈등이 생기기 전 대화로 중간 지점을 찾으려는 부부 등 다툼을 해결하려는 방법에는 여러 가지가 있다. 이러한 여러 태도 중에 최고로 좋은 방법은 없겠지만, 가장 잘 맞는 방법을 찾는 것이 제일 중요하다.

5. 불륜의 원인을 정확히 파악하라. 이혼한 사람의 80%는 불륜이 이혼의 주요한 사유가 되지 않는다. 오히려 부부관계가 안정적이지 않을 때 결핍된 사랑을 채우기 위해 불륜이 일어나는 경우가 많다. 즉 불륜이 이혼의 도화선이 되는 것이 아니라 평소의 불행한 결혼 생활이 불륜의 도화선이 되는 경우가 더 많다.

6. 남녀 모두 생물학적으로 결혼제도가 적합하지 않다. 남자가 계속해서 다른 여자를 원하는 것은 번식의 자연법칙이기 때문에 결혼 제도가 부적합하다. 여성도 사회진출이 증가하면서 여성의 불륜이 증가하기 때문에 남녀 성별로 어떤 차이도 의미도 없다.

7. 남녀는 생물학적으로 서로 상당히 다르다. 본래 남자와 여자는 서로 완전하게 이해할 수 없다. 사회적인 성별 차이는 부부관계에 있어 항상 마찰이 생길 여지가 많으므로 그것이 마찰의 직접적 요인은 아니기 때문에 극복할 수 있다.

가트맨은 결혼생활에서 일주일에 5시간만 투자하면 부부생활이 더 행복할 수 있다면서 다음과 같은 내용을 권하고 있다.

1. 애정을 담은 스킨십을 하라. 입맞춤, 토닥여 주기, 손잡아주기. (5분×7일)
2. 부부 각자가 그날 할 일을 한 가지씩 찾아라. (2분×5일)
3. 퇴근하고 돌아오면 가볍게 대화한다. (20분×5일)
4. 일주일에 한 번씩 둘만의 데이트를 즐겨라. (2시간)
5. 적어도 하루에 한 번씩 진심으로 칭찬과 감사하라. (5분×7일)

부부관계는 남자이건 여자이건 70%가 부부의 우정 문제다. 성적인 차이는 있을지 몰라도 부부관계 지속에 대한 원동력의 가치는 남녀 모두 같다는 의미이다. 따라서 결혼생활을 남녀 간의 문제로 보기보다는 같은 목표를 가지고 서로 협동한다고 인식하며 서로 노력해야 한다. 결혼생활이란 오케스트라 협연과도 같다. 협연하면서 내 악기 소리만을 고집하지 말고 강하게 표현할 시기와 약하게 표현할 시기를 알아야 한다. 약해야 할 시기에 강한 소리를 내거나 강해야 할 시기에 약하게 소리를 낸다면 협연의 의미가 없다. 협연의 능력이나 기술이 없으면 차라리 독주하는 편이 더 좋을 수 있다. 결혼생활이라는 협력과 조화의 의미를 잘 이해하지 못한다면 미혼 상태로 혼자만의 행복의 길을 찾는 것이 더 현명할지 모른다. 결혼 여부가 행복을 결정하는 요인이 아니라 결혼한 후에 서로 협력하고 협동하려는 마음가짐의 여부가 행복을 결정한다고 보아야 한다.

# 돈으로 행복을 살 수 있다는 잘못된 생각

어떻게 살면 행복할 수 있을까 하는 문제는 오래전부터 물어왔던 의문이고 질문이다. 이런 질문에 경제학자들은 지금까지 물질과 지위라는 조건을 가장 중요한 수단으로 강조해 왔다. 그래서 인류는 개인이든 국가든 수단 방법을 가리지 않고 물질적인 부를 쌓는 일에 노력해 왔다. 국가는 그렇게 부를 축적하기 위한 경제 제일주의 경영 방식인 자본주의를 신봉해왔고, 개인도 그러한 목표를 이루기 위한 수단으로 높은 교육을 이용해 부귀에 오를 수 있는 좋은 직업을 택하려 노력해 왔다. 이러한 소유 제일주의적인 사조는 마침내 1776년에 스미스Adam Smith가 국부론The Wealth of Nations을 출판하면서 절정에 이르게 된다. 국가는 부를 강조하면서 국부론을 강조했고, 개인도 부귀영화를 삶의 목표로 정했다.

이러한 흐름으로 경제 선진국 Z세대인 1억 명은 베이비붐 세대보다 연평균 소득 수준이 50% 이상 높아서 인류 역사상 가장 부유한 생활을 한다고 영국 시사주간지 이코노미스트(2024)가 보도했다. 이 같은 물질적으로 풍요로운 혜택이 언제까지 지속될지는 모르지만 1997~2012년 사이에 태어나서 경제인구로 성장한 서부 유럽권과 북미권 국가 Z세대들의 연평균 가구소득은 4만 달러(약 5,500만 원) 이상으로 베이비붐 세대 소득 대비 50% 이상 높다.

여론조사 전문기관인 해리시 폴Harris Poll(2023)이 미국 성인 2,034명을 대상으로 조사한 자료에서 59%의 미국인이 행복을 돈으로 살 수 있다고 생각한다. 행복감을 느끼는 연봉을 물은 질문에 전체적으로 28만4,167달러(약 3억7,000만 원)라고 했는데, 1981년부터 1996년까지의 밀레니얼 세대들은 연봉 52만5,000달러(약 6억8,000만 원)로 눈높이가 가장 높았고, Z세대는 12만8,000달러(약 1억6,000만 원)로 같은 MZ세대지만 차가 많았다. 남성은 연봉 38만1,000달러(약 4억9,500만 원)라고 했고, 여성은 18만3,000달러(약 2억3,800만 원)이면 행복할 수 있다고 했다. 자본주의 세계에서 사는 미국인답게 행복도 돈으로 살 수 있다고 생각하고 있다.

그러면 이처럼 자본주의적이면서 개인주의적인 가치를 강조하는 유럽과 북미인들은 그렇지 않은 다른 국민에 비해서 실제로 더 행복하게 살고 있을까? 그간 10년 동안 세계의 행복 수준을 발표하고 있는 유엔 기구의 통계 발표를 기준으로 보면 그러한 주장에 동의할 수 없다. 오히려 개인주의적이고 자본주의적인 국가보다 개인주의적이지만 빈부격차에 동의하지 않는 북유럽 국가가 세계에서 가장 행복한 국가로 알려져 있기 때문이다.

행복은 돈으로만 결정되지 않는다는 자료가 많다. 물질문명의 혜택도 없이 저소득으로 살아가고 있는 소규모 공동체 주민들도 미국인 못지않게 행복하게 살고 있다는 연구 결과가 있어서 놀랍다. 스페인의 바르셀로나 자치대학Autonomous University of Barcelona 환경과학 기술연구소와 캐나다 맥길대학McGill College 연구팀이 미국 국립과학원 회보PNAS(2024)에 발표한 논문에 의하면 전 세계 19개의 소규모 공동체(중남미, 아프리카, 아시아, 태평양) 주민 2,966명을 대상으로 조사한 결과 그들이 느끼는 "삶의 만족 지수"가 10점 만점에 6.8점으로 OECD 평균(2020)인 6.7점보다 오히려 높았다. 이 지역 주민들의 1인당 연 소득은 1천 달러(133만 원)에도 못 미치는 저소득 주민으로 64%만 현금 수입이 있었고, 36%는 현금 수입이 전혀 없었다. 특히 19개 공동체 가운데 과테말라 서부 고지대(8.6점), 브라질 아마존 지역(8.4점), 파라과이 아맘바이 지역(8.2점), 아르헨티나 고산지역(8.0점) 등 4개 지역 주민의 만족도는 8점을 넘어 세계에서 1위를 차지한 핀란드(7.9점)보다도 높다.

연구팀은 물질적인 풍요가 삶의 만족도와 무관하지는 않겠지만 재산 규모는 만족도에 아주 작은 부분만 차지할 뿐이라고 주장한다. 소규모 공동체 주민들의 행복감이 이처럼 높은 이유는 정확히 설명할 수는 없지만, 지금까지의 여러 연구 결과를 종합하면 사회적 지원, 신뢰, 자유, 가족관계, 사회 참여, 사람과 자연과의 관계 등 주변 이웃이나 환경과 "좋은 관계"를 맺으며 살아가는 것이 행복에 중대한 영향을 미치는 것으로 설명한다.

그러면 이렇게 물질적인 부가 행복을 결정하는 조건이 되지 못하는 이유가 무엇인지 그 원인을 설명해야 한다. 물질적인 돈과 행복은 정비례하지 않는다는 근거는 미국의 경제 사학자 이스털린 Richard Easterlin이 "이스털린 역설Easterlin paradox(1974)"이라는 가설을 발표하면서 의문이 풀리기 시작했다. 빈민국과 부유국, 사회주의 국가와 자본주의 국가 등 모두 30여 국가의 행복 수준의 추이를 수십 년간 추적 조사했다. 그 결과 일정한 수준까지는 물질적 소득과 함께 행복 수준도 함께 오르는 정비례 관계를 보이다가 소득이 어느 정도의 수준을 넘어서면 이러한 정비례 효과가 사라지게 되는 점에 상당히 놀라워했다.

즉 소득 수준이 오르면 욕구 수준도 그만큼 커져서 행복을 느끼는 수준도 함께 높아진다. 이런 현상이 일어나는 이유는 "한계효용체감"이라는 전통적인 경제이론으로도 설명이 되는데, 같은 재화를 계속해서 반복적으로 사용하면 일정 기간이 지나면 점차 만족도가 떨어지기 시작한다는 원리와 같다. 이러한 행복과 관련된 한계효용체감의 설정값set-point은 "1인당 연간 소득 1만 달러" 수준에 이르면 나타난다. 이는 어느 국가든지 GNP가 1만 달러가 될 때까지는 수입과 행복은 정비례 관계를 갖지만, 1만 달러를 넘게 되면 그 후부터는 수입의 정도와 행복과는 별다른 관계를 갖지 않는다는 것이다.

어떤 국가든 국민의 연간 1인당 GNP가 1만 달러를 넘으면 행복과 불행을 돈이라는 물질적인 조건으로는 설명할 수 없다는 의미이다. 경제적인 수입이 많아도 행복감이 높아지지도 않고 돈이 부족해도 불행을 느끼는 조건이 되지 않는다는 뜻이다. 행복을 느끼기 위해서는 경제적인 돈 이외에 행복에 영향을 주는 또 다른 요인이 있다는 해석이다. 결국 연간 소득 1만 달러를 넘으면 행복 수준을 높여주는 또 다른 심리적 조건이 필요하다.

이처럼 언제나 끝까지 돈이 행복에 영향을 주지 못하는 이유를 설명하는 구체적인 이론을 예로 들어보겠다. 보통 일반적으로 "만족"과 "불만족"이라는 말은 서로 반대되는 뜻이라고 생각하지만, 반대되는 뜻이 아니라 내용 자체가 완전히 다르다. 다시 말해서 불만족을 제거하면 만족해진다는 뜻도 아니고, 불행을 제거한다고 행복해진다는 뜻도 아니라는 말이다. 불만족에 영향을 미치는 요인과 만족에 영향을 미치는 요인은 각각 따로 있다는 뜻이다. 그런데 돈은 불만족에만 영향을 미치는 요인이므로 불만족을 줄여주거나 없애주는 역할은 하지만 만족을 높이는 역할은 하지 못한다.

허즈버그Frederick Herzberg가 주장한 동기-위생Motivation-Hygiene이론, 만족-불만족Satisfier-Dissatisfier이론, 또는 2요인Two-Factor Theory 이론으로 이런 문제를 산업 현장에서 검증했다. 만족에 영향을 미치는 요인을 "동기 요인Satisfier"이라고 부르고, 불만족에 영향을 미치는 요인을 "위생 요인Dissatisfier"이라고 부르는데, 이 두 요인의 효과가 완전히 다르므로 "2 요인 이론"이라고도 한다. 지금까지의 전통적인 동기 이론에 의하면 만족과 불만족요인을 같은 선상에 있는 서로 상대적인 개념으로 보았으므로 불만족요인을 제거해 주면 당연히 만족 수준이 상승한다고 보았고, 반대로 만족요인이 없어지면 당연히 불만족 수준이 증가하는 것으로 보았다. 그렇지만 그는 인간의 욕구는 성질이 완전히 다른 두 개의 욕구, 즉 만족에만 영향을 미치는 만족요인과 불만족에만 영향을 미치는 불만족요인으로 나누어져 있다고 설명한다.

더욱이 불만족요인인 수입이 늘어나면 욕심도 자동으로 함께 늘어나게 되지만, 이러한 임금인상의 80%는 함께 커진 욕심 때문에 그 효과가 바로 사라진다고 한다. 실제로 미국인들이 원하는 것을 실현하기 위해서 소득이 얼마나 필요한가 하는 질문에 5만 달러(1987년)라고 했지만, 7년 후에는 10만 달러라고 했다. 이처럼 소득과 욕망은 서로 내통하며 언제나 함께 평행선을 그린다.

영국의 경제학자 레이어드Richard Layard는 물질은 상당 부분 술이나 마약 같아서 항상 유쾌하고 행복한 기분을 느끼려면 더 많은 물질을 공급해야 한다고 주장한다. 생활의 변화로 행복을 느낄 때 "적응"이라는 놈이 찾아와서 "이런 것은 이제는 평범한 거야"라고 속삭이면서 사라진다. 복권에 당첨된 사람의 행복감을 비교 연구한 결과 행복해졌다는 반응보다는 불행해졌다는 반응이 더 많은데, 풍요로운 경제적 수준을 계속 유지할 수 없는 경제적 어려움에 빠지게 될 때면 다시 불행의 길로 들어서기 때문이다.

결국 실제 소득과 원하는 소득 사이에는 서로 만날 수 없는 평행선이 생기기 마련이다. 모래 위에 유모차가 남기고 간 바퀴 자국처럼 소득이 늘어나면 기대도 함께 늘어나면서 평행선만 남는다. 우리의 의식은 짧은 적응 기간을 지나면 다시 모든 것은 평범한 상태로 되돌아간다. 그래서 우리는 돈이 많아져도 아주 짧은 기간만 행복할 수 있다. 이러한 회복 현상 중에서 가장 결정적인 원리는 "적응 현상"이다. 일단 적응이 되면 부자로 보이더라도 그는 계속해서 더 많은 것을 요구하게 된다.

마이어스Myers(2007)가 1950~2000년까지 미국인의 소득과 행복의 관계를 추적해 보았는데, 50년 동안에 소득은 3배 이상 증가했지만, 행복 수준에는 아무런 변화가 없었다. 우리도 1953년 당시 1인당 GNP는 67달러였다. 그런데 지금은 그때와 비교해서 무려 500배나 증가한 경이적인 경제소득을 올리고 있지만 행복 수준은 그때나 지금이나 세계 50~60위권에 머물러 있다.

두 번째는 "상대적 비교 현상" 때문에 물질적인 풍요 자체만으로는 행복하기 어렵다. 옆집 감이 내 집 감보다 항상 더 크게 보이는

제2장 사람과의 관계

법이다. 세계적인 축구선수 베컴은 눈이 오나 비가 오나 매일 1만 8천 유로를 받기 때문에 모두가 부러워하는 선수지만, 성공의 기준을 돈으로만 비교한다면 절대로 만족하거나 행복할 수 없다. 슈마허는 계속 운동장만 돌면서 베컴보다 10배 이상 돈을 더 벌고, 우즈는 골프만 치고 놀면서 세계 최고의 연봉을 받기 때문이다. 이처럼 "이웃의 소득"과 비교하는 순간 나는 실망스럽기도 하고 불행해지지만, 이웃보다 조금 더 가지면 즐겁고 행복하다.

일리노이대 심리학과 디너Ed Diener는 소유한 물질적 부의 절대적인 규모보다 단지 이웃보다 조금 더 많이 가졌거나 덜 가졌다는 비교에 따라서 행복 수준이 달라진다는 문제에 대한 해답을 찾기 위해서 빈곤하게 사는 인도 켈커타에 갔다. 이들은 모두 사회적 지위, 복지, 의료혜택 등에 불만이 있었지만 생활하는 행복 수준은 7점 만점에 4점으로 중간 정도의 행복을 느끼며 살고 있었다. 이들보다 사회적 서비스와 복지 혜택에서 월등히 높은 미국 오레곤 노숙자의 행복 수준을 비교해 보았다. 켈커타 시 노숙자의 월 생활비는 24달러였지만, 오레곤 주 노숙자의 생활비는 10배 이상 많은 300달러였다. 그렇지만 행복 수준은 미국의 노숙자들보다 인도의 노숙자가 더 높았다. 미국에서 노숙자라는 신분은 이웃과의 경쟁에서 실패했다는 심리적 모욕감이 높지만, 인도의 노숙자 신분은 이웃들에게 그렇게 모욕적으로 보이지 않기 때문이다.

결국 물질이라는 돈과 행복과의 관계는 돈의 외형적 규모보다는 이웃과의 비교가 더 중요하다. 스미스가 국부론에서 사람이 얼마나 많이 소유해야 하는가 하는 문제에 집중했다면 이제는 이웃보다 앞서기 위해서 무엇이 얼마만큼 더 필요한가 하는 문제를 논의해야 한다. 우리들의 욕심은 끝이 없어서 이제 "필요한 것"과 "원하는 것"을 구별할 능력을 잃어버렸다. 필요한 것을 모두 가지고 있어도 계속 새로운 것에 욕심을 부리는 "최신 모델 증후군"의 희생자로 전락하고 말았다.

그러면 행복 수준을 높이는 요인은 무엇인가? 지금까지 믿어왔던 것처럼 돈을 가진 총액보다는 지금 가지고 있는 돈에 대해 어떻게 생각하고 있는가 하는 생각과 주변 사람과의 "좋은 관계"가 행복 수준을 높이는 요인이라는 연구 결과가 있다. 하버드 의대 성인 발달 연구소가 그 결과를 최근에 발표했다. 미국 엘리트 집단인 하버드 대학 2학년 학생 768명과 사회적으로 낙오자인 보스턴 지역의 빈민 소년 456명을 85년 동안 추적 연구한 제4대 책임 연구자인 월딩어Waldinger 교수가 "The Good Life(세상에서 가장 긴 행복탐구 연구, 2023)"라는 책을 출판하면서 그 해답이 밝혀졌다.

월딩어 교수는 최종 보고서에서 돈, 성취, 학벌, 건강, 수명과 같은 외적 환경적 요인보다는 그러한 목표를 이루어내는 과정에서 느끼는 이웃이나 친구와의 "좋은 관계"를 통해서 진정한 행복을 경험하고 느낀다고 말하면서 행복은 경제적인 수단에서 오는 것이 아니라 사회적 동물로서 삶의 과정에서 "좋은 관계"를 맺는 데서 온다고 주장한다. 웰딩어 교수는 행복을 결정하는 결정적인 요인은 부도, 명예도, 학벌도 아니라고 주장하면서, 행복하고 건강한 이웃과의 "질적 관계"에 달려있다고 주장한다.

# 대가족 제도가 사라지고 있다

🌿 나는 혼자면서 다수의 가족과 연결된 가족 공동체의 일원이기 때문에 나는 개인이라는 단수이기도 하지만 또한 동시에 복수인 존재로 살아가야 한다. 사회가 집단주의를 택하든 개인주의를 택하든 인간은 사회적 동물이므로 가족과의 친밀한 관계를 통하여 단합하고 이웃과의 관계도 확장하면서 함께 행복한 삶을 살아가야 하는데, 이기주의적 태도로 이러한 행복을 찾지 못하는 사람들이 있어서 안타깝다. 가족이 있기에 내가 있고 모든 행복과 불행의 시작과 끝은 모두 가족 공동체에서 생긴다는 점을 잊지 말아야 한다. 그래서 가족은 행복의 가장 중요한 원천으로 작용하는데, 이같은 한국의 가족제도는 온돌문화, 유교적 가치관, 도시 산업화 등 많은 환경의 변화를 거치면서 가족제도의 많은 내용이 변화를 겪고 있다.

영어의 가족Family이라는 뜻은 부모와 친자로 구성된 혈연집단을 의미한다. 그러나 Family라는 라틴어는 "하인"을 뜻하는 Famulus로서 같은 지붕에 거주하는 노예와 하인 그리고 온 가족과 주인을 모두 뜻한다. 우리나라의 식구(食口)라는 용어도 한솥밥을 먹는 식구로서 머슴, 노비와 하인 등 동고동락하는 모든 사람을 포함했다.

그러나 인류학자 머덕George Murdock이 그의 저서 "사회구조Social Structure"에서 가족은 거주를 같이하고 경제적인 협동 및 자녀의 생산으로 특징지어지는 하나의 사회집단이라고 정의하고 있는데, 그의 정의가 지구상에 존재하는 다양한 가족제도를 전부 포함한다고 볼 수 없으나 보편적인 특징을 이해하는 데에는 큰 도움이 된다.

그가 정의하는 특징은 첫째로 혈연을 가족의 가장 큰 특징으로 본다. 둘째는 거주를 같이하는 집단이다. 혼인한 남녀가 함께 살면서 자녀를 낳고 양육하는 것이 일반적인 가족의 모습이지만 가족원이 잠시 헤어져서 사는 유목민도 많아서 예외적인 사례도 많다. 셋째로 가족은 경제 협동체라는 점을 들고 있다. 농업사회에서는 가족원들이 모두 농사를 지으면서 경제적 협동체로 함께 하지만 현대 산업사회에서는 가족 구성원 전원이 같은 생산 활동에 같이 참여하는 경우는 매우 드물다. 넷째로 가족은 자녀를 낳고 양육하는 집단이라고 보았다. 두 남녀가 혼인하면 자녀를 낳을 수 있는 합법성을 받지만, 그러나 이러한 규정이 적용되지 않는 사회도 있다.

가족이란 가족을 어떻게 규정하는가 하는 문제와 관련이 깊다. 지금까지 알려진 가족의 구조는 확대가족과 핵가족이다. 첫째로 확대가족은 둘 이상의 결혼한 부부가 함께 모여서 사는 가족을 말한다. 보통 부부와 결혼한 자녀와 함께 사는 형태로 정착 농경사회에서 많이 나타나는 가족 형태다. 이런 확대가족에서는 가계의 계승과 연속성을 중시하는데, 한국의 확대가족에서는 연속성의 문제가 가장 중요하게 여겨진다. 확대가족의 한 유형으로 직계가족이 있는데, 이는 한국과 일본의 특징적인 가족구성 유형이다. 한 아들이 가계를 이어가는 것으로 한국의 경우 큰아들이 부모를 모시면서 사는 형태로 한국이 가장 이상적인 가족 모델이다. 일본의 경우는 전통적으로 가계를 잇는 사람이 반드시 큰아들일 필요는 없으며 딸일 경우도 있고 특별한 경우에는 비혈연일 경우도 있다.

두 번째는 핵가족은 부부와 그들의 자녀로 이루어진 가족이다. 핵가족은 이동성이 높은 사회에서 볼 수 있는데, 수렵채집사회나 현대산업사회에서 지배적인 형태다. 가족이 단출하므로 이동을 많이 하는 사회에서 편리하다. 그러나 핵가족은 자녀들이 성장하는 과정에서 결혼하여 함께 살게 되면 다른 형태의 가족으로 변화될 수도 있다. 특히 자녀들이 성장하여 집을 떠나면 노부부는 가족에서 떨어져 살아야 한다. 또는 어느 한쪽의 배우자가 먼저 사망하면 독거 가족 또는 일인가족으로 남아서 외롭게 살아야 한다.

우리의 집단주의적인 확대가족 제도를 도입한 결정적 계기는 온돌인데, 온돌을 사용한 최초의 역사 지리학적 자료에 의하면 기원전 1세기 전후 북방지역 옥저(沃沮)로 알려져 있다. 옥저는 현재 러시아의 한카khanka호와 중국 연변 자치주 그리고 북한의 두만강 유역을 포함하는 넓은 지역이다. 이러한 온돌문화는 한동안 국민에게 널리 애용되지 않았다. 고려 말까지도 입식 생활을 유지했고, 조선 왕조실록에 의하면 조선조 초기까지도 왕은 나무 침대를 사용했다는 기록이 있고, 귀족도 커튼과 병풍을 사용해 바람을 막고 대부분 난로와 화로를 사용했다는 기록이 있기 때문이다.

이처럼 온돌식 난방문화는 16세기까지는 사대부 집에서 환자 치료나 손님 접대용 등 지극히 제한적 목적으로만 사용되었고 아직 일반 서민에게 일반화되지는 않았다. 조선 초의 기록에 의하면 온돌에서 잠을 자면 몸이 약해지고 뼈까지도 약해진다고 믿었기 때문에 온돌은 병자나 노인을 위주로 사용되었다. 그래서 온돌은 일부 서민층에서만 사용되던 주거 문화로 남아 있었다.

그러나 온돌문화가 일반화되는 환경적인 변화가 왔다. 세계가 16~18세기에 이상 온도로 고통받는 소빙기Little Ice Age(小冰期)를 맞으면서 가뭄과 홍수로 농수산업의 생산량이 급감하면서 국가의 기반이 흔들렸다. 1655년 봄에 동해가 얼었으며, 900마리의 관마(官馬)가 얼어 죽었다는 기록이 있다. 현종(1670~1671년) 때 발생했던 경신(庚辛) 대기근 시절 조선 인구 1,400만 중에서 1/5이 굶어 죽었고, 숙종(1695~1696년) 때의 을병(乙丙) 대기근에도 냉해와 수해로 농사를 망쳐서 전체 인구 중 1/4에 해당하는 142만 명이 굶어 죽었다는 기록도 있다.

중국에서도 아사자가 많이 발생하였다. "중국 인구사(人口史)"에 의하면 1644년에 1억 9천만 명 중에서 21%인 4천만 명이 줄어 1억 5천만 명으로 감소되어 명(明)이 멸망하고 청(淸)이 들어선다. 이런 상황은 유럽에서도 일어나 프랑스, 에스토니아, 스코틀랜드, 핀란드 등의 인구도 평균 20~30% 정도 줄어들게 되었다. 이러한 기후의 급변으로 조선시대에는 땔감 부족으로 산림은 점차 황폐해졌으며, 18세기 초 실학자 서유구(徐有榘)의 기록을 보면 소상공인과 농부들은 수입의 절반 이상을 땔감을 사는 비용으로 썼다고 한다. 세계의 모든 국가가 연료용 나무를 구하지 못해서 많은 어려움을 겪을 때 영국에서는 이러한 위기를 기회로 바꾸며 세계의 강자로 등장하게 되는데, 바로 땔감이라는 연료를 나무에서 석탄으로 전환하면서 세계 1차 산업 혁명의 시대를 열게 되었다.

이 같은 기후 변화는 추운 겨울이 왔음을 뜻하고, 자연히 추운 겨울을 대비하는 난방 시설의 확충에 눈을 뜨게 되었다. 따라서 연료용 나무가 부족하여 가난했던 서민은 가성비를 걱정해 온돌 방식을 다시 생각하게 되었다. 초기에는 잠자기 위한 작은 공간만 온돌방으로 꾸미는 "쪽 구들" 형태로 시작했으나, 점차 전국적으로 일반화 현상이 나타나면서 서민들이 모두 활용하는 난방 방식이 채택되었다. 그동안 지켜왔던 전통적인 입식 주거 형태에서 좌식 주거 형태로 바뀌면서 식탁에도 변화가 일어나서 "소반(小盤) 문화"가 도입되었고, 좌식문화에 익숙해지게 되자 농사를 지을 때도 편리하게 앉아서 일할 수 있는 편한 "호미"와 같은 자그마한 농기구들이 발달하게 되었다. 일제 강점기(1925) 시대 기록에 의하면 서울에 거주하는 한국인은 96.6%가 온돌을 사용하고 있었는데, 일본인들도 24%가 온돌을 사용했다고 한다.

이와 같은 과정을 거치면서 우리 한민족(韓民族)은 세계에서 드문 좌식문화의 전통을 갖게 되었다. 그중에서 특히 온돌(溫突)은 우리를 좌식문화로 바꾸는 결정적인 역할을 했다. 온돌은 세계에서 우리만이 가지고 있는 독특한 난방문화다. 온돌이란 "따뜻할 온(溫)"과 "구들 돌(堗)"을 합한 "따뜻한 구들"이라는 뜻이다. 그리고 "구운 돌"이라는 뜻의 "구들"이라는 말을 "온돌(溫突)"로 바뀌어 쓰게 되었는데, 이는 조선 세종 때의 일로 순수한 우리말을 식자들이 한문으로 옮겨 쓴 한문 글이다. 그리고 1425년(세종 7년)에는 세종이 성균관 학생들의 습질, 즉 피부병을 치료하기 위해서 처음으로 기숙사에 온돌과 목욕탕 설치를 명하였다고 한다.

이러한 우리의 전통 좌식문화인 "엉덩이의 귀소성" 습관은 1970년대부터 입식 문화를 탑재한 양옥집이 보급되면서 온돌문화는 점차 사라지게 되었다. 그렇지만 양옥집에 살면서도 여전히 모두 안방에 모여서 밥상을 이용해 식사했고, 아랫목에 온 가족이 둘러앉아 정담을 나누거나 TV를 시청했다. 따뜻한 온돌방에 이불을 덮고 둘러앉아 가족Family의 우의와 예의범절을 논하기도 하는 가족의 예의범절 교육장 역할도 했다. 그렇지만 1980년 초반부터 불어닥친 아파트 붐으로 좌식문화는 결정적인 도전을 받게 되었고, 여기에 난방 시스템이 새롭게 도입되면서 아궁이 문화까지 바뀌게 되었다. 전통문화의 대표적 상징이었던 밥상머리 문화도 사라지고 그 자리를 대신해서 지식 제일주의와 개인주의가 들어서면서 전통적인 대가족제도가 붕괴의 길을 걷기 시작했다.

이제 전통적인 가족제도에서 행하던 도덕 윤리와 예의범절의 중요 학습장인 "밥상머리 교육"이 사라지고, 핵가족이 성행하면서 개인주의와 지식 제일주의 사회로 변하면서 도덕과 예의에 대한 교육은 실종되었다. 우리가 전통문화로 자랑하던 "동방 예의"라는 위상은 과거 역사 속으로 흘러가고 말았다.

사회적 관계를 기본으로 하는 무리 동물들은 자신들의 위계와 관계 질서를 깨거나 무시하면 무리에서 체계적으로 응징하거나 처벌하여 관계의 질서를 확실히 강조한다. 그런데 사회적 동물의 최정상에 있는 인간도 대가족에서 핵가족으로 변하면서 가족관계나 질서를 상호 교육하고 견제하는 방법이 사라져서 윤리도 가족관계 망도 무너졌다.

이처럼 대가족제도가 붕괴하면서 친족의 관계도 급속하게 협소해지고 있다. 유엔의 인구 전망에 의하면 80억 명에 이르던 인구가 2086년에는 104억 명으로 정점을 찍다가, 첫째로 저출생, 둘째로 고령화, 셋째로 도시화의 영향으로 인구는 점차 감소 국면에 들어가게 된다고 예측한다. 이러한 소용돌이에서 태어난 아이들은 태어나서 삶을 마감할 때까지 생활의 보호막 역할을 하던 가족과 친족의 환경에서 점차 변화된 환경에서 자라게 된다. 전통적인 대가족 제도 대신에 3~4인 핵가족 중심 구조의 소용돌이 속으로 빨려 들어간다. 막스 프랑크 인구학 통계 연구소가 발표한 자료에 의하면 가족을 포함한 친족의 수가 35% 이상 감소하고 친족의 구조도 크게 달라질 것으로 예측한다. 연구진은 237개 국가에 대한 유엔의 공식 인구 조사와 전망 자료 분석에서 친족의 경우 1950년에 65세 여성의 생존 친족은 평균 41만 명이었으나, 2095년에 65살 여성의 생존 친족은 거의 반토막이 나는 25명에 불과할 것으로 전망했다.

이러한 구조는 지역이나 국가별로 조금씩 다르게 나타난다. 가장 큰 감소가 예상되는 지역은 중남미로 이 지역 65세 여성의 생존 친족은 1950년에는 56명이었으나 2095년에는 67%가 감소한 18.3명으로 줄어든다. 가족 수가 상대적으로 적은 북미와 유럽의 65세 여성의 생존 친족도 같은 기간 25명에서 15.9명으로 감소한다. 미국의 35세 여성의 경우 1950년에 33명의 친족에서 오늘날에는 24명에 불과하고, 2100년에는 18명으로 줄어든다. 한동안 한 자녀 정책(1979~2015)을 고수했던 중국의 구조는 더욱 극단적으로 변해서 65세 여성의 경우 1950년에는 21명의 사촌과 15명의 손자를 포함해서 61명의 친족이 있었으나, 2100년이 되면 14명의 친족만 남는다. 이러한 추세라면 중국 인구는 현재 14억 명에서 2100년에는 8억 명 이하로 줄어들 것으로 예측한다.

한국에서는 친족의 개념을 어떻게 인식하고 있을까? 전국경제인

연합(2021)이 전국 성인 남녀 1천 명을 대상으로 친족 범위에 대한 국민인식을 조사했다. 정서적으로 느끼는 친족의 범위를 3촌까지로 보는 응답이 34.3%로 가장 높았고, 4촌까지가 32.6%, 6촌까지라고 말한 비율이 18.3%였고, 직계가족만을 가족으로 보는 비율도 11.6% 나 되었다. 지난 2010년에 비해 직계가족만을 가족으로 인식하는 비율은 6.8% 늘었고, 3촌까지라고 답한 비율도 16.3%나 늘었지만, 4촌까지를 친족으로 보는 비율은 13.2% 줄었고, 6촌까지라고 응답 한 비율도 6.3% 줄어서 지난 10년 사이에 가족의 범위가 급격히 좁 아지고 있다. 이제 4촌과의 관계는 1년에 1~2번 정도 만난다는 비 율이 60.7%, 6촌은 82.7% 정도 만나고 있어서 의례적 관계 이상 별 다른 친족 관계를 유지하지 않는 관계가 되었다.

이처럼 가족 간의 관계가 무너지는 경향은 개인주의적 가치관의 영향도 크지만, 결혼하여 새로운 가족이 되는 부부의 역할도 크게 작용한다. 새로운 가족이 된 부부가 가족 간의 우애를 중시하면 가 족 간의 관계가 그런대로 유지되지만, 그러한 관계를 무시하는 가 치관을 보이면 그간의 가족관계는 급속히 약화 된다. 이에 더 중요 한 문제는 부부의 자녀도 이러한 가치관을 배우고 따르는 행동은 당연하므로 공존지수를 부부와 자녀들만의 핵가족 범위로 집중하 는 태도를 허용하고, 이를 지적하지 않으면 넓은 가족관계는 다시 회복하기 어렵게 된다.

그러나 다행인 것은 어린 10대들은 행복하기 위해 생각하는 조건 으로 돈보다는 건강한 육체와 화목한 가족과의 관계를 중요하게 판 단한다는 자료가 있어서 핵가족 시대를 대비하는 미래가 기대된다. 서울시 교육청 교육연구정보원(2024)이 지난 10월에 서울시 초중고 학생 12,739명을 대상으로 하여 실시한 조사에서 미래에 행복하기 위한 조건으로 중요하게 생각하는 것으로 "몸이 건강한 것(26.7%)"과 "화목한 가족을 만드는 것(20.3%)"을 선택한 비율이 가장 높았다. 초등교사 노동조합이 전국 초등 4~6학년 학생 7,010명을 대상으로 행복하기 위한 조건을 조사한 결과(2024)에서도 "화목한 가족을 만드는 것(39%)"이 가장 중요하다고 응답했고, 다음으로 "노력하여 나의 꿈이나 삶의 목표를 이루는 것(29%)"이라고 응답해서 화목한 가족관계를 가장 그리워하는 것으로 보인다.

일본의 비영리단체 일본재단(2024)이 미국, 영국, 중국, 인도, 한국, 일본 등 6개국 17~19세 청소년 각 1,000명을 대상으로 "국가와 사회에 대한 인식" 조사 결과를 발표했다. "장래가 좋아질 것"이라는 질문에 중국은 85%, 인도는 78.3%, 한국은 41%, 미국은 26.3%, 영국은 24.6%, 일본은 15.3%의 비율로 긍정적인 반응을 보였다. 반면에 "안 좋아질 것"이라는 질문에 중국은 3.3%, 인도는 7.3%, 한국은 31.5%, 일본은 29.6%, 미국은 34.2%, 영국은 40.4%로 중국이 가장 높은 긍정적 반응을 보였고 한국은 6개국 중에서 중간 정도의 반응이다. 아시아 청소년은 미래를 긍정적으로 보지만, 미국과 유럽 청소년은 부정적인 전망이 강하다.

학생의 삶의 가치관에 가장 큰 영향을 미치는 대상은 부모님으로 특히 어머니(52.9%)와 아버지(30.1%)가 절대적이다. 인간은 사회적 동물로서 자연환경과의 긴밀한 관계 유지는 물론이고 특히 사람과의 친밀하한 관계를 유지해야 육체적 정신적으로 건강하고 행복할 수 있다. 가족의 가정교육을 통한 인성 교육이 중요한 시점에서 대가족 제도에서 이루어졌던 밥상머리 교육이 간절하다.

# 노인은 연금만으로 살 수 없다

🌿 국민연금 제도가 도입된 1988~1992년까지는 보험료율이 3%였고, 1993년~1997년까지는 6%, 1998년부터 지금까지는 9%를 유지하고 있지만 보험료율이 높은 프랑스(27.8%), 영국(25.8%), 독일(18.6%), 일본(18.3%), 미국(10.6%) 등 OECD 평균(18.3%)에 비해 절반도 안 된다. 보험료율 9%란 세수 이전 연봉의 9%를 연금으로 내는데, 보험료는 본인과 채용한 기관이 반반 내니까 본인은 4.5%를 부담한다.

연금공단(2024)에 의하면 2023년 말 기준으로 65세 이상 인구 973만 명 중에서 절반이 넘는 51.2%인 498만 명이 연금 수혜자가 되었지만 아직은 노인의 절반은 연금도 없이 빈부 차이가 높은 힘든 은퇴 생활에 휘몰려야 한다. 한국은행 "100년 행복연구센터"에 의하면 노인이 여유롭게 생활하기 위해서는 한 달에 352만 원이 필요하다고 했고, 국민연금공단(2023)에 의하면 적정 생활비는 부부의 경우 277만 원, 개인의 경우 177만 원이 필요하다고 한다.

OECD(2024)에 의하면 한국의 65세 이상 고령층은 처분가능소득 기준으로 지니계수Gini Coefficient가 0.376으로 38개 회원국 중에서 노인의 빈부격차가 6번째로 높다. OECD 평균 지니계수는 0.306으로 우리보다 지니계수가 높은 나라는 코스타리카(0.50), 멕시코(0.451), 칠레(0.441), 미국(0.409), 튀르키예(0.402) 등 5개국뿐이다. 지니계수는 0~1까지의 값으로 1에 가까울수록 불평등이 심하다는 의미다.

국제보험협회연맹GFIA(2023)에 의하면 우리의 소득대체율은 40%로 추산된다. 소득대체율이란 연금가입 기간의 평균 소득 대비 받게 될 연금액의 비율을 뜻하므로, 퇴임 전 평균 소득이 100만 원이라면 퇴임 후에 받는 연금이 40만 원이라는 뜻이다. OECD는 안정적인 노후를 위한 적정 소득대체율을 65~75%로 권고하고 있어서, 이러한 권고치에 비하면 25% 이상 낮아서 평균 권고치(58%)보다 18%나 낮다. 연금으로 생활하기 어려운 우리나라 노인은 실제 생활비 중에서 기초연금으로는 25.6%, 국민연금으로는 15.2%, 퇴직연금으로는 12%, 개인연금으로는 9% 정도만 충당할 수 있어서 기초연금으로는 생활비의 25%만 해결하고 있다. 특히 1960년대에 태어난 처마 세대(자녀에게 부양받지 못하는 처음 세대이면서 부모를 부양하는 마지막 세대) 중에서 은퇴 연금을 100만 원 이상 받는 수령자는 10명 중에서 1명으로 연금으로 생활하기가 매우 어려운 상황이다. 미국(81.3%), 프랑스(60.2%), 일본(55.4%), 독일(55.7%) 등 국가에 비해서 우리나라의 연금 소득대체율은 너무나 초라한 편이다.

부족한 생활비는 자식이나 친척(19.4%), 배우자 소득(11.0%), 연금과 적금(10.2%), 노동(9.5%) 등으로 충당하고 있다. 국민연금공단(2024)에 따르면 2022년 기준으로 70대의 국민연금 평균 수령액은 약 41만 원으로, 남성은 월 50만 원이고 여성은 30만 원을 받고 있는데, 2023년에는 물가 상승률을 반영해서 5.1%, 2024년에는 3.6%를 올려서 지급할 예정이다. 현재 정부는 연금제도를 2개 안으로 개혁하고자 하는데, 1안은 보험료율 13%와 소득대체율 50%, 2안으로 보험료율 15%와 소득대체율 40%를 놓고 논의하고 있다.

노인들은 현재 경제적 빈곤뿐 아니라 정신적 심리적인 외로움 지수인 고립도(18.9%) 역시 OECD 국가에서 가장 높다. OECD 국가에서 우리보다 고립도가 높은 나라는 콜롬비아(20.7%), 멕시코(22.1%), 튀르키예(26.4%) 등 3개국뿐이다. 이렇게 고립도가 높은 한국 노인들은 그래서 OECD 국가 평균 자살률에서도 두 배가 넘어 매일 평균 36명이 자살하는데, 그중에서 10명은 고독사라고 한다. 보건복지부가 발표한 "2022년 고독사 실태조사"에 의하면 지난 한 해 고독사 총계는 3,300건이 넘는데 남성의 고독사가 여성보다 5.3배가 더 많다고 한다. 보건복지부(2023) 추산에 의하면 전 국민의 3%가 고독사 위험군에 빠져있는데 자녀들은 빈곤자가 된 부모에게 경제적인 도움을 외면할 뿐 아니라 돈도 들지 않는 심리적 지원까지도 외면하고 있다.

고대 세계의 평균 수명은 잦은 전쟁, 열악한 영양상태, 비위생적인 환경 등등 여러 요인으로 오래 살지 못해서 고대 그리스인의 평균 수명은 19세였으며, 로마인은 28세였으며, 16세기 유럽인은 21세에 그쳤다. 1900년대에도 세계의 평균 기대수명이 45세였고, 미국인의 수명도 고작 47세에 불과했다. 우리나라도 예외는 아니어서 조선시대 수명은 25세였으며, 1928년에는 28세, 1948년에는 48세였다. 조선시대 왕들의 평균 수명도 46세였는데, 노예 계급을 포함

제2장 사람과의 관계

한 일반 백성의 수명 45세와 별다른 차이가 없다.

해방 전후 우리나라 국민의 평균 수명 추이를 보면 전쟁 중이던 1953년에는 21.3세로 단명했고, 전쟁이 끝난 1955년에는 49.1세로 세계 평균 수명 50.1세에 접근했고, 1960년부터는 54.3세로 세계 평균 47.7세를 넘어섰으며, 1965년에는 58.2세, 1970년에는 62.3세, 1975년에는 64.6세, 1980년에는 65.4세, 1990년에는 71.9세, 2000년에는 76.5세, 2010년에는 80세를 넘겨 80.8세, 2020년에는 83.6세, 2022년에 84.0세로 세계 평균 수명 71.7세와 10년 이상 차이를 벌리며 세계 장수 국가로 올라서고 있다. 일본의 기대수명은 84.7세로 OECD 1위 장수 국가이며, 한국이 다음으로 2위로 OECD 평균 기대수명(80.5년)보다 3년 이상 더 오래 사는 세계 장수 국가가 되었다. 미국(77.0세), 독일(81.1세), 프랑스(82.3세), 멕시코(75.2세) 사람보다도 더 오래 장수한다.

이처럼 1970~1980년대 만해도 부모님이 환갑을 맞이하면 집안의 경사로 부모의 장수를 축하했었다. 그런데 해를 거듭할수록 영양이 많은 음식을 섭취하고, 운동도 하고, 의료 기술도 발달하여 수명이 늘어나고 있어서, 현재 60세인 사람이 80세까지 살 확률은 남자가 68.4%이고 여자는 84.9%이며, 90세까지 살 확률은 남자가 25.2%이고 여자는 46.7%이며, 95세까지 살 확률은 남자가 8.3%이며 여자가 21.6%라고 하니 100세 시대가 실제로 눈앞에 온 듯하다.

이제 한국인의 생존확률(2020)을 볼 때 70세까지는 86%, 75세까지는 54%, 80세까지는 30%, 85세까지는 16%, 90세까지는 5%로 80세가 된 노인은 전체 노인 중에서 살아남은 30%의 행운아라 할 수 있다. 이처럼 현대사회에 들어서 노인의 평균 수명이 점점 늘어나서 이제 100세 이상도 바라보며 장수를 꿈꾼다. 전문가들은 앞으로 "매우 가능"한 인간의 평균 기대수명을 120세까지 보고 있으며, 130세까지도 살 수 있다는 확률은 "보통 가능"하며, 150세까지는 "약간 가능"하며, 급진적인 의견으로 150세까지도 살 수 있다고 말하는 전문가도 있다. 벨기에의 "국제뇌과학연구소"가 국제 학술지 "현대노인과학Current Aging Science"에 발표한 논문에 의하면 인간의 평균 기대수명이 120세에 달하게 될 예상 시점을 2050년으로 전망한다.

"100세 인생" 저자인 런던 경영대학원 그래튼Lynda Gratton은 한국인은 지금 50세 미만인 사람은 100세 인생을 준비해야 한다고 말한다. 지난 50년 동안 한국인의 기대수명은 28년이나 늘어났으며, 지난 5년 동안 한국인의 100세 이상 인구는 거의 2배나 증가하여 현재 3,500명에 달하고 있다. 현재를 살아가는 한국 노인들이 100세 시대를 준비하려면 적어도 앞으로 수십 년은 더 버티며 살아갈 경제적인 준비를 해야 한다.

세계적으로 60세를 정년퇴임으로 정한 분명한 근거는 없지만, 65세가 되면 연금을 지급하겠다는 정책을 수립했던 숨은 야사가 있다. 미국은 1931년 9월에 전례 없는 대공항을 맞으면서 경제가 휘청거리고 있었다. 한 달에 305개 은행이 문을 닫고, 실업률은 25%에 이르러 실업자 수가 1,700만 명까지 늘어났다. 농산물 가격은 69%가 하락했고, 200만 명의 노숙자가 거리로 나왔다. 1932년 여름에는 1차 세계대전에서 퇴역한 2만 명의 퇴역 군인이 생활고를 해결하라고 시위하자 당시 31대 후버Herbert Hoover 대통령이 이들을 강제 해산시키면서 민심을 크게 잃게 되었다.

1932년에는 민주당의 32대 대통령 후보로 루즈벨트Franklin Roosevelt가 당시 최대 이슈였던 대공황 극복정책을 수립하기 위해서 정책자문단 "브레인트러스트Brain Trust"를 구성하여 4가지 주요 뉴딜 정책New Deal을 수립하고 국민을 설득하고자 했다. 첫째는 소득과 고용에 관련된 사회안전망 구축 정책이었고, 둘째는 최저임금법 제정 정책이었고, 셋째는 정부 재정 정책을 통한 수요 촉진 정책이고, 넷째는 노동조합에 대한 법적 보호정책이었다.

루즈벨트는 이런 정책의 여세를 몰아 2,280만 표를 얻어 1,575만 표를 얻은 후버 대통령 후보를 여유 있게 누르고 1933년에 32대 대통령에 당선되었다. 그런데 여기서 국민의 인심을 크게 산 정책 중에서 은퇴 연금과 관련된 사회보장법Social Security Act이 있다. 루즈벨트는 대통령 후보 시절 미국 국민의 평균 수명은 50대에 머물고 있었는데 국민의 영양상태와 위생 조건 등이 개선되면 앞으로 몇 세까지 살 수 있는지 자문단에게 연구해 보라고 했다.

자문단은 제반 조건이 좋아지면 평균 수명이 "65세"까지 연장될 수 있다고 판단했고, 그래서 대통령 후보 루즈벨트는 근로자의 퇴직 나이와 연금지급 시기를 65세로 정한다. 사실 당시에 65세까지 살아간다는 것은 꿈에서나 가능한 이야기였으나 65세에 연금을 지급한다니 국민은 대대적으로 환영하는 분위기였다. 그리고 실제로 대통령 당선 이후 이해관계가 있는 각 부처의 많은 반대를 무릅쓰고 1935년에 사회보장법을 통과시켰다.

1933년에 대통령으로 당선된 루즈벨트가 65세부터 연금을 지급하겠다고 약속한 해로부터 벌써 90여 년이 지난 오늘날 전문가들은 인간의 기대수명을 100세로 예측한다. 이런 예측이 현실이라면 퇴직 후 앞으로 30~40년 동안 연금으로 살아가야 한다는 계산인데, 우리는 현재의 연금 수령액으로는 실제 생활비의 절반도 해결할 수가 없다. 통계청(2023)에 의하면 경제활동에 나선 65세 이상 노인들의 경제활동 참가율은 2000년에 29.6%에 그쳤으나, 2020년에는 35%를 넘어섰고 2022년에는 40%에 육박했다.

OECD에 따르면 한국 노인의 경제활동 참가율은 2021년을 기준으로 36.3%로 OECD에서 일하는 노인 1위 나라가 되었다. 미국(18.9%), 영국(10.5%)은 물론이고 초고령 국가인 일본(25.6%)보다도 크게 높다. OECD에 따르면 지금 한국 노인의 실질적인 은퇴 나이는 평균 72.3세로 법정 정년인 60세보다 12.3년이나 일을 연장해서 OECD 38개 회원국 중에서 노동하는 나이가 가장 높다.

60세(혹은 65세)에 퇴직한 후 노인들은 실제로 무엇을 하며 지낼까? 이에 대한 구체적인 자료는 없으나 특별한 전문 분야가 아닌 퇴직자는 취미생활이나 건강 관리를 위한 운동이나 손주들을 돌보는 등등의 잡일로 소일하는 것으로 이해된다. 이들 중에는 아직도 국가의 귀중한 자산으로 활용될 수 있는데도 폐기 처분되는 셈이다. 퇴직자 중에서 일부 귀중한 인력을 재활용한다면 저출산 시대에서 고급 노동력을 계속 확보하면서 노인 생활비에도 도움이 되고, 연금기금도 보존할 수 있는 일거삼득의 장점을 취할 수 있다.

따라서 현재와 같은 퇴직제도로 볼 때 보완해야 할 여러 가지 문제가 있다. 첫째는 노인에게 지급해야 할 연금이 너무 장기적이어서 연근 지급 기금이 부족하게 되는 문제, 둘째는 퇴직 후에도 생활비를 벌기 위해서 노인들이 실제로 노동 현장에 참여하고 있다는 문제, 세 번째는 전례가 없을 정도의 저출산 시대에서 젊은 층이 노인을 부양해야 하는 노인 부양률이 점점 높아지고 있다는 문제 등으로 연금제도의 전반적인 재조정과 함께 아직은 노동력이 있는 노인의 노동력을 효율적으로 활용해야 할 방법을 풀어내야 하는 국가적인 문제가 되었다.

첫 번째 문제로 국민연금은 5년마다 재정 상태가 얼마나 건전한지를 점검하는 이른바 건강검진을 받는다. 2013년에 받은 진단에서 연금 고갈 시점을 2060년으로 보았는데, 2018년에 실시한 제4차 검진에서는 연금 고갈 시점을 3년 앞당긴 2057년으로 줄어들었다. 현재 출산율이 점차 낮아지고 있어서 2023년 진단에서는 다시 2055년으로 앞당겨졌다. 지난해 기준으로 국민연금 적립금 규모는 880조 원이었지만 2040년에 2,000조 원으로 정점을 찍은 후 점차 감소하여 2057년에는 0원이 될 것이라는 진단이다. 국민연금은 최초 설계상 공제액보다 받는 금액이 크게 설계되어서 매달 9만 원을 내고 40만 원을 돌려받는 구조라 수지 불균형의 문제가 처음부터 제기되었다. 그래서 현재의 보험료율을 9%에서 13% 혹은 15%로 높여서, 소득대체율을 40~50%까지 높이겠다고 계획이다.

두 번째 문제로 은퇴자의 노동력 문제다. 주민등록 인구 5,134만 명 중에서 60세 이상이 1,393만 명으로 27.1%를 차지하고 있어서 역대로 가장 많다. 퇴직 후에도 많은 은퇴지가 70세 이상까지 생활비 문제로 노동시장에서 일하는 실정이다. 특히 베이비붐 시대가 은퇴하면서 취업 인구가 급속히 증가하고 있다. 중소벤처기업부와 통계청(2024)에 의하면 1963년 관련 통계 작성 이후 처음으로 2년 전에 60세 은퇴자가 재취업한 수가 30대 취업자보다 많았고 금년 말에는 40대 취업자 수도 넘어설 것이라는 예측이다. 60세 이상 창업자는 지난해 30대보다 55만5천 명이 더 많았고 올해에는 90만 명대로 격차가 더 벌어질 것이라고 한다.

세 번째로 청년들의 노인 부양률 문제가 점점 높아지고 있다. 한국개발연구원KDI 보고에 의하면 한국의 노인 부양률은 지난 30~40년간 주요국 중에서 가장 빠르게 증가하고 있다고 예상했다. 통계청에 따르면 한국의 노인부양률은 2022년 기준으로 24.6명에서 2070년에는 100.6명으로 늘어나 세계 최고 수준에 이를 것으로 내다본다. 노인부양률은 생산연령인구인 15~64세 인구 대비 65세 이상 노인 인구의 비율을 말하는데 2070년이 되면 생산인구 1명이 노인 1명 이상을 부양해야 한다는 뜻이다. 노인의 기준을 기대여명이 15~20년이 되는 시점으로 재조정하자는 의견이 많이 있다. 기대여명이란 현재의 연령별 사망 수준이 유지된다고 가정할 때 앞으로 더 살아갈 날을 추정하는 수치다.

앞으로 국정 운영에서 저출생 문제와 더불어 100세 시대를 살아가는 노인을 위한 연금 개혁 문제와 은퇴 후 노인의 노동력을 적극적으로 활용해야 하는 문제가 신중하게 논의되어야 할 것이다.

제2장 사람과의 관계

# 좋은 관계로 행복하게 사는 북유럽을 배우자

🌱 세계적으로 GNP가 3만 달러를 넘게 되면 경제적으로 선진 국에 진입했다고 하는데, 우리 경제는 2018년에 이미 31,349달러를 달성했고, 지금 35,000달러를 넘어서 40,000달러를 목전에 두고 있 다. 이제 1인당 GNI로 계산해도 세계 32위에 오른 부자 나라가 되 었다. 1953년에 1인당 GNP 67달러였지만 70여 년 후 경제 규모가 무려 500배 이상 증가했다. 그렇지만 행복 수준은 경제 강국으로서 부끄러울 정도로 세계 153개 국가 중에서 50~60위권을 오가며 겨 우 중위권에 있다. 경제적으로는 부유하지만, 행복 수준은 너무 낮 은 순위로 실망감이 크다.

어떻게 살아가는 것이 행복하게 사는 가장 좋은 방법이 될까? 무 엇보다도 가장 중요한 것은 물질에 대한 집착에서 벗어나 마음이 부 자인 성숙한 국민이 되어야 한다. 이웃과 비교하기보다 각자의 적절 한 분수를 지키며 이웃과 함께 어울리며 즐겁게 살아야 한다. 행복 선진국인 북유럽 국가는 경제적으로 부유하여 충분한 사회복지시설 을 갖추고 빈부격차도 크지 않고 인구밀도까지 낮아서 이웃과의 비 교도 일상적이지 않지만, 진정으로 이웃과 좋은 관계를 맺으며 즐겁고 행복하게 살아가고 있다. 우리도 그들처럼 행복 선진국으로 가기 위해서 배워야 할 것이 무엇인지 알아봐야 하겠다.

북유럽권 국가의 청렴도는 세계에서 가장 높다. 국제투명성기구가 발표한 부패인식지수CPI(2023)에서 덴마크, 뉴질랜드, 스웨덴, 핀란드, 스위스 등 북유럽 국가의 청렴도가 가장 높으며, 한국은 100점 만점에 63점으로 32위에 올라 있지만, 아시아 태평양 국가 중에서는 뉴질랜드, 싱가폴, 호주, 일본, 대만 등이 우리보다 앞서 있다.

국민권익위원회(2024)가 1,400명에게 우리 사회의 부패 정도를 물었는데, 56.5%가 부패한 편이라고 응답했다. 가장 부패한 분야로 정치권, 건설 및 주택, 토지 등 부동산 분야를 꼽았고, 가장 낮은 분야로 소방 분야를 꼽았다. 국민은 공직사회도 40%가 부패했다고 본다.

북유럽권 국가의 부패 청렴도가 세계에서 가장 높다는 것은 결코 놀라운 일이 아니다. 스웨덴에서 최연소 부총리였던 살린Mona Sahlin이 1995년에 마트에서 가족에게 선물할 과자와 아기 기저귀 등 34만 원 상당의 개인용품을 법인카드로 구매했다가 국민의 공분으로 사임했던 일이 있다. 권력을 가진 정치인이 온갖 비리를 저질러도 눈 하나 깜박이지 않는 우리와는 반대로 스웨덴의 엘란데르Tage Erlander 총리는 스웨덴 국민이 가장 존경하는 청렴했던 정치인으로 총리를 무려 23년(1946-1969)이나 연속으로 역임했다. 그가 별세한 후 부인이 집에서 짐을 정리하다가 정부 마크가 새겨진 펜을 발견하고 바로 반납했다는 유명한 이야기가 있다.

핀란드는 매년 11월 1일에는 전국 세무서 전용 PC를 통해 전 국민의 과세 데이터를 공개한다. 다른 사람이 얼마의 수입을 올렸는지, 그래서 얼마의 세금을 냈는지 확인할 수 있어서 이날을 "질투의 날"이라는 별명이 붙기도 한다. 누구든 국민 눈높이에 맞지 않는 행동을 하면 신분에 합당한 벌금을 내야 한다. 핀란드 핀리틸라 그룹의 야리 바르 회장이 2009년에 제한 속도 1km를 초과했다고 11만 2,000유로(약 2억 원)의 벌금을 냈고, 스위스의 한 부자는 제한 속도 40km를 넘겨서 29만 9천 스위스 프랑(약 4억4천300만 원)의 벌금을 내야 했다. 똑같은 위법행위에도 사회적 지위와 재력에 따라서 부과되는 벌금액이 크게 다르다. 법을 산술적인 "양적 평등"보다는 실질적인 "질적 평등"을 실천하고 있다.

이처럼 평등하게 살아야 한다는 가치가 생활철학으로 자리를 잡은 데는 "바이킹Viking 정신"이 크게 작용했다. 바이킹은 서기 800년부터 약 300년 동안 바다에서 해적 활동했는데 빼앗은 물품을 모두 똑같이 공평하게 분배하는 것이 가장 중요한 규칙이었다. 만약에 졸병이 금팔찌를 숨겼다가 발각되어 곧장 10대를 맞았다면, 부두목의 경우는 100대를 맞는 식으로 권력의 위치와 직급에 따라서 벌칙이 차등으로 적용된다.

우리는 바이킹을 해적이라는 의미에서 부정적 시각을 갖고 있지만 북유럽인은 바이킹으로부터 평등사상과 지도자의 무거운 책임감 같은 정신을 확실하게 실천한다. 이런 철학으로 그들은 경제적인 빈부 차이 없이 평등한 수입을 보장받으며, 이웃의 수입과 지출도 언제나 자유롭게 열람할 수가 있다. 그러기 때문에 평등을 넘어 과소비를 즐기는 사람은 누구나 이웃의 따가운 눈총을 받는다.

정치 지도자인 장관, 국회의원은 모두 버스나 지하철을 이용하는

데, 간혹 택시를 타면 화제가 되어 뉴스에 나올 정도다. 국회의원은 대부분 자전거나 대중교통을 이용하여 출퇴근한다. 스웨덴 국회의원 월급은 830만 원으로 연봉으로 1억 원 정도인데, 사회적으로 중상위권 수준이지만 24시간 근무를 전제로 하는 것이어서 많은 임금은 아니다. 비서나 보좌관은 따로 없으며 두 명의 의원에게 공동으로 한 명의 조사관이 배정될 뿐이다. 이들이 점심으로 도시락을 먹는 것은 상식적인 일로 우리와 비교하면 열악한 조건이다.

스웨덴 국회의원도 근로자로서 어떤 특권도 없다. 공무로 비행기를 이용해도 가장 값싼 좌석을 이용하고, 귀빈실을 이용하려면 일반인처럼 돈을 내야 한다. 자택이 의사당에서 50km 이상 떨어져 있으면 거실이 포함된 방이 두 개인 낡은 아파트를 배정받는 것이 특혜의 전부다. 회의 일정에 전원 참석하는 것이 원칙이며 출장이나 병이 나면 확인서를 제출하고 대리인이 참석해야 한다. 4년 임기 동안에 발의한 건수가 기준에 미달하면 근무 태만으로 퇴출 압력을 받는다. 정부로부터 예산을 지원받지 않는 순수한 민간인 기부금으로 운영되는 수만 개 단체의 감시를 피할 수 없기 때문이다.

이처럼 지도자들의 청렴, 봉사, 희생정신은 바이킹 정신이 녹아 있다. 일반 국민의 가슴 속에도 "얀테Jante의 법칙"이 숨어 있다. "보통 사람의 법칙"이라고도 하는데 덴마크와 스칸디나비아 지역에서 통용되는 개념이다. 산데모세Sandemose가 쓴 풍자 소설 "도망자"에서 주인공이 지켜야 할 지침이었는데, 마을에서 "보통 사람들" 보다 똑똑하거나 잘난 듯 처신하면 이 법칙에 따라 이상한 사람으로 취급받는다. 이 소설에서 지켜야 하는 "보통 사람 법칙"의 구체적인 내용은 다음과 같다.

     제2장 사람과의 관계

1. 당신이 특별한 사람이라고 생각하지 말라.
2. 당신이 남들보다 좋은 사람이라고 착각하지 말라.
3. 당신이 다른 사람들보다 더 똑똑하다고 생각하지 말라.
4. 당신이 다른 사람보다 더 낫다고 자만하지 말라.
5. 당신이 다른 사람보다 더 많이 안다고 생각하지 말라.
6. 당신이 다른 사람보다 중요하다고 생각하지 말라.
7. 당신이 모든 것을 잘한다고 생각하지 말라.
8. 다른 사람을 비웃지 말라.
9. 다른 사람이 당신에게 관심 있다고 생각하지 말라.
10. 당신이 다른 사람에게 무엇이든 가르칠 수 있다고 생각하지 말라.

이런 불문율을 깨는 사람은 마을 공동체를 깨는 적으로 간주한 다. 노르딕 지역에 퍼진 행동 지침으로 평범함에서 벗어나려는 행 동이나 개인적으로 야심을 품는 행동은 적절하지 못한 것으로 인식 하도록 하는 사회적인 규칙으로 자리 잡고 있다. 금권과 권위 의식 은 통할 수도 없지만 그렇게 행동하는 사람들은 부끄러운 행동으로 손가락질당한다.

스웨덴 국민의 라곰Lagom이라는 가치관도 알아둘 필요가 있다. "너무 많지도 너무 적지도 않은"이라는 뜻으로 일과 삶의 균형을 뜻하는 "워라벨Work and Life Balance"이라는 생활철학이다. 지나치지 않는 "적당함"을 삶의 가치로 삼고, 야심차고 지나친 계획보다는 충분히 실현이 가능한 계획을 세우고, 작은 성취를 축하하며, 아끼 고 거절하는 예의도 익숙하다. 행복의 기준을 관계, 친밀함, 편안함,

화목함, 평등함에서 찾으려는 노력에 집중한다. "라곰"이라는 뜻은 우리 문화의 과유불급(過猶不及)과 유사한 의미로 가능하면 새로운 것보다는 오래된 물건에 더 큰 가치를 두고, 지금 가지고 있는 것으로 충분하다고 생각하며 살아간다.

핀란드 사람도 "보통 사람 법칙"이라는 도덕적 규범을 잘 지키며 살고 있지만, 취미나 여가 활동을 직업이나 가정의 일만큼 중요하게 생각한다. 그들은 취미와 여가 활동도 자기 계발과 관련이 있는 것을 선택한다. 예를 들면 집을 수리하는 일, 텃밭 가꾸는 일, 요리하는 일, 자동차를 고치는 일에서부터 수영과 같은 운동이나 여행, 동물과 철새를 연구하는 일, 환경 운동 등등 모든 취미와 여가 활동을 전문가 수준에서 관찰하고 연구한다. 맛집에서 맛있는 음식을 먹고 술 마시고 노래하고 노는 소비적이고 향락적인 활동에 빠진 우리의 여가문화와 비교하면 차이가 너무나 크다.

행복 선진국은 이처럼 검소해서 경제동물Economic Animal처럼 행동하는 것을 부끄러워하고, 일과 가정과 여가 활동의 균형을 중요하게 지키려 하고, 이웃과 친밀한 인간관계의 망을 실천하며 살아간다. 우리는 높은 자리에 올라서 출세하고 돈도 많이 벌어서 소비도 남보다 많이 하는 부자를 성공의 기준으로 삼는 데 비해서 그들은 이웃과 "좋은 관계"를 맺으면서 검소하고 행복하게 사는 것을 삶의 기준으로 삼는다. 경제적으로는 선진 대열에 합류했지만 3등급 언론에 장단을 맞추어 춤추는 병든 3등급 정치권과 3등급의 국민 의식, 그리고 3등급의 교육 정책들을 개혁하는 운동을 전개하지 않는다면 행복의 길은 험난하기만 하다는 생각이 든다.

# 환경과의 관계

그리스 역사학자 헤로도토스(Herodotos)는 "이집트는 나일강의 선물이다"라고 말했고, 프랑스의 위고(Victor Hugo)는 인생은 첫째로 자연과 인간과의 싸움, 둘째로 인간과 인간과의 싸움, 그리고 셋째로 자기와 자기와의 싸움 등 세 가지 중요한 싸움에서 이겨야 한다고 말했다. 역사학자 토인비(Toynbee)도 "도전과 응전의 법칙(The Law of Challenge and Response)"에서 이를 좀 더 쉽게 설명하면서, 인간이 자연에 도전하는 반응이 바로 인간사회의 문명과 역사를 발전시키는 바탕이 된다고 주장한다.

소크라테스 이전의 많은 그리스 철학자들도 처음에는 환경과 함께하는 물활론(Hylozoism)을 주장했다. 물활론은 원료를 뜻하는 "Hyle"와 생명을 뜻하는 'Zoe'를 합성한 용어로 물질은 바로 영혼, 정신을 포함하고 있는 생명체이거나 이것을 생동시키는 매개자라는 뜻이 있다. 중세까지 이러한 물활론이 이어졌으나 로마 그리스도교 이후 신(神) 중심의 사고로 바뀌면서 신에 의해 인간과 자연이 창조되고, 인간이 자연에 우선한다는 관계를 정립하면서 신인합일(神人合一) 사상이 강조된다. 결국 자연과 인간의 관계를 이원론(二元論)으로 설정하면서 자연은 인간이 개척하고 이용할 수 있는 대상으로 전락하게 된다.

그러나 동양에서는 자연(自然)을 "스스로 그러하다"는 의미로 외부의 영향이나 자극 없어도 그 자체로 존재하고 생성한다는 의미가 있다. 그러므로 어디에도 타율적인 요소는 없으며 신과 자연, 인간과 자연을 이중적인 구조보다는 일체의 개념인 천인합일(天人合一) 사상으로 자연에 대한 진리보다는 자연과 사람이 함께 공존하는 길을 선택한다. 동서양은 이처럼 환경을 보는 관점이 달라서 환경과 관계를 맺으며 살아가는 방법 또한 상당히 다르다.

이 장에서는 환경과의 관계를 바라보는 동서양의 견해 차이와 그러한 차이로 해서 생기는 생활방식의 다름을 알아본다. 서양권이 생각하는 문화의 의미와 환경에 대한 태도와 환경오염 문제, 주식인 곡물을 재배하는 방법에 따른 가치관 차이, 식성을 따라가지 못하는 인류의 진화 문제와 성인병의 원인, 장수와 건강을 위해 우리가 먹는 음식 문화의 문제, 건강을 위해 효과적으로 운동하는 기본적인 방법, 정신건강을 위한 스트레스 대처법 등에 대해서 알아본다.

# 환경을 보는 문화의 의미

서양권의 문화 개념은 로마 시대 이후 종교적으로는 청교도적 기독교로부터 시작되었고, 철학적으로는 플라톤으로부터 시작되었다. 종교적으로는 육체와 영혼, 선과 악, 현세와 내세, 자연과 인간의 관계를 모두 이원론으로 구분하여 설명한다. 철학적으로는 자연의 개념을 인간의 편에서 투쟁이라는 수단을 통해서 이용하고 개척하고 개발하고 미지의 세계도 점령하여 지배하는 이원론적인 행위를 문화Culture라고 정의하면서 자연을 이용하는 행위를 정당화한다. 플라톤은 정신과 육체를 서로 다른 이원론(二元論)으로 정의하면서 영혼은 원래 신(神)적인 본성을 가졌는데 육체라는 감옥에 갇혀서 신성(神性)이 훼손되는 위기 상황에 빠졌다고 믿는다. 그러므로 인간은 빨리 육체적 욕정과 감정을 극복해서 천상의 이데아를 깨달아야 한다고 주장한다. 이것이 정신과 육체의 이원론 사상의 핵심적 주제다. 따라서 플라톤은 "인간 최대의 승리는 내가 나를 이기는 것"이라며 인간의 투쟁을 중요하게 생각하였다.

이러한 이원론적 사고와 투쟁적인 가치관은 척박한 지리적 환경에서 경쟁적이고 적극적으로 노력해야 한다는 가치관을 갖도록 해서 "일하지 않은 자는 먹지 말라"는 청교도적 노동과 근면 의식을 갖게 했고, 자연환경을 적극적으로 개발하고, 미지의 신천지를 탐험하려는 욕망을 갖도록 했다. 이러한 욕망을 실현하고자 하는 수단으로 자연과학이라는 학문이 발전하였고, 이러한 수단은 현재의 생활환경은 물론이고 미지의 세계까지 무차별로 탐험하도록 했는데 이러한 개발 행위를 "문화Culture"라고 한다.

문화Culture의 뜻은 "경작하다, 가꾸다, 훈련하다"라는 라틴어 "Core"에서 유래했기 때문에 문화의 의미는 "자연을 가꾸어 만든 결과나 그러한 행위의 결과"를 뜻한다. 그러나 현재는 마음을 가꾸고 수련하는 활동도 문화의 개념으로 포함하고 있어서 자연을 인간 편의를 위해 가꾸고 개발하는 행위를 광의의 뜻으로 사용한다. 그런데 일본에서 이를 "문화(文化)"라고 번역하여 통용하게 되었는데, 한자 문화권에서 통용되는 본래의 문화(文化)라는 의미는 사람들의 생각이나 행동을 "글자나 문양으로 나타내는 행위"를 뜻한다.

동양권 문화, 특히 중국에서는 농경 생활이라는 삶의 방식을 통해서 땅은 우리에게 먹거리를 제공하는 고마운 대상으로 보았기 때문에 자연과 현재를 긍정적으로 생각하는 관념을 갖게 되었고 따라서 하늘의 이치를 따르는 것이 자연의 순리이고 진리라는 관념을 갖게 된다. 그래서 사망 후 극락세계에 가기보다는 현실 세계에서 오래 장수하고 싶은 현실에 대한 긍정적인 가치가 싹트게 되었다. 그래서 동양에서는 죽음보다는 현실을 긍정하는 관계 의식으로 인간관계를 다루는 인문학이 발전하면서 죽음을 슬퍼한다.

요약하면 인간은 삶의 과정에서 환경과의 관계를 주체자인 인간이 관계를 파악하고 이해한다는 관점에 따라서 천지인(天地人)을 보는 관점이 달라진다. 동양권에서는 지(地)에 대해서 농경이 적합하고 비옥한 환경이라고 생각하여 농사와 관련하여 다양하게 감사하는 종교적 관념이 생겼고, 농사의 성과도 하늘이 결정한다고 보았기 때문에 천지(天地)의 개념은 경외심과 존경심으로 섬기는 다양한 숭배의식과 신앙적 행위로 발전하게 된다. 서양권에서 자연을 바라보는 관념을 강한 강철에 비유한다면 동양권은 부드러운 버드나무라 할 수 있다. 그래서 동양권 하면 떠오르는 단어는 조화, 화합, 집단, 전체, 통합, 관계, 정서, 인문, 정신, 양심, 인내와 같은 단어들이고, 서양권 하면 모험, 탐험, 분리, 경쟁, 개인, 자유, 육체, 지식, 물질, 과학, 행동과 같은 단어들이다.

그래서 서양권은 천(天)에 대해 동경하는 이상적인 천당이 따로 존재한다고 믿기 때문에 죽음을 슬퍼하거나 두려워하지 않고 천당 가는 길을 당당하게 생각한다. 지(地)의 관념도 현재의 환경을 탐험하고 개발할 책임이 당연히 인간에게 있다는 적극적인 문화 개념을 갖는다. 서양권에서 의미하는 "Culture"의 뜻은 나의 이익을 위해서 어떤 대상도 환경도 경작하고 재배하겠다는 "이기주의 사상" 때문에 중세 유럽과 미대륙이 경쟁적으로 세계를 탐험하고 지배하는 이기주의적 가치관을 확실하게 실천하였다.

벨기에는 1865년에 국왕 레오폴 2세Leopold Ⅱ가 콩고를 사유화하면서 노동을 착취하고 자원을 약탈하기 시작했다. 원주민으로부터 코끼리 상아와 카카오, 고무 등 자원을 착취하여 엄청한 부를 이루었다. 오늘날 벨기에의 초코릿 산업은 콩고지역의 카카오가 없었다면 불가능했을 것이다. 특히 1891년부터 자전거 바퀴를 고무로 대체하면서 고무 수요가 폭증하는 행운도 있었는데, 콩고는 전 세계 고무 생산량의 45% 이상을 생산하고 있었다. 그래도 벨기에는 생산량을 늘리기 위해 할당량을 늘렸고, 할당량을 채우지 못하면 농부의 팔은 잘라버리는 만행도 자행했다.

한 공무원의 기록에 의하면 하루에 1,300개가 넘는 팔을 잘랐다는 기록도 있었다고 한다. 그 후 팔도 모자라 목도 자르라는 명까지 내렸다고 하며, 그래도 할당량을 채우지 못하면 가족뿐 아니라 마을 전체를 초토화하기도 했다. 1900년대 초까지 이렇게 사망한 사람이 1,000만 명 정도 된다고 추산하는데, 벨기에 정부에서도 공식적으로 인구의 15%가 이렇게 죽었다고 공식 발표할 정도였다. 정확한 통계 자료가 없지만, 콩고 인구 4,000만 명 중에서 75%인 3,000만 명이 이렇게 죽었을 것으로 예측한다.

영국은 해가 지지 않는 나라로 전 세계 곳곳을 침략하고 지배했다. 엘리자베스 1세 여왕은 인도를 200년간 지배하면서 각가지 만행을 일삼았다. 1757년 동인도회사를 설립하여 1856년까지 100여 년간 인도의 노동과 자원을 강탈하고 착취했다. 영국 중앙정부의 비호 아래 군 통수권과 징세권을 독점하면서 대부분 지역을 지배하였다. 그 잔혹함에 항거하자 영국 정부가 직접 총통을 임명하여 관리하면서 1947년 독립할 때까지 중앙정부가 인도를 직접 통치했다. 동인도회사는 이전보다 5배나 높은 농지세를 부과하여 주민의 2/3 이상이 농토를 포기하도록 하여 역사상 처음으로 토지 없는 농부를 만들었다. 농민들은 빈곤에 시달려 소작인이 되거나 소작의 소작인으로 전락하여 농업이 몰락의 길을 걷도록 했고, 대규모 기근까지 겹치면서 어느 지역은 주민의 1/4 이상이 굶어 죽었다.

영국은 인도의 산업도 붕괴시켰다. 18세기 초까지 인도의 섬유

생산량은 전 세계의 25%를 점유하고 있었는데, 이는 유럽 모든 나라를 합친 것과 같은 규모였으며 특히 다카Dhaka 지역에서 생산되는 무스린Muslin이라는 면직물은 세계 최고의 품질을 자랑하고 있었다. 그런데 다카의 면직물 제조 기술은 아이러니하게도 영국이 1782년에 산업혁명을 일으키는 계기를 제공하게 되는데, 무스린에 대항할 방법을 고심하던 영국이 획기적인 방직기를 발명하는 단초를 제공하였기 때문이다. 그러나 방직기로 만든 짝퉁 무스린은 품질에서 비교가 되지 못했다. 이에 영국은 무스린 면직물에 75%의 무거운 관세를 물리고, 다카의 면직물 상인을 모두 불러서 그들의 손가락을 잘라버렸다. 이후 다카의 무스린 기술은 당연히 전수되지 못하여 인도의 고급 섬유산업은 붕괴되고 말았다.

영국이 인도를 착취하고 떠날 때 인도의 세계 경제 점유율은 3%를 조금 넘는 초라한 수준으로 급락했다. 동인도회사가 본국으로 환금한 액수가 무려 600만 파운드에 이르는데, 당시 1파운드는 금 7.32g이었으니 600만 파운드는 금 43,920kg에 해당하여, 200년 동안 매달 금 215kg을 끊임없이 본국으로 환금했다는 계산이다. 1830년 미국의 총통화량은 5,900만 달러였는데, 당시 1파운드는 2.4달러 이상의 가치가 있었으니 미국 총통화량의 1/4에 해당하는 1,500만 달러를 인도에서 착취해 갔다는 계산이다.

스페인은 남미 멕시코 고원 계곡에서 발생한 아즈텍Aztec문명과 안데스산맥을 중심으로 형성된 잉카Inca문명을 차례로 괴멸시키면서 엄청난 금과 은을 손에 넣었다. 스페인의 코르테스Cortes는 1521년에 단 600명의 군사를 이끌고 수백만 명의 아즈텍 군대를 괴멸시켰는데, 당시 스페인 군사들이 시달리던 천연두가 면역력이 전혀 없는 아즈텍 국민에게 전염되어 주민 1/3 이상이 죽는 대참사가 일어났기 때문이다. 잉카문명도 1532년에 스페인의 피사로Pizarro 장군이 단 168명의 군사로 3만 명의 잉카 군대를 섬멸하고 황제 아마루Amaru를 처형하면서 잉카문명은 멸망한다.

독일도 세계 제1차 대전 패배의 책임으로 1919년에 맺은 베르사유 조약을 일방적으로 폐기하고 중립국 폴란드를 침공하면서 세계 제2차 대전을 일으켜 죄 없는 유태인 600만 명을 학살하였고, 일본도 태평양 전쟁을 일으켰으나 패했으며, 일본의 야욕으로 한국은 36년 동안 강압적인 지배에 시달렸던 아픈 경험이 있다.

미국은 설탕 산업과 관련된 노동력을 확보하기 위해 흑인을 노예로 활용하기 시작했는데, 프랑스 지배령인 아프리카 베냉Benin 이 노예무역의 중심지였다. 16세기에는 30만 명, 17세기에는 150만 명, 18세기에는 노예시장이 절정에 이르면서 400년간 2,000만 명 이상의 노예가 끌려갔으며, 이 중에서 약 10%인 200만 명이 항해 도중에 목숨을 잃었다고 한다. 결국 1808년 노예무역이 금지되고, 남북전쟁(1861~1865) 기간인 1863년 1월에 노예해방을 선언하면서 공식적으로 노예제도는 완전히 사라지게 된다.

서양이 이처럼 기독교적인 인간중심 사상과 Culture라는 철학적인 지배와 경쟁 정신으로 약소국을 침탈하는 이기주의적인 가치관을 실현하기 훨씬 이전에 중국도 세계를 제패할 기회가 있었다. 콜럼버스가 1492년에 미대륙을 발견했지만, 중국의 정화(鄭和) 함대가 71년이나 빠른 1421년에 미대륙을 발견했을 개연성이 있다. 당시 정화함대는 1405년부터 1433년까지 7차례의 항해를 했을 정도로 세계에서 가장 발달한 조선술과 항해술로 세계 일주를 마쳤을 개연성이 높다. 함대는 107척으로 배의 길이는 151m, 폭은 61m, 배수량은 3,000톤이 넘으며 총승선 인원은 27,000명에 이른다. 콜럼버스가 제1차로 미대륙을 탐험할 때 사용했던 산타 마리아호가 250톤 정도이고 3척의 함선에 승무원이 120명에 지나지 않았다고 하니 정화함대에 비해서 얼마나 초라했는지 짐작할 수 있다. 정화함대가 남긴 두 개의 비문에 남겨진 "3천 개 나라와 10만 리(185,000 km)"는 아직도 밝혀지지 않은 진실이라고 믿고 있다.

그러나 1477년 분서갱유를 통해 정화함대의 기록을 유학파 관료 세력이 모두 불태워서 이런 주장을 객관적으로 증명하기 어려워졌지만, 서양의 콜럼버스Christopher Columbus, 다 가마Vasco da Gama, 마젤란Ferdinand Magellan, 쿡James Cook 등은 정화가 만든 항해 지도를 따라가고 있었다는 역사적 진실은 아직도 밝혀지지 않은 가설로 계속 제기되고 있다. 중국이 정화함대를 저버린 이후 600년 동안 바다의 제왕 자리를 잃으면서 유럽권에 대항하기는커녕 왜구에도 끊임없이 시달리는 종이호랑이로 전락하고 곧이어 닥쳐오는 서양의 침략에 두 손을 들고 만다.

영국은 중국으로부터 홍차를 수입하고 은으로 계산했으나 중국의 청은 은을 유통하지 않았다. 이에 영국이 은 부족으로 인도에서 생산한 아편을 청에 판매하려고 했으나 청 황제가 아편 수입을 금지한다. 결국 영국은 자국의 국내 경제가 어렵게 되자 더 이상 인내하지 못하고 1840년 아편전쟁을 일으켰다. 전쟁에서 영국군이 승리하자 유럽은 무력한 청의 실제를 직접 경험하고 그간 두려워했던 동양에 급속히 진출하면서 식민 지배와 침탈을 일삼게 된다.

# 생태계 교란 종으로 군림하는 인류

지구의 나이를 45억 년으로 볼 때 유인원은 6,500만 년 전에 탄생했으며 유인원이 인류로 갈라지기 시작한 것은 약 800만 년 전의 일이다. 그리고 750만 년이 흐른 50만 년 전에 호모사피엔스가 나타났으며 다시 35만 년이 흐른 15만 년 후에 현생 인류가 나타난다. 지구 나이로 보면 겨우 0.00003%에 지나지 않는 시점이다. 그간 생태계의 변화는 태양의 힘으로만 가능해서 6,500만 년 전에 한 덩어리의 불이 우주에서 날아와 지구에서 살던 공룡이 이 땅에서 사라지면서 다른 포유류가 세상을 지배하게 되었다. 그래서 초기 인류도 다른 생명체와 똑같이 자연에 순응하면서 생존하다가 드디어 발달한 두뇌와 협동과 분업으로 자연을 개발하고 생태계를 지배하는 이기적인 동물로 자리 잡게 되었다. 태양이 통치했던 지배력이 인간이 출현하면서 그 자리를 인간이 대신하게 된 것이다.

이제 동물 중에서 유일하게 이성적인 힘을 가진 인간이 자연적인 힘을 독차지하면서 자연이 제공하는 이로움을 자신들만 독차지하는 이기적인 오만함의 극치를 보이게 되었다. 루소는 "아무것도 얻을 것이 없어서 잃을 것도 없는 동물은 여전히 본능과 더불어 머물러 있는 반면에 인간은 개선 가능성이라는 유인 때문에 얻었던 모든 것을 노화나 다른 사고로 잃고 나서 동물보다 더 낮은 곳으로 떨어지는 것"은 아닐까 하고 우려한다. 인간은 상호 균형된 미를 추구하려는 의지와 개념도 없고 게다가 온정이라고는 티끌만큼도 없어서 자신 이외의 다른 것에는 모두 배타적으로 취급하는 심보를 지녔다. 여기에 종교적 지원으로 지상의 모든 소유권에 대한 권한을 위임받았다는 이유로 더욱 심각한 찬탈자가 되어가고 있다. 그렇게 미약하게 출발했던 초기 인류가 이제는 생태계에 심각한 교란을 일으키는 절대적인 종으로 번성하고 있다. 여기에 과거 왕과 황제로부터 현대의 몇몇 정치 독재자들이 인류와 지구의 생태계를 얼마나 파괴했는지 그 책임에서 크게 벗어날 수 없다.

환경오염이 심각해지자 1972년 6월 5일 스웨덴 스톡홀름에서 "하나뿐인 지구Only One Earth"를 주제로 인류 최초로 세계적인 환경 회의가 열렸다. 총 113개 국가, 3개 국제기구, 257개 민간단체가 참여한 회의에서 "유엔 인간환경선언"을 채택하여 6월 5일을 "세계 환경의 날"로 지정했으며, 이제는 "지구 행복지수"까지 발표하면서 환경을 보호하고 있다. 독일의 싱크탱크 "온냉 연구소Hot or Cool Institute"는 개인이 느끼는 행복 수준과 기대수명에 각국의 1인당 평균 탄소 배출량을 반영해서 각국의 "지구 행복지수"를 계산하고 있다.

한국은 행복도 6.1점, 기대수명 83.7세, 이산화탄소 배출량 14.39t으로 총 38점을 기록해서 지구 행복지수 76위에 올라 있다. 지구 행복지수 1위는 남태평양 섬나라 바누아트(57.9점)가 차지했으며, 스웨덴(55.9점), 엘살바도르(54.7점), 코스타리카(54.1점)가 뒤를 잇고 있다. 일본은 49위(42.7점), 중국은 51위(41.9점)로 집계되어 한국보다 행복지수 우위에 있다. 연구소는 인류는 지구를 희생하지 않아도 행복한 삶을 누릴 수 있다고 강하게 주장하고 있다.

미국의 핵 과학회Bulletin of the Atomic Scientists는 "지구 종말 시계" 초침을 2020년부터 유지하던 100초를 2024년에 10초를 앞당겨 90초로 조정했다. 전쟁 발발로 인한 핵 위협, 다양한 기후 변화, 급격한 AI 기술 발달로 인한 위험 등을 조정 이유로 들고 있다. 지구의 냉장고라 불리는 북극의 평균 기온이 급격히 상승하여 폭염, 홍수 등 재앙적 기후 변화도 체감하고 있다. 기후학자들은 2050년이면 여름철 북극의 빙하가 모두 사라질 것으로 예측한다. 아일랜드 서쪽에 지난 30년간 무려 2.7조 톤의 빙하가 사라졌다. 특히 2000년대 이후 빙하 감소 속도는 과거보다 2~3배 급증했다. 남극과 그린란드에서 녹아내린 빙하는 바다로 흘러드는데 우리 인천의 해수면도 최근 30년 사이에 매년 3.06mm씩 침식하고 있다. 지구 평균온도가 1.5도 이상 오르면 2050년에는 인천 해수면이 4cm 정도 높아져서 해안지역 침수와 해일로 인한 파도 현상도 증가할 것으로 예측한다. 이렇게 되면 뉴욕, 런던, 시드니, 싱가포르 등도 상당히 위험해진다.

기후 변화에 관한 정부 간의 협의체IPCC(2024)가 세계 기후학자 380명을 대상으로 "지구 온도가 2100년까지 얼마나 오를까"라는 질문을 했는데, 380명 중에서 77%가 2.5도 이상 오를 것이라고 응답했다. 기후가 3도 이상 오를 것이라고 답한 기후학자까지 합하면 42%나 된다. 이 같은 지구 온도 상승으로 폭염, 산불, 홍수, 폭풍, 기후 변화 등으로 기근, 분쟁, 대규모 이주 등 "준 디스토피아적"

미래가 올 것으로 걱정하고 있다. 세계가 이렇게 기후 위기에 대응하지 못하는 가장 큰 이유로 기후학자의 3/4이 "정치적 의지 부족"을 지적했다.

미국지질조사국USGS(2024)에 의하면 캐나다 서부 지역은 1979~2015년 사이에 얼음이 없는 기간이 3주나 늘었다고 한다. 북극곰은 캐나다, 미국, 러시아, 그린란드, 노르웨이 등 전 세계적으로 26,000마리 정도가 남아 있다. 연구진은 지난 3년간 북극곰 20마리의 혈액을 채취하고, 몸무게를 측정하고, GPS를 장착하여 곰들의 움직임과 먹이 섭취 등을 추적 조사했다. 관찰 결과 얼음이 없는 여름철에는 생존을 위한 다양한 전략을 강구하고 있었다. 에너지를 아끼려고 휴식에 집중하기도 하였고 새알, 열매, 풀 따위를 먹거나 얼음이 없는 바다에서 헤엄치며 먹이를 찾고자 노력하기도 했다. 관찰 20마리 중에서 19마리의 체중이 하루 평균 1kg씩 감소하였으며 체중이 11%까지 감소한 곰도 있었다. 원래 북극곰은 해빙을 발판 삼아 주로 늦봄과 초여름에 지방이 많은 바다표범을 사냥하며 살아간다. 그런데 이제 곰이 살기 좋은 조건의 일부 지역은 수십 년 내에 사라질 것이라고 걱정하고 있다.

남극의 초대형 빙하 상황도 마찬가지로 오래전부터 빠른 속도로 녹고 있다. 미국 휴스턴 대학 공동연구팀은 스웨이츠Thwaites Glacier가 이미 1940년부터 녹기 시작했다는 결과를 미국립과학원회보PNAS(2024)에 발표했다. 스웨이츠 빙하는 서남극 해에 있는 한반도 전체 면적보다 조금 작은 크기로 2000년 이후 1,000억 톤 이상의 얼음을 바다로 유입시켜 해수면 상승의 4%를 유발하고 있다. 전문가들은 이 빙하가 붕괴해 완전히 녹으면 해수면을 60cm 이상 끌어올려서 뉴욕, 마이애미, 뉴올리언스 같은 도시에서 엄청난 홍수가 발생하며, 전 세계적으로 9,700만 명이 물에 잠식되는 위험에 빠지게 된다고 경고한다. 이와 같은 분석으로 스웨이츠 빙하를 "지구 종말의 날 빙하Doomsday Glacier"라는 별명으로 불리기도 한다. 핀란드 라플란드Lapland 대학 빙하학자 무어John Moore는 따뜻한 바닷물이 빙하에 닿아 녹는 것을 막기 위해 해수면 아래에 62마일(약 100km) 길이의 대형 해저 커튼 설치가 필요하다며 이를 위해서는 500억 달러(66조7,250억 원)의 자금이 소요된다고 주장하기도 한다.

미국의 뉴스쿨The New School 대학 연구팀이 "PLOS Climate (2024)"에 발표한 자료에 의하면 빙하가 녹아서 원인이 된 기후 변화로 온도와 강수량이 변화하여 폭염, 태풍, 기후 재난의 위험성을 증가시켜서 식량문제부터 곤충이 매개하는 질병이나 호흡기 질환, 정신 질환 등 발병률을 높여 인류 수명까지도 단축한다고 주장한다. 연구팀은 1940~2020년까지 191개 국가의 평균 기온과 강우량, 기대수명 자료와 1인당 국내총생산 지표인 GDP를 반영해서 국가 간의 차이도 수정해서 자료를 분석했다. 이와 같은 기후 변화 영향으로 인류 기대수명이 평균 6개월 감소하는 것으로 분석하였다. 유엔이 집계한 인류 평균 기대수명은 2021년 기준으로 71세인데 기후 변화 영향을 고려하면 70.5세로 줄어든다. 지구 온도가 1도 상승하면 인류의 기대수명이 0.44년 5개월 1주 감소하는 것으로 나타났는데, 이런 현상은 개발도상국일수록, 그리고 여성일수록 기대수명에 더 큰 영향을 받는다.

조선의 인구도 기후 변화로 20% 이상이 사망했다는 기록이 있다. 숙종 시절은 조선에서 가장 태평성대의 시절로 18세기 영조와 정조의 황금시대 서막을 여는 시발점으로 알려졌지만, 숙종실록을 보면 1697년(숙종 23, 을해년) 음력 1월 23일과 1698년(숙종 24, 병자년) 10월 21일에 대기근이 발생하여 살아남은 백성들도 혹독한 질병까지 걸려 병들지 않은 마을이 없으며, 시체를 옮길 만한 지역도 없다는 참혹했던 당시의 기록이 있다. 이런 대기근이 5년간 지속되었는데, 이를 "을병 대기근"이라고 부른다.

을병 대기근 전 현종 때인 1670~1671년(현종 11)에도 "경신 대기근"이 발생하여 조선이 2년간 초토화되었다. 현종개수실록(현종 11년, 1671)을 보면 서울 내외에 굶은 시체가 도로에 이어져 있고, 부모와 처자가 서로 베고 깔고 함께 죽었고, 혹은 어미는 이미 죽고 아이는 그 곁에서 엎드려 젖을 빨다가 따라 죽기도 했다는 기록이 있다. 주인이 없는 주검이 모두 6,969구, 구덩이에 메꾸어져 있는 해골을 수습하지 못한 것이 얼마인지 알 수가 없다는 기록도 있다.

이러한 두 번의 대기근이 일어난 17세기는 기상학적으로 "소빙기(小氷期)로 지구의 기온이 1~2도 내려서 세계적으로 냉해, 가뭄, 홍수 등 자연재해가 끊이지 않았던 시기로 대흉작과 기근이 해마다 되풀이되어 사망자가 급증했다. 주린 배를 채우기 위해 초근목피로 연명했고, 인육도 마다하지 않는 지경에 이르렀다. 숙종실록(숙종 22년, 1696)에 보면 실성한 백성이 사람 고기를 먹었다는 끔찍한 소식들도 임금에게 속속 보고가 되었다는 기록이 있다. 1698년(숙종 24)에는 청으로부터 받은 곡식 3만 석 중에 1만 석은 백성에게 무상으로 제공하고 2만 석은 유상으로 판매했다는 기록도 있다.

숙종실록에 경신 대기근으로 죽은 사망자가 언급되고 있는데, 수레에 시체를 가득 실어 6~7차례 성문을 나간 죽은 자가 백만에 가까웠다는 기록이 있다. 경신 대기근에 인구가 줄어든 구체적인 통계는 3년마다 호적을 작성하는 "증보문헌비고"에서 파악할 수 있는데, 기근의 참상이 최고조에 달했던 1669~1672년 3년간 가구 수가 16만5,357호로 인구는 46만8,913명이나 줄었다.

그런데 숙종 호시절에 있었던 "을병 대기근"에는 이를 능가한다. 1696년에 처음으로 호구를 만들었는데, 전국 호구는 129만3,083호로 인구는 577만2,300명이다. 1693년과 비교하면 호구는 25만3,391호 인구는 141만6,274명이 줄어서 나라 전체 인구가 20%가 사라진 것이다. 실제로는 지방관이 처벌을 두려워해서 사망자 수를 숨겼을 가능성이 컸으므로 학계는 당시의 조사가 실제 피해 호구의 50% 정도만 기록됐을 것으로 본다. 17세기를 강타한 소빙기는 중장기적으로 많은 변화가 있었다. 이상 저온으로 수목의 생장이 극도로 제한되어 서울로 인구가 집중되면서 산림의 극심한 황폐화를 초래했고, 하층민이 사용하던 온돌이 필수 난방이 되었다.

OECD 회원국(2021) 중에서 온실가스 총배출량이 가장 많은 나라는 미국, 일본, 독일, 한국, 캐나다, 튀르키예, 호주, 영국, 프랑스의 순이다. 유럽연합 배출량 데이터베이스EDGAR가 추산하는 2022년 배출량 순위는 중국(156억8,460만 톤), 미국(60억1,740만 톤), 인도(39억4,330만 톤), 러시아(25억7,980억 톤), 브라질(13억1,050만 톤), 인도네시아(12억4,080만 톤), 일본(11억8,280만 톤), 이란(9억5,200만 톤), 멕시코(8억1,990만 톤), 사우디아라비아(8억1,050만 톤) 등이 10위 권에 들고 있으며 우리나라는 7억2,570만 톤으로 13위에 올라 있다.

# 환경오염이 인류를 위험에 빠뜨리고 있다

기후 변화로 인류가 위험에 처할 수 있지만 또 다른 문제는 사람이 버린 쓰레기로 인한 환경오염이다. 현대 사회에서는 인구 증가와 집중, 산업 발전, 소비 증대에 따른 에너지, 수자원, 토지, 각종 자원 등의 수요가 급격히 증가하였다. 이에 따라 막대한 양의 매연, 오수, 폐기물, 유독 화합물, 소음, 진동, 방사능물질 등이 배출되고, 다시 넓은 지역으로 확대됨으로써 심각한 환경오염이 발생한다. 이러한 환경오염은 인류 생활에 직접 영향을 미치는 대기오염, 수질오염, 해양오염, 토양오염으로 지구의 환경을 돌이킬 수 없는 오염에 빠뜨리고 있다.

대기오염은 석탄, 석유 등의 화석연료 사용, 자동차 배기가스 등에서 나오는 1차 오염 물질과 이들 간의 화학반응으로 생기는 제2차 오염 물질로 발생하게 된다. 대기오염은 먼지, 유기화합물, 일산화탄소, 이산화질소, 유기화합물, 오존 등으로 세분되는데, 특히 먼지와 이산화질소의 피해가 가장 심각하다. 먼지는 호흡기 질환과 눈, 코, 인후 부위의 질환을 일으키며, 이산화질소는 폐 질환, 기관지 염증, 심혈관계 질환 등을 일으킬 수 있다. 이러한 대기오염은 인류뿐만 아니라 지구생태계에도 큰 위협을 주는 심각한 문제다.

대기오염의 원인은 공장에서 나오는 황산, 질산, 황화수소, 질산염 등 다량의 화학물질 배출과 관련된 대기오염이 가장 심각하다. 그리고 자동차, 버스 등의 이동 수단이 가동될 때 발생하는 자동차 배기가스도 오염의 주요 원인이다. 자동차에서는 이산화질소, 탄화수소, 일산화탄소, 미세먼지 등의 유해 물질이 발생하며, 특히 디젤 차량의 배기가스는 미세먼지와 질산염을 다량 포함하고 있다.

도시화 된 건물에서 사용하는 난방, 냉방, 주방 등과 관련된 기기에서 배출하는 일산화탄소, 질산염, 유기화합물, 암모니아, 메탄 등의 유해 물질을 배출한다. 농업 활동을 통해서도 많은 대기오염을 일으킨다. 작물관리를 위한 비료와 농약에서 배출되는 각종 유기화합물과 축산물 축사에서 배출하는 다량의 암모니아도 심각한 대기오염의 원인이 된다.

서울 등 대도시 대기오염의 80%와 소음의 75%는 자동차에서 발생한다. 수질오염의 주요 원인으로는 생활하수, 산업폐수, 농축산 폐수, 가축의 분뇨 등에서 발생하는데, 이 중에서 가장 큰 비중을 차지하는 것은 생활하수다. 생활 분뇨 배출량은 1인당 1일 평균 1.5리터이며, 부엌, 목욕탕, 청소, 세탁용 세제 사용으로 인한 생활 잡수는 1인당 평균 400~500리터가 된다. 농가나 축산 시설에서 나오는 폐수도 심각하여 하천, 호수와 바다의 자정 능력을 마비시키고 있다.

해양오염은 도시의 폐수, 공장의 폐수, 선박의 기름 등에서 생기는데, 폐수와 기름으로 인한 유독물질 피해 이외에도 유기물질이 해수층의 산소를 고갈시켜 생물을 질식사하게 하거나, 과다한 인과 질소 성분이 해수를 오염시켜 플랑크톤을 이상 번식시켜 적조현상 등의 피해를 준다. 플랑크톤은 생체 1g당 구리의 중량과 바닷물 1g의 중량으로 나눈 수치인 구리의 농축계수가 9만 배에 달한다. 이렇게 농축된 유해 물질을 사람이 섭취하여 여러 가지 질병을 일으키게 된다.

토양은 물을 정화하는 필터 역할을 하며 사람이 농사를 이용해 의식주 중에서 식(食)을 책임지는 중요한 역할을 한다. 그런데 이러한 토양이 오염되면 농사를 지을 수 있는 토지와 지하수가 오염되어 심각한 피해를 준다. 자동차, 공장, 발전소에서 나오는 오염 물질, 과도한 시멘트 시공, 과도한 화학 비료 사용, 가정에서 배출되는 쓰레기와 폐수로 인한 황산화물과 질소와 산화물 등이 대기 중에서 수증기를 만나면 산성비로 변하게 된다. 이러한 산성비를 만나면 두통, 인 두통, 목 두통, 기침 등 만성 호흡기 질환 증상을 보이기도 한다.

대부분의 많은 쓰레기는 태우거나 매립 처리하지만, 특히 플라스틱은 그렇게 처리할 수가 없다. 1950년부터 생상한 플라스틱은 총 80억 톤으로 알려져 있는데, 이 가운데 10%도 안 되는 부분만 재활용되고 있다. 2020년 기준으로 세계 플라스틱 생산량을 볼 때 약 3억6,700만 톤으로 지구상 모든 사람의 몸무게를 합친 것보다 더 무겁다. 또한 지금까지 사용되고 있거나 폐기된 플라스틱 무게는 총 8기가 톤gigaton으로 지구의 모든 동물의 무게를 합한 것보다 더 무겁다고 한다. OECD(2022)에 따르면 플라스틱 재활용률은 겨우 9%에 불과하고 90% 이상은 쓰레기로 처리한다고 한다.

이러한 플라스틱 쓰레기의 25%는 코카콜라, 펩시, 네슬레, 다논,

필립모리스 등 다국적 기업 5곳의 제품이고, 절반은 다른 56개 기업과 연관되어 있다. 매년 800만 톤 이상의 플라스틱 쓰레기가 해안국 바다로 흘러가는데 전 세계 바다에 떠다니는 쓰레기의 90%가 플라스틱이라고 한다.

한국의 1인당 플라스틱 배출량은 미국, 영국에 이어 세계 3위에 있다. PET 병, 플라스틱 컵, 비닐 봉투 소비량은 1인당 연간 11.5kg으로 연간 소비량으로 계산하면 586,500톤에 이른다. 한국이 소비하는 생수 PET 병의 평균 지름을 10cm로 계산하면 지구를 10.6바퀴를 도는 길이이며, 플라스틱 컵 소비량은 지구에서 달까지 가는 거리가 되고, 종량제 봉투는 한반도의 70%를 덮는 면적이라고 한다. 식품 포장제 및 용기는 전체 플라스틱 쓰레기의 78.1%를 차지하고 있으며 이러한 플라스틱이 분해되려면 최소한 500년이 소요된다고 한다. 서울시의 "일회용 플라스틱 감축 종합대책"에 따르면 2023년부터 일회용 배달 용기 반입 금지구역으로 "제로 플라스틱 존"을 운영한다. 2023년부터 잠수교 일대 한강공원을 시작으로 2024년에는 뚝섬과 반포한강공원에, 2025년부터는 한강공원 전역을 플라스틱을 포함한 일회용 배달 용기 반입을 전면 금지한다고 한다.

플라스틱은 생분해되지 않아 썩지 않고 햇빛, 바람, 파도 등의 작용으로 아주 작은 입자로 분해된다. 미세 플라스틱은 길이가 1nm~5nm 크기로 육안으로는 볼 수가 없으며, 음식을 싼 포장지, 비닐류, 티백, 물티슈, 옷 등에서 생성되어 식물, 바다의 천일염, 생선 등 무수히 많은 루트를 통해 해로운 물질로 변하여 인간의 몸으로 흡수된다. 수백만의 동물이 매년 플라스틱 때문에 죽어 가고 있으며 코끼리, 하이에나, 호랑이, 낙타, 소 등 약 700여 종의 동물이 플라스틱의 영향을 받는 것으로 알려져 있다. 바다거북은 플라스틱을 해파리로 착각하여 먹이로 먹어서 죽는 등 해양 동물의 생태계도 먹이 사슬로 우리가 먹는 생선, 새우, 홍합 등 해산물을 통해서 우리 식탁에 오르게 된다.

미세 플라스틱이 있는 음료를 마시면 미세 플라스틱이 뇌의 혈뇌장벽BBB: Bood-Brain Barrier까지 침투해서 인지기능까지 저하된다는 연구가 있다. 피렌체 대학 생물학과 연구팀이 미세 플라스틱이 용해된 설탕물을 먹인 꿀벌의 뇌 영상을 분석한 결과를 종합환경과학 Science of the Total Environment(2024)에 투고한 논문에서 이러한 사실을 확인했다. 꿀벌이 미세 플라스틱이 용해된 설탕물을 먹은 약 3일 만에 뇌에 도달하는 것으로 확인되었다. 연구진은 이번 결과로 미세 플라스틱이 꿀벌 및 다른 유기체의 중추신경계에 도달하여 세포뿐 아니라 생화학적 손상을 일으킬 수 있다는 가능성이 있다고 주장한다.

중국 칭다오(靑島) 대학 여성 및 아동 질병 임상의학 연구팀이 직업상 플라스틱에 노출되지 않은 직장 남성 36명의 정액을 분석한 결과 미세 플라스틱이 검출되었다는 결과를 국제학술지 "Science of the Total Environment(2024)"에 발표했다. 모두 8가지 종류의 플라스틱이 검출되었는데, 일회용 식품 용기에 사용되는 폴리스타이랜PS과 포장재와 전기 절연체 등에 사용되는 폴리염화비닐PVC의 미세 플라스틱이 가장 많이 검출되었다.

영국의 브라이튼 대학(University of Brighton)과 포츠머스 대학 (University of Portsmouth)이 공동으로 환경과학 분야의 국제학술지 "Journal of Hazardous Materials(2024)"에 보고한 논문에 의하면 채집한 굴 1Kg 당 최대 11,220개의 유리섬유 또는 유리섬유 강화 플라스틱(GRP) 입자를, 홍합에서는 1Kg 당 2,740개의 유리섬유 입자를 발견했는데, 이는 먹이 사슬 최상위 포식자인 사람에게 악영향을 끼칠 것으로 진단하고 있다.

독성과학Toxicological Sciences에 발표한 논문(2024)에서도 남성 고환에서 미세 플라스틱이 축적되어 있으며, 이것이 남성의 불임 원인으로 작용한다는 놀라운 결과를 발표했다. 연구진은 남성의 고환과 여성의 태반을 비교했는데 남성의 고환에서 3배나 많은 플라스틱을 발견했다. 나이가 많은 노인일수록 더 많은 플라스틱이 발견될 것으로 예상했으나 실제로는 생식능력이 가장 활발한 20~45세에서 검출 수치가 높다가 55세 이후부터는 감소하기 시작했다며 이는 우리 신체가 자연적으로 플라스틱을 제거하고 있다는 증거다. 그러나 미세 플라스틱은 15년 뒤에는 2배, 30년 뒤에는 4배로 증가할 수 있다며 지금 당장 미세 플라스틱에 대한 조치가 필요하다고 주장했다.

미국 일간지 워싱턴포스트WP(2024, 6, 10)가 그간에 발표된 미세 플라스틱에 관련된 많은 연구 결과를 종합 보도하면서 먹고, 마시고, 숨 쉬는 모든 일상에 노출되어 있다며 미세 플라스틱의 위험성을 진단하고 있다. 캐나다 빅토리아대학교 연구진(2019)에 따르면 인간은 매년 7만4천~12만1천 개에 달하는 미세 플라스틱 입자를 들이마시고, 먹고, 마시는 형태로 섭취하고 있는 것으로 알려져 있다. 우리가 마시는 탄산음료와 수돗물, 야채, 과일 등 모든 곳에서 목격되며 공기 중에도 떠도는 것으로 알려져 있다. 미국 펜실베이니아 주립대 연구원은 우리가 입고 있는 합성 섬유로 만든 옷에서도 미세 플라스틱을 배출하고 있으며, 플라스틱을 포장된 음식 등 우리 주변에는 미세 플라스틱이 너플라스틱을 만드는 데 사용하는 1만여 개의 화학물질 가운데 2,400여 개 이상이 유독성이 있는 것으로 밝혀내기도 했다.

미세 플라스틱이 건강에 미치는 영향에 대해서는 아직 정확히 밝혀지지 않았으나 여러 나쁜 영향을 미치고 있다. 여러 연구를 종합하면 미세 플라스틱이 우리 몸의 여러 기관에 침투하여 염증을 일으키고 건강을 위협한다는 많은 증거가 밝혀지고 있다. 공기 중에서 흡입한 큰 입자는 재채기 등으로 배출되지만 $10\mu$m(마이크로미터)보다 작은 입자, 특히 $2.5\mu$m보다 작은 입자는 그대로 몸 안으로 들어오며, 몸 안에서 대식세포(大食細胞)의 공격을 받아도 살아남는다.

이탈리아 반비텔리Vanvitelli 대학의 라파엘레 마르펠라 박사가 이끄는 연구진(2024)은 미세 플라스틱이 동맥에 쌓이면 뇌졸중, 심장병, 조기 사망 위험이 더 높다는 결과를 발표했다. 미세 플라스틱은 세포 조직 손상과 알레르기 반응, 세포 사망 등을 일으킬 수 있고, 호르몬 불균형도 일으켜 생식계통에도 문제를 일으킬 수 있다.

그런데 플라스틱을 완전히 분해할 수 있는 미생물을 개발했다는 소식이 있다. 미국 캘리포니아 샌디에이고 대학UCSD을 중심으로 하는 여러 국가의 공동팀은 플라스틱이 사용되는 동안에는 휴면상태에 있다가 땅에 묻는 등 폐기되면 다시 활성화 되어 플라스틱을 완전하게 분해하는 박테리아 포자를 발견했다. 이번 연구에 한국인 과학자도 포함되어 있는데, 이번 연구 결과는 "네이처 커뮤니케이

션스"에 투고될 예정이라고 한다.

인류의 끝도 없는 이기적 욕망은 언제 끝나게 될까? 인류를 위하여 환경은 당연히 개척하고 개발되어야 한다는 가치관을 바꾸지 않는다면 인류의 생태계 교란 행위는 멈추지 않을 것이다. 환경을 적극적으로 개발하여 이용해야 한다는 서구의 가치관에 비해 동양은 인간은 자연과 함께해야 한다는 천인합일(天人合一) 가치관으로 살아간다. 동양 사상가는 천지 만물의 움직임을 풀이하는 주역(周易)에서 그 중심을 땅(흙)에 두고 기타 원소를 부가적으로 다루고 있어서 동양을 확실한 농경문화, 대지 문화로 묶어 놓았다.

동양은 그래서 서양처럼 자연을 정복의 대상으로 보거나 우주의 중심이 인간에게 있다는 오만한 태도는 없다. 오히려 자연에 대한 경외심을 가지고 자연의 은총을 바라는 가치관을 가질 뿐이다. 우주와 인간은 하나의 유기체라는 유기체적 철학이 동양철학의 기본 사상이다. 인간은 자연의 한 부분으로 제 위치를 지키며 자연 속에서 살아간다는 지혜를 배워야 한다. 개척, 투쟁, 개발, 모험보다는 안정, 평화, 조화, 균형의 가치를 배워야 한다. 인간이 가지고 있는 정신 능력이란 조화를 이루어서 제 위치를 지키게 하는 것 이상 아무것도 아니라는 사실을 깨달아야 할 때가 왔다.

# 곡물 재배 방식에 따라 결정되는 가치관

🌿 실험자가 "자기 자신을 포함해서 친구와의 관계를 그려보라"고 하면 밀농사 지역에서는 자신을 크게 그리는 경향이 높고, 벼농사 지역에서는 자신을 작게 그리는 경향이 높다. 즉 밀농사 지역에서는 자신을 크게 그리면서 "개인"을 강조하는 경향이 높고, 벼농사 지역에서는 자신을 작게 그리면서 "관계'를 강조하는 경향이 높다. 또한 친구와 모르는 사람이 부당한 일을 저질렀을 때, 쌀농사 지역이나 밀농사 지역 모두 모르는 사람에게는 권하는 처벌 정도에 차이가 없었으나 친구일 경우에는 관계를 중시하는 벼농사 지역이 밀농사 지역보다 처벌하는 정도가 약했다.

시카고 대학의 탈레름Thomas Talhelm과 공동 연구팀(2018)은 중국 남부 지역인 홍콩, 상하이, 난징, 광저우 등 쌀농사 지역과 북부 지역인 베이징과 선양 등 밀농사 지역 6개 도시 256개 스타벅스와 커피숍에서 손님 8,964명을 대상으로 앉는 방식을 관찰했다. 그 결과 밀 재배 문화권에서는 혼자 앉는 비율이 35%인데 쌀 재배권에서는 혼자 앉는 비율은 22%에 그쳤다. 이 연구에서 밀농사 지역 소비자들은 통로에 의자가 놓여있을 때 의자를 치우고 나갈 가능성이 크고, 벼농사 지역의 손님들은 놓여있는 의자를 그대로 두고 좁은 틈 사이로 빠져나갈 가능성이 높다. 실제 실험에서 쌀 재배 지역 사람들은 약 6%만 의자를 옮기면서 나갔고, 밀 재배 지역 사람들은 16%가 의자를 옮겨 놓고 나갔다.

중국인 1,162명을 대상으로 "기차, 버스, 철길" 중에서 두 개를 묶어보라고 했다. 중부와 남부 지역은 비가 많이 내려서 벼농사를 짓고, 북쪽 지역은 비가 적게 내려 밀농사를 짓는데, 북쪽 지역 학생은 "기차와 버스"를 하나로 묶었고, 벼농사 지역 학생들은 "기차와 철길"을 하나로 묶는 비율이 높았다. 벼농사 지역 학생들은 개체 간의 "관계"에 집중해서 "기차와 철길"을 하나로 묶었고, 밀농사 지역 학생은 교통수단이라는 범주로 "기차와 버스"를 하나로 묶었다. "양과 개와 풀" 중에서 "양과 개"를 선택하면 개인주의적인 가치를 택한 것이고, "양과 풀"을 택했다면 집단주의적이고 순응적인 가치관을 가진 사람으로 분류한다. 같은 역사적 배경과 유전적 특질을 가진 민족이라도 농사짓는 품종에 따라서 이와 같은 가치관 차이를 보인다.

흥미로운 또 다른 사실은 이 연구에 홍콩인이 있었다. 홍콩은 베이징과 상하이보다 1인당 GNP가 3배 이상 높을 뿐 아니라 오랫동안 영국의 식민지로 서양의 자본주의 정신에 영양 받았다. 그러나 자본주의 특징인 개인주의보다는 쌀 문화 지역의 특징인 상호의존적인 성향이 더 높았다. 이런 결과는 자본화나 근대화보다는 쌀 문화와 밀 문화라는 역사적인 먹거리 문화의 차이가 여전히 사람의 가치관을 통제하고 있다고 결론 내리게 된다.

이러한 결과를 입증하기 위해 미국과 일본의 도시에서 같은 실험을 했다. 그 결과 쌀 문화권인 일본에서는 8.5%의 사람들이 의자를 치우고 갔지만 미국에서는 20.4%가 의자를 치우고 나갔다. 집단주의 문화에 길들은 벼농사 지역 사람들은 사회적 관계와 구조에 장시간 적응해서 상황을 바꾸기보다는 상황에 적응하는 방향으로 상황에 대처한다. 그러나 개인주의 문화에 익숙한 사람은 주어진 상황을 자신이 원하는 방향으로 재배치하여 상황에 적극적으로 대처한다. 개인주의적인 사람은 자신이 세계의 중심이라는 의식이 강하다.

서양인과 동양인을 대상으로 실험해도 결과는 같다. 서양인은 "원숭이, 바나나, 사자" 중에서 속성에 따라 "원숭이, 사자"를 하나로 묶고, 동양인은 관계를 중심으로 "원숭이, 바나나"를 하나로 묶는다. 물고기와 풀이 어우러진 바다 풍경을 보여주고 어떤 것이 보이냐고 물으면 서양인은 물체의 속성을 중심으로 지각하면서 "물고기 한 마리가 왼쪽에서 오른쪽으로 헤엄치고 있다"고 말하고, 동양인은 관계를 중심으로 지각하면서 "아름다운 바다"를 본다고 말한다.

이처럼 정신적인 의식과 가치관은 사는 주변 환경에 의해 영향을 받는다. 서양은 기본적으로 종교적인 개념과 철학적 개념에 영향을 받아 개인주의적인 가치관이 형성되고, 동양은 자연을 바라보는 관점에 의해 집단주의적 가치관이 형성된다는 이론이 주류를 이룬다. 이처럼 먹거리 문제를 해결하는 수단에 따라서 개인주의 가치관과 집단주의 가치관이 결정된다는 이론이 있다. 동양은 "나보다 우리"라는 관계를 강조하고 서양은 "우리보다 나"라는 주체를 강조한다.

농업의 시작은 셀 수 없이 많은 식물 중에서 먹어야 하는 열매 생산성이 가장 높은 품종을 선택하는 과정에서 시작했다. 그런 많은 식물 중에서 인간이 거주하고 있는 지역의 기후에 의해 가장 좋은 품종이 선택되는데, 그런 기후 중에서 강수량이 결정적인 요인이 된다. 현재 인류가 먹거리로 가장 많이 재배하는 곡물은 벼와 밀인데, 어떤 것을 택할지는 지역의 강수량에 의해 결정된다.

　벼는 밀보다 물이 더 많이 필요해서 연간 1,000mm 이상 비가 내려야 하고, 비가 1,000mm 이하로 내리면 밀 재배에 적당하다. 이러한 조건으로 볼 때 대륙의 동쪽 지역은 계절풍의 영향으로 비가 많이 내리는 몬순 기후 지역이다. 따라서 대륙의 동쪽은 벼농사 짓기에 유리해서 유라시아 대륙 동쪽인 한국, 중국, 일본, 동남아시아 국가는 벼를 재배하게 되었다. 그러나 대륙 서쪽 지역은 집중 호우와 같은 장마철이 없이 일 년 내내 비가 고루 내리고 강수량도 동쪽 지역에 비해 상대적으로 적다. 그래서 유라시아 대륙의 서쪽 지역인 유럽은 밀을 재배하게 되었다. 따라서 유라시아 대륙 동쪽인 동아시아 지역에서는 벼를 재배하게 되어서 "밥 문화"가 발달하였고, 유라시아의 서쪽 지역인 유럽에서는 밀을 재배하게 되어 밀가루를 이용하는 "빵 문화"가 발달하였다.

　탈헬름은 "벼농사와 밀농사의 문화적 차이의 증거"라는 논문에서 먹거리 재배의 차이로 가치관을 설명한다. 보통 벼를 생산하는 농사 지역에서는 집단주의적 의식이 강하게 발달하고, 밀을 생산하는 지역에서는 개인주의적 의식이 강하게 발달한다. 인류의 먹거리 역사를 보면 8,000년 전부터 쌀을 재배했지만, 밀은 쌀보다 먼저 재배하기 시작했다고 한다. 쌀은 원산지가 동남아 일대인 아열대성 기후 지역으로 많은 물과 일조량, 비옥한 토지가 필요하다. 노동력만 있으면 단위 면적당 밀농사보다 10~20배 더 많은 수확을 낼 수 있다. 벼농사를 위해서는 물을 끌어오고 공급하는 관개시설이 절대적으로 필요해서 많은 노동력이 필요하고, 끌어온 물은 여러 농가에서 나눠 써야 한다. 이런 과정에서 협동과 공동체를 중시하는 가치관이 생겼다. 벼농사는 수 세대를 걸쳐 집단주의를 택하는 "쌀 문화"를 탄생시켰고, 자연스럽게 중앙집권적인 왕정 국가를 발전시켰다.

벼농사는 저수지 물이나 다른 사람의 땅에서 사용한 물을 내 논에서 사용하고 다시 그 물을 이웃의 땅으로 전달해 주어야 하는 토목공사가 절대적으로 필요하다. 내 것과 네 것의 경계가 모호하다. 이런 방식을 간과하면 농사가 어렵기 때문에 집단적 노동을 통해서 벼를 심고 태풍이 오기 전에 추수해야 한다. 이러한 노동의 과정을 거치므로 벼농사 지역은 가족 단위로 협동심을 발휘하면서 공동으로 생산하고 일한 노동력과는 무관하게 구성원 모두가 똑같이 공동 분배하는 전체주의적 공동의식이 자연스럽게 발달하게 된다.

벼농사는 이웃과 좋은 관계를 갖지 못하면 농사를 지을 수 없다. 다시 말하면 이웃과 잘 지내지 못하면 생존도 위험해지는 것이 벼농사 지역의 삶의 실체다. 벼농사를 짓는 사람들은 모두가 "이웃 사촌"의 관계를 갖는다. 예로부터 동네 빨래터에서 들리는 "평판과 왕따"는 벼농사 사회를 유지하는 사회적 시스템으로 작동하므로 별도로 법정에 가서 시시비비를 가릴 필요도 없이 인민재판식으로 여론을 몰아서 처벌 할 수 있어서 동네 주민의 여론에 매우 민감할 수밖에 없다. 우리나라 사람들을 비롯한 동아시아 국가들은 낙천적인 사람이 매우 드물다고 하는데 그런 이유는 집단주의나 관계 중심적인 성향으로 타인의 생각을 중시하는 관계에서 오는 스트레스에 많이 노출되기 때문일 것이다.

서양은 중세 이전부터 유목과 농경을 하면서 살았기 때문에 적당히 씨를 뿌리고 유목 생활하다가 작물이 다 자랄 때 돌아와 수학하면 되었다. 이런 조건에 맞는 품종이 밀이다. 밀은 사람의 손이 많이 가지 않고 척박한 흙에서도 잘 자라고 잡초와 병충해에도 강하다. 밀은 다소 춥고 건조한 기후에서 잘 자라는 특성이 있어서 유럽에서 많이 재배하였다. 밀은 물기 없는 맨땅에서도 잘 자라고, 노동력도 쌀농사의 절반 정도만 있으면 된다. 벼농사는 1년에 3,000시간의 노동이 필요하지만, 밀농사는 그 절반도 안 되는 1,400시간만 있으면 된다. 그래서 유럽은 동양에 비해 상대적으로 지방분권적 도시국가가 발달하였다.

밀농사는 씨를 뿌리는 모습부터 다르다. 벼농사를 지을 때는 줄을 맞춰서 모를 심지만 밀농사는 땅 위에 혼자서 씨를 뿌리면 된다. 밀은 맨땅에서 자라고 물도 그렇게 많이 필요하지 않아서 집중 호우 없이 비가 적당히 고루 내리는 지역에서 농사를 짓기 때문에 관개시설을 만들 필요도 없다. 서로 협력할 필요도 없고, 모여서 살아야 할 필요도 크지 않다. 밀농사는 개인적으로 투자한 능력에 따라서 수확량이 달라지므로 이런 노동을 하는 사람들은 집단으로 모내기하는 사람들과는 다르게 개인주의적 성향이 강하게 발달하게 된다. 그래서 자연스럽게 밀농사를 짓는 사람들은 벼농사를 짓는 사람들에 비해 개인주의적인 의식이 강하게 발달한다. 집단의식이 강한 벼농사 지역의 이혼율이 개인주의 의식이 강한 밀농사 지역보다 낮은 이유도 이러한 이유에서 찾아볼 수 있다.

쌀은 껍질을 제거하는 도정 과정이 쉽지만 삶거나 쪄서 먹기도 쉬우나 밀은 낟알이 쉽게 깨지지 않기 때문에 껍질만 분리해 낼 수 없다. 그래서 통째로 가루를 내는 제분 과정을 거쳐야 한다. 이런 제분을 위해 큰 규모의 방앗간이나 공간이 있어야 했고 다양한 기계가 필요했다. 16~18세기에 유럽에는 제분용 풍차가 20만 개나 있었다. 제분한 후에도 빵을 만드는 과정도 어렵다. 빵은 밀가루에 호모를 넣고 여러 번 반죽하는 과정에도 시간이 걸리고 오븐이 적정 온도가 될 때까지 불을 때고 굽는 복잡한 과정을 거쳐야 한다. 빵을 만드는 과정이 이처럼 복잡해서 집에서 빵을 만들지 않고 공장에서 빵을 대량으로 만든다. 밀은 쌀에 비해 영양가가 낮아서 고기와 우유 같은 식품을 부가적으로 섭취해야 건강을 유지할 수 있다. 그래서 밀 문화권 사람들은 더 많은 식량 확보를 위해 길을 만들고 대규모로 식량을 확보할 수 있는 상업 위주의 문명이 발달하는 환경을 만들게 되었다. 밀 문화는 이렇게 상업 발달의 원동력이 되기도 했다.

유럽이 해외 식민지 개척을 주도하게 된 것도 주식인 빵이 장시간 보관이 간편해서 군인이 먼 곳으로 이동해도 식량 부족 문제를 겪는 일이 크지 않았다. 그러나 동양의 쌀 문화에서는 먼 거리를 이동하여 침략하는 전쟁은 매우 어려웠을 것이다. 쌀 문화권인 당나라는 고구려를 침략하기 위해 100만 대군을 이끌고 왔는데 식량과 군수품을 옮기기 위해 별도의 100만 명의 추가 인력이 필요했다고 한다. 그러나 몽고는 빠른 말과 함께 밀과 우유를 주식으로 하면서 아시아를 넘어 유럽까지 정복할 수 있었다. 주식이 세상을 바꾼 대표적인 사례다.

쌀 문화와 밀 문화는 이외에도 일상생활 여러 분야에 많은 영향을 끼쳤다. 홍익대 유현준 교수는 동양 지역의 쌀 문화는 "기둥" 중심의 건축술을 유도했고, 서양 지역의 밀 문화는 "벽" 중심의 건축술을 갖게 했다는 흥미 있는 주장을 한다. 벼농사 지역은 물이 많아 땅이 질어서 나무를 자제로 하는 기둥 중심의 건축술이 발달하게 된다. 그러나 밀농사 지역은 물이 적고 땅이 굳어서 벽돌과 돌을 자제로 하는 벽 중심의 건축술이 발달하게 된다. 그래서 쌀을 재배하는 아시아 지역의 건축은 안에서 밖의 자연풍경을 바라보는 디자인 중심의 건축이 발달했고, 밀을 재배하는 유럽지역의 건축은 밖에서 안쪽 건물을 바라보는 디자인이 발달하게 된다. 동양은 오래 가지 못하지만 자연 친화적인 건물이 발달하고 유럽은 오래 가는 크고 웅장한 기하학적이고 대칭적인 건축술이 발달하게 되었다.

# 식성에 따라 진화하지 못하는 소화 능력

🌱 과학자들은 화석 증거를 토대로 원숭이에서 꼬리 없는 유인원으로 갈라진 시기를 대략 2,500만 년 전으로 추정한다. 아직 확실한 증거로 확인된 것은 아니지만 초기 유인원은 나무에 사는 원숭이처럼 네발로 움직였으며 이후 두 발 보행은 수백만 년에 걸쳐 서서히 진화했을 것으로 예측한다. 두 발로 땅에서 살게 되면서 불필요하게 된 꼬리가 없어지고 꼬리의 역할이 두 손으로 옮겨지면서 직립 보행하게 되었다. 이런 과정을 거치면서 사람의 꼬리는 없어졌으나 척추 아래쪽에는 아직도 꼬리뼈(미골)의 흔적은 남아 있다. 모든 일에는 얻는 것이 있으면 잃는 것이 있는 것처럼 인간이 직립 보행하면서 귀찮아진 꼬리를 떼어버린 대신에 새롭게 선천성 척추질환을 얻게 되었다.

남아프리카에서 발견된 400만 년 전 초기 인류 화석으로 추정되는 오스트랄로피데쿠스Australopithecus의 뇌 용량은 400g 정도로 추정되며, 이후 170만 년 전으로 추정되는 최초의 직립원인(直立猿人) 호모 에렉투스Homo Erectus 뇌 용량은 1,000g으로 늘어난다. 그리고 13만 년 전의 화석으로 인류의 조상인 네안데르탈인Homo

Neanderthalensis의 뇌 용량은 1,600g까지 커진다. 이처럼 인간의 뇌는 계속되는 진화과정을 통해서 점점 커졌다. 그러다가 지난 2만 년부터 갑자기 뇌의 크기가 오히려 200g 줄어들어서 지금의 뇌는 1,400g이다.

이처럼 인류의 뇌 용량이 진화하면서 점차 작아지게 되는 이유가 무엇인가? 약 300만 년 전 아프리카 지역에서 살아온 초기 인류 조상은 열매, 뿌리, 과일 등 식물성 자원을 주식으로 했으나 갑작스럽게 기후가 변화하여 생활 터전이 건조하게 변화하자 식물만으로 생활하는 방식으로는 생존하기 어렵게 되어 더욱 다양한 먹거리를 찾아 먼 거리까지 이동하게 되었다. 그리고 생존을 위해서 원래는 먹지 않았던 동물성 고기도 먹을 수밖에 없게 되었다.

맹수들이 내장과 고기를 먹고 버린 뼈에서 돌이라는 석기를 이용해서 처음으로 골수를 빼먹는 방법을 찾게 되었고, 이러한 돌은 점차 쓸만한 석기로 발전한다. 이러한 오랜 세월을 거치면서 석기를 이용해서 점차 고기를 먹게 되고 필요 양보다 더 많은 영양분을 단번에 섭취할 수 있는 기회를 얻게 되었다. 이런 도구의 발달로 필요한 에너지 이외의 잉여 에너지를 얻게 되었고, 잉여 에너지는 두뇌를 발달시키는데 투자할 수 있게 되었다. 결국 건장한 체력과 뛰어난 전술로 석기를 다루어 많은 동물을 사냥하면서 고기도 먹게 되고, 약 150~80만 년 전에는 인류 진화의 결정적 발판으로 여겨지는 "불"도 발견한다.

아프리카 케냐 바랑고 호수 부근에서 140만 년 전 불의 흔적을 발견했고, 남아프리카 공화국 스왈시크란스 동굴에서는 150만 년 전 그슬려 탄 뼈가 발견되었다. 이스라엘의 동굴 유적지에서는 호모 에렉투스와 호모 에르가스테르가 79~69만 년 전에 불을 사용했다는 증거가 발견되었다. 중국 저우커우텐에서는 이른바 베이징 원시인에 의한 기원전 23만~46만 년 경에 불을 사용했던 흔적이 발견되었고, 산시성에서는 검은색이나 재, 회녹색으로 변색된 포유류 뼈가 발견되었고, 윈난성에서도 70만 년 전 것으로 추정되는 불에 탄 뼈가 발견되었다.

인류는 다른 동물과 다르게 적극적으로 불을 활용할 수 있는 방법을 찾아냈다. 그래서 인간은 생으로 먹던 고기를 구워 먹는 것이 가능해졌다. 그동안 단단한 껍질로 이루어진 열매 채집이나 풀뿌리에 연명하던 인간이 식량의 폭이 넓어지고 생존율도 극적으로 높아지게 되었다. 그러나 고기를 먹기 위해서는 보다 나은 소화 기관을 갖추어야 할 당면 문제가 생기게 되었다. 그래서 150만 년 전부터는 식물을 먹는데 길 들었던 몸은 기름진 고기도 소화할 수 있는 "아포 지질 단백질Apolipoprotein"을 분비하는 유전자를 가지게 되었다.

이제 채식을 주식으로 했던 소화 기관에 육식이 첨가되면서 채식에 익숙한 소장의 길이가 짧아지게 되었다. 이러한 결과로 2만 년 전부터는 뇌의 무게가 줄기 시작해서 지금은 1,400g으로 100g 정도 줄어들어서 테니스공 정도의 크기를 잃어버렸다. 뇌가 진화하는 방향을 부피에서 관계로 바꾸어서, 뇌 조직간 보다 더 긴밀한 관계와 소통 체제로 진화하고 있다. 인류는 불을 발견하면서 음식을 익혀서 먹는 요리법을 개발하면서 에너지를 농축하여 섭취할 수 있게 되었고, 그래서 소장의 길이도 그만큼 짧아졌다.

그러나 건강한 자연식 식단이 왜곡되기 시작한 것은 19세기 후반부터 시작된 향신료와 설탕의 대량생산과 광범위한 유통과 밀접한 관계가 있다. 불의 발견 이후 인류는 음식을 더 맛있게 먹을 수 있는 향신료를 찾기 시작했다. 일반적으로 우리가 향신료라고 하면 후추, 계피, 육두구, 고추냉이 등 음식물에 향기와 맛을 더해주는 식물성 물질을 말한다. 이러한 향신료를 구하기 위해서 미지의 세계로 향하는 대항해 시대가 열었고, 오늘날 향신료는 인류에게 없어서는 안 될 필수품이 되었다. 인류의 식생활에 커다란 변화를 가져온 향신료의 종류는 실로 엄청나게 많아서 동남아 지역에서 정통 음식을 만들 때 사용하던 향신료만 해도 20여 가지가 넘을 정도다.

많은 향신료는 아시아 열대지역 식물에서 추출하기 때문에 비록 경제가 발달하고 막강한 군사 대국이라 할지라도 이 지역 사람들 이외에는 그 맛을 보기 어려웠다. 특히 온대지역에 살고 있던 유럽인들이 열대지역까지 와서 새로운 향신료를 구한다는 것은 당시 교통 여건상 어려운 일이었기 때문에 중세까지도 유럽인들의 음식은 정말로 형편이 좋지 않았다. 중세 유럽의 고급 식단도 소금에 절인 돼지고기 정도 밖에는 없었고, 이러한 음식을 여름철에도 그대로 먹는다는 것은 그야말로 고역이었다. 육류는 아무리 소금에 절인다고 해도 부패하기 쉬웠고 맛도 변질하기 쉬워서 부패를 방지하고 입맛까지 돋우는 향신료의 발견은 그야말로 일대 혁명과 같았다. 이러한 향신료 중에 맛과 부패까지 방지할 수 있었던 후추가 당연히 향신료 중의 왕이었다. 바스코 다 가마Vasco Da Gama와 같은 포르투갈 탐험가들은 향신료를 찾아 먼 아시아로 항해를 시작했다가 이후 광대한 해양 제국의 탄생을 예고하기에 이르렀다.

인류는 불과 향신료 발견으로 식생활의 대변혁을 가져왔는데, 설

제3장 환경과의 관계

탕 맛을 알게 되면서 또다시 음식 혁명을 맞게 된다. 초기 설탕은 사탕수수, 대추, 사과 등에서 추출했으나 15세기 후반~16세기 초 이슬람 상인이 설탕을 발견하고 이를 유럽으로 소개하게 되었는데, 초기에는 고가의 상품으로 황금과 마찬가지로 취급되었다. 설탕은 오스트로네시아 사람들이 동남아시아에서 재배하다가 기원전 3,000년경 중국과 인도에 전파되면서 오랫동안 아시아의 비밀로 남게 되었다.

로마와 그리스도 사탕수수를 알았으나 의학용으로 사용했다는 기록만 있다. 기원전 327년 그리스의 니케르쿠스 장군이 인도에는 꿀벌 도움 없이 꿀을 생산하는 갈대가 있는데, 열매를 맺지 않으나 중독성이 있는 음료를 만든다는 기록이 있고, 로마 플리니Pliny 장로는 아라비아에도 설탕을 만드나 인도 설탕이 더 좋다고 기록하고 있다. 인디언도 서기 350년경에 설탕 만드는 방법을 발견했는데, 승려가 결정화 방법을 중국으로 가져와서 당 태종에게 그 비밀을 전수했다고 한다. 그리고 서기 650년경 결정화된 설탕은 중국, 인도, 중동 전역에 전파되었다. 그런 후 850년경 아랍 기업가들이 남유럽과 북아프리카 전역으로 사탕수수 생산을 확대하고 제분소와 정제소 등 대규모 농장을 설립하였다.

유럽에서 십자군 전쟁 직후 설탕은 감미료로 꿀과 경쟁하기 시작한다. 스페인은 1506년부터 재배하기 시작했고, 포르투갈은 1532년에 브라질에서 사탕수수를 재배하기 시작했다. 당시에 설탕은 호화스러운 식품이어서 18세기까지는 부유한 사람만이 가질 수 있었고, 19세기부터 인류 필수품으로 여겨졌다. 설탕 무역은 이 후 콜럼버스가 신대륙을 발견하면서 극대화된다. 아이티와 도미니카공화국에 제분소와 정제소를 만들어 1516년에는 신대륙 최대 생산지가 된다.

포르투갈 탐험가 카브랄Pedro Cabral도 인도 항해 중에 폭풍우를 만나 우연히 브라질에 상륙하여 설탕 농장을 설립한다. 그는 포르투갈 노동자들에게 설탕 생산을 맡기면서 많은 설탕을 생산한다. 사탕수수 재배를 위해 1501~1867년까지 12,570,000명이 아프리카에서 아메리카 대륙으로 운송되는 노예무역이 성행하게 된다. 이로부터 커피, 코콜릿, 차 등이 유럽으로 운송되면서 설탕 수요가 급증하게 되고 노예무역은 더욱 활성화된다. 영국과 미국은 설탕 과잉 생산으로 노예제도의 수익성이 떨어지자 마침내 노예제도를 폐지했고, 브라질도 1888년에 농장에서 노예 사용을 폐지하는 마지막 국가가 되었다.

인류는 이제 설탕이라는 새로운 단맛에 취하여 설탕을 과잉 소비하게 된다. 미국 심장학회 기준에 따르면 성인 하루 적정 섭취량은 남성의 경우 150칼로리(티스픈 9개, 36g) 이하, 여성의 경우 100칼로리(티스픈 6개, 24g) 이하이며 미성년자의 경우는 남녀 모두 6티스픈 이하다. 그러나 사람들은 이보다 훨씬 많은 양의 설탕을 섭취한다. 하버드 공중보건대학원에 따르면 미국인은 하루 평균 티스픈 17개 분량(68g)으로 270칼로리를 섭취하고 있다. 영국의 경우 1인당 설탕 소비량이 15세기에 400~500g이던 것이, 17세기에는 2kg, 18세기에는 7kg으로 급증한다. 한국인도 국민건강영양조사(2018)에 따르면 주요 당 공급원은 과일, 음료, 우유류 등으로 하루 평균 섭취량이 58.9g(티스픈으로 14~15개)을 섭취한다. 남자는 63.4g, 여자는 54.4g으로 남자가 여자보다 더 많이 섭취한다. 연령대로 보

제3장 환경과의 관계

면 10대 청소년의 당 섭취량이 70.2g으로 가장 많다.

인류가 섭취한 당분을 잘 소화하지 못하고 있다는 의미는 진화를 통해서 당분을 제대로 소화할 능력을 갖추지 못했다는 증거이며, 이러한 결과 신체에 부정적인 영향을 미친다는 예측은 당연하다. 결국 1942년에 설탕이 건강에 해롭다는 사실이 알려지기 시작했고, 1966년에는 설탕과 당뇨병과의 관계에 관한 결과가 발표되었다. 당이 많은 음식을 먹으면 허리둘레와 심장에 나쁜 영향을 주고, 뇌에도 부정적인 영향을 준다는 사실이 밝혀졌다. 멕시코의 연구팀이 국제학술지 "암 역학, 바이오마커 및 예방Cancer Epidemiology, Biomaker & Prevention(2024)"에 보고한 연구에 의하면 당분이 있는 캔 음료를 많이 마시면 유방암 발병 확률이 1.89배 높아진다고 한다. 연구팀은 2004년부터 2007년까지 멕시코에 있는 3개 병원에 방문한 35~69세 여성 2,074명을 대상으로 가당 음료 소비량, 유방 조형술, 혈액 검사 결과 등을 상호 비교 분석한 결과 가당 음료 섭취가 유방암 발병과 높은 연관성이 있다는 결론을 얻었다. 설탕이 든 음료를 하루에 한 캔 이상 섭취하는 여성은 한 달에 한 번 이하 섭취하는 여성보다 유방암 발생 확률이 1.89배 높다는 연구 결과를 발표했다.

당분을 과도하게 섭취하면 첫째 식탐과 당류 중독증을 유발하고, 둘째는 기억력과 학습력이 떨어지고, 셋째는 우울증을 일으킬 수 있고, 넷째는 치매와 관련성이 높다. 당분 과잉 섭취는 뇌신경생장인자BDNF: Brain-derived Neurotrophic Factor가 덜 생산되어 기억력을 감소시키며 알츠하이머와 같은 치매와도 연관된다. 다섯 번째로 비만을 유도한다. 당분을 많이 섭취하면 뇌에서 식욕 억제 시스템을 무력화 시켜서 배가 부르다는 신호를 보내는 호르몬을 분비하지 못하기 때문이다. 당분을 과다 섭취하면 당뇨병으로 인한 후유증으로 고생하게 된다. 대표적인 후유증으로 중풍, 심근경색증과 같은 대혈관 합병증과 눈 혈관 합병증, 콩팥 합병증 등의 소혈관 합병증 등에 걸릴 수 있다.

최근 청소년 학생들에게 탕후루(糖葫蘆)의 인기가 많다. 딸기나 포도, 귤과 같은 당도 높은 과일에 설탕 시럽을 끼얹어 건조하여 겉은 사탕처럼 딱딱하나 깨물면 과일의 달콤한 과즙과 말캉한 과즙이 어울리는 식품이다. 하지만 이 때문에 비만과 당뇨의 문제가 걱정되는데, 국민보험공단(2023) 자료에 의하면 13~15세에 해당하는 중학생이 2018년에 1,143명에 불과했던 당뇨병 진단 학생이 탕후루 유행 이후인 2022년에는 2천 명으로 약 1.7배 이상 늘어나고 있다.

현대인은 설탕과 가공된 정제 탄수화물 섭취로 호르몬을 교란하여 인체의 체중 설정값을 올리고 그 결과 비만을 유발한다는 사실이 확실해졌다. 미국인의 비만율은 1980년 15%에서 2017년 45%까지 증가했다. 한국인은 2022년 기준으로 37.2%로 남자가 47.7%, 여자가 25.7%로 남자의 비만율이 높고, 연령별로는 40대가 40.7%로 비만율이 가장 높다. 체중 설정값을 정상으로 돌리기 위해서 정제된 가공식품을 멀리하고, 불확실성이 큰 스트레스를 줄이고 수면 부족으로 오는 호르몬 변화에 노출되지 않는 생활을 하도록 노력해야 한다.

# 신토불이 먹거리 문화와 식량안보 의식

 "농산물은 우리 것이 최고여~~"라고 외치던 홍보 문구는 우리에게 딱 맞는 말이다. 왜냐하면 "신토불이(身土不二)"라는 말은 태어난 몸과 땅은 하나라는 뜻으로 제 땅에서 재배한 것이 내 체질에 맞는다는 논리가 옳기 때문이다. 서양인은 서양에서 재배한 먹거리를 먹어야 맞고, 동양인은 동양에서 재배한 먹거리를 먹어야 하듯이 아프리카 사람은 아프리카에서 재배한 먹거리를 먹어야 각자의 체질에 맞게 건강하게 살 수 있다.

서양권의 먹거리는 대체로 목축업 문화이므로 육식을 해왔고, 동양권은 농업문화이므로 전통적으로 채식으로 건강을 지켜왔다. 오랫동안 이런 식습관을 유지해 왔으므로 소화 기관도 조금씩 다를 뿐만 아니라 신체 기관의 기능도 조금씩 다르다. 예를 들면 소화 기관 중에서 소장은 서양인에 비교해서 동양인이 조금 더 긴 데, 그 이유는 동양인은 채식을 주식으로 하므로 소화할 시간이 좀 더 필요해서 길게 진화해 왔다.

서양인은 고기 소화를 위한 보조 수단으로 탄산음료와 커피 같은 소화용 음료를 개발하였지만, 동양인은 차나 숭늉을 마시는 것으로 충분했다. 개인주의 문화권인 서양인은 고기를 먹기 위해서 개인적으로 칼과 포크를 이용해서 고기를 찢고 자르는 이른바 개인주의적인 "포크 문화"가 발달했고, 집단주의 문화권인 동양인은 "숟가락 문화"로 함께 어울려서 같이 떠서 먹는 통합문화가 발달했다. 육식 문화인 서양에서는 악마 드라큐라도 피를 빨아먹는 동물성 흡혈귀로 묘사되고, 채식 문화인 동양에서는 깊은 산골에 사는 호랑이도 떡을 얻어먹어야 하는 채식성 동물로 묘사하고 있다.

서양 문화의 출발지였던 그리스는 해양성 기후로 여름에 비가 많이 오고 토질이 비옥해서 농업이 적합한 남쪽 지역과 대륙성 기후로 여름에는 강수량이 적어서 농업보다는 목초지를 이용한 목축업이 적합한 북쪽으로 나누어져 있었다. 그런데 남북전쟁이 일어나서 북쪽이 승리하여 북쪽의 생활 습관이 전국적으로 표준화되었고, 결국 이런 흐름이 유럽 전역에 전파되어 유럽 문화가 목축문화로 발전하고 계승하는 중개역할을 하게 되었다.

그러나 동양 문화의 발상지인 중국의 황하강 유역은 해마다 겪게 되는 홍수를 막기 위한 치수 전략만 잘 세우면 농사하기에 적합한 땅이었다. 황하강 남쪽에 있는 양자강 유역은 농사에 적합한 기후였지만 당시의 기술로 양자강 지역의 밀림을 개발할 수 있는 기술이 부족하여, 그 대신에 황하강 유역이 농사 지역으로 활용되었다. 이러한 동서양의 먹거리 차이는 신체 조직과 기능의 차이를 가져왔고, 생활 습관과 가치관까지도 다르게 바꾸어 놓았다.

서양에서 말하는 가축(家畜)이라는 Livestock은 "Live+Stock", 즉 "살아있는 저장품"이라는 의미로 동물을 저장해 두고 필요할 때 먹거리로 활용한다는 뜻이다. 인류의 이러한 가축화 시도는 마지막 빙하기가 끝나고 수렵 생활에서 농경 생활로 삶의 방식을 바꾸면서 시작되었는데, 개는 이미 수렵 생활하던 12,000년 전부터 함께 생활했다. 양, 염소, 돼지, 소의 가축화는 기원전 9,000~7,000년경으로 지금은 고기, 가죽, 유제품 등 많은 자원을 공급해 주고 있지만, 처음에는 월식과 일식 같은 자연현상에 제사를 지내기 시작하면서 미리 제물을 준비하기 위해 야생 가축을 기르기 시작했다.

풍요의 상징인 "달"에 종교적 의미를 부여했던 사람이 구부러진 소의 뿔이 초승달을 연상시켜 제사용으로 소를 가축화했을 것으로 보는데, 희생(犧牲)이라는 한자에 소(牛)가 있기 때문이다. 지금도 힌두교에서는 소를 우주의 어머니로 섬기는 풍습을 보면 소가 제사의 희생물로 가축화되었을 것이라고 짐작된다. 다만 소가 우유를 제공하는 것은 신이 준 선물로 받아들였고, 기원전 4,000년경부터 소는 이동 수단으로 활용되다가 그 후에 농경에 이용되었는데, 인류가 주식이라는 먹거리로 쇠고기에 관심을 가지게 된 것은 제1차 산업혁명(1760년) 이후 영국에서 시작되었을 것으로 본다.

그러나 돼지는 스스로 사람이 거주하는 지역에 내려와서 사람이 소화하지 못하는 쓰레기와 인분을 처리하는 청소부 역할을 했다. 돼지는 정해진 곳에 배설하는 습성이 있어서 그곳에서 작물이 잘 자라는 것을 사람이 우연히 발견하고 돼지에서 퇴비를 생산하는 주요 역할로 활용되었다. 우리 민족이 돼지를 키우기 시작한 역사에 대해서는 남한 학자와 북한 학자 간의 차이가 있지만, 남한 학자는 약 2,000년 전후로 가축화가 되었을 것으로 보고 있다.

같은 일신교(一神敎) 유대교에서 나온 기독교와 이슬람교는 종교적 교리 문제로 여러 면에서 많은 차이가 있지만, 특히 음식문화에서 상당히 다르다. 북유럽권은 비늘이 없는 물고기는 먹지 않는다. 북유럽인과 게르만 민족은 특히 오징어와 문어를 먹지 않는데, 그들은 문어를 "악마의 물고기devil fish"라고 믿는다. 유대교에서는 먹거리 음식 중에 수중 생물로 "지느러미와 비늘이 있는 것"이어야 하는 규정이 있다. 그래서 문어, 오징어, 뱀장어, 가오리, 갑각류, 조개 같은 지느러미와 비늘이 없는 물고기는 먹지 않는다.

한편 이슬람교 신도들은 규율을 엄격하게 지키는 국가이므로 당연히 돼지를 사육하고 소유하고 판매할 수도 없고 먹지도 않는다. 이런 이슬람 규율을 어기면 형법에 의거 처벌받는다. 그들이 먹을 수 있는 음식은 "할랄Halal"이라 부르고, "하람Haram"이라 부르는 음식은 절대 먹으면 안 되는 것으로 종교적 규율로 엄격히 구별하고 있다.

이슬람권에서 금지하는 음식 중 대표적인 음식이 술과 돼지고기인데 특별하게 돼지고기를 금하는 이슬람 경전인 꾸란Quran, Koran에 네 번이나 언급할 정도로 매우 강력히 금하고 있는 음식이다. 돼지고기를 금지하는 대표적인 구절이 꾸란 2장 172절과 173절에 "믿는 자들이여, 하나님께서 너희에게 부여한 양식 중 좋은 것을 먹되 하나님께 감사하고 그분만을 경배하라. 죽은 고기와 피와 돼지고기를 먹지 말라. 그러나 고의가 아니고 어쩔 수 없이 먹을 경우는 죄악이 아니라고 했으니 하나님은 진실로 관용과 자비로 충만하신 분이니라".

힌두교는 소고기를 먹지 않고, 특히 불교 문화권에서는 살생을 금지하는 규율 때문에 육식을 금하고 있다. 대승 불교에 속하는 중국, 대만, 홍콩, 한국, 일본에서는 채식을 고수하고 있지만, 상좌 불교권인 스리랑카, 캄보디아, 미얀마, 라오스, 태국의 스님은 주로 탁발 걸식과 신도들의 식사 초대인 청식(請食)에 의존해서 생활하기 때문에 공개적으로 육식이 허용되고 있지만 오후불식(午後不食)은 엄격히 고수한다.

우리도 소고기 먹는 것을 규제했던 시절이 있었다. 농업을 중시한 조선시대에 농업의 동력인 소를 잡지 못하도록 금했다. 그렇지만 종교적인 규율로 금지하지 않았기 때문에 교묘히 법망을 피해 소를 잡아먹었다. 법적인 규제보다 종교적인 규제가 효율적이지만 조선시대에는 그렇게 할 만한 종교적인 수단이 없었다. 나라님 눈길은 피할 방법이 있었지만 전지전능하신 신의 눈은 피하기는 어렵기 때문에 종교적 규제가 훨씬 더 강력하다. 북한에는 지금도 소를 잡아먹는 행위를 엄격히 금하고 있지만, 장마당에서 쉽게 사 먹을 수 있는 것도 강력한 종교적인 규제가 없기 때문일 것이다.

인도는 83%가 힌두교도인데 그들은 쇠고기를 먹지 않는다. 쇠고기뿐 아니라 가죽과 우유도 얻을 수 있지만 소는 농업에서 뺄 수 없는 도구로 활용되기 때문이다. 거기에다 풀을 먹기 때문에 먹이에 신경을 쓸 필요도 없으며, 살아 있는 소를 잡아서 먹는 것보다 살아있는 소를 활용하는 것이 효율적이라고 판단할 것이다.

그러나 육식을 먹거리로 하는 서양권에서는 개고기는 먹지 않고 채식을 주식으로 하는 동양에서는 개고기는 먹는다. 서양은 목동 역할을 담당하는 충성심 많은 개를 잡아 먹겠다는 생각은 상상도 못 했을 것이다. 개에 대한 인도주의적 입장뿐 아니라 소나 양 같은 가축을 통해서 고기는 마음껏 확보할 수 있었기 때문이다.

2002년에 개최된 서울 올림픽 때 프랑스의 여배우 바르도<sup>Brigitte</sup>

Bardot가 한국인의 보신탕 음식문화를 강력하게 비난한 일이 있었다. 그렇지만 2008년 중국의 북경 올림픽 시절에는 어느 국가 누구도 중국의 보신탕 문화를 비난하지 못했다. 아마도 14억이 넘는 인구가 도전한다면 어느 국가에서도 대항하기 힘들었기 때문일 것이다. 서양인의 음식문화 기준으로 본다면 당연히 개고기를 먹지 말아야 하겠지만, 이런 행위는 분명 문화 제국주의적 태도다. 나는 먹지 않으니 너도 먹지 말라는 식의 문화 제국주의적인 가치관을 문화가 다른 문화에도 강요하는 것은 지나친 억지로 보인다. 나는 먹지 않겠지만 네가 좋다면 먹어도 상관하지 않는다는 문화 상대주의적 개념으로 보면 음식은 단지 그 지역의 환경적 배경에서 유래했던 문화로 이해할 수 있다. 식성은 문화뿐 아니라 같은 문화권에서도 개인마다 다르기도 하지만 항상 변하기도 한다는 점을 존중해 주면 좋겠다.

이처럼 먹거리 문화는 국가 지역에 따라 다양하게 다르지만, 특별히 종교에 따라서 먹는 음식과 금하는 음식을 명확히 구별한다. 종교가 성행하는 곳의 지리 환경에 따라 종교 교리의 엄격성도 다르게 결정된다. 황량한 지역에서 성행하는 이슬람교가 가장 엄격하고, 부드러운 농경 지역에서 성행하는 불교 교리가 가장 약하고, 기독교 교리는 이슬람교와 불교의 중간 정도에 해당한다.

우리는 건강을 위해서 우리가 재배한 먹거리를 먹어야 하는 신토불이(身土不二) 정신도 중요하지만, 식량은 안보에도 매우 중요해서 식량 자급률은 국가의 안보 전략에도 직결된다. 농림축산식품부와 통계청(2024)에 따르면 한국의 곡물 자급률은 OECD 국가 중에서 최하위 수준으로 유엔 식량농업기구 집계 기준으로 2000년

30.9%에서 2020년 19.3%로 20년간 10% 넘게 떨어졌다. 현재 우리는 쌀 자급률 92.8%를 제외하면 다른 먹거리의 90% 이상은 수입하고 있다.

세계 곡물 수입 7위 국가로 2020년 기준으로 밀과 옥수수 자급률은 0.8%, 콩은 30.4%에 그치고 있다. 한국농촌경제연구원KREI (2024)에 따르면 2019년 기준으로 연간 곡물 수요량 2,104만 톤 중에서 76.6%인 1,611만 톤을 수입하고 있다. 밀 자급률은 1980년에는 4.8%였으나 40년이 지난 2019년에는 0.5%로 뚝 떨어졌다. 1인당 소비량은 2010년 32.1kg에서 2020년에 31.2kg으로 큰 변화가 없지만, 국내 밀 생산량은 3만9천 톤에서 1만7천 톤으로 절반 이상 줄었다. 국내에 들어오는 밀은 2019년 기준으로 미국, 호주, 우쿠라이나 3개국에서 전체 수입량의 78.3%를 수입하고 있다. 콩은 미국과 브라질 2개국에서 수입하는 비중이 93.1%에 이르며, 옥수수는 브라질, 아르헨티나, 미국 3개국에서 수입하는 비중이 82.4%에 이른다.

OECD 회원국 중에서 한국과 상황이 비슷한 나라는 일본이다. 두 나라 모두 땅이 좁다 보니 해외 식량 의존도가 매우 높아서 식량안보가 매우 중요하다. 그러나 일본은 1970년부터 식량안보를 강화하기 위해 수년째 공급망 구축에 집중해서 세계식량안보지수GFSI 순위에서 2012년 11위에서 2020년 8위로 상위권을 지키고 있다. 곡물 자급률도 1980년부터 40년 넘게 30% 안팎을 유지하고 있다. 한국도 일본처럼 식량안보를 강화하려면 식량 공급망 구축, 특히 비축량 확보와 공급처 다변화에 우선순위를 둬야 한다는 지배적인 의견이 있다.

# 한국 전통의 건강 음식문화

🌿 우리가 아무리 잘 생기고 돈도 많고 사회적 권력이 높아도 좋은 음식을 먹지 않고는 그런 혜택을 오래 버틸 수 없다. 그래서 우리는 어떤 음식을 먹느냐에 따라서 건강한 신체와 맑은 정신을 유지할 수 있다. 인류는 초기부터 열악한 아프리카 사바나 지역에서 식물의 뿌리나 열매 등 채식을 위주로 살다가 갑작스러운 기후 변화로 미지의 세계로 이동하면서 사자나 하이에나와 같은 육식동물이 먹고 버린 동물의 뼈를 빼 먹으며 생존했다. 그러다 돌을 이용한 석기를 이용하여 정교한 사냥 무기도 만들면서 직접 사냥하면서 생고기를 먹기도 했으나 불을 발견하면서 사냥한 동물을 익혀서 먹는 대변혁을 가져왔다.

현재 유럽 대륙에 있는 도시는 동물을 사냥할 때 잠시 머물던 장소였지만 그곳에서 밀과 같은 곡물을 재배하면서 정착하게 되었다. 점차 도시에 정착하며 곡물을 주식으로 하는 농경 생활과 틈틈이 사냥도 하면서 곡물과 육식을 혼용했다. 그런 후에 가축도 기르고 음식도 맛있게 먹을 수 있는 향신료와 설탕에 눈을 뜨게 되지만 현대 인류가 즐기는 음식 중에는 아직도 소화 기관이 미처 따르지 못하여 여러 가지 소화 문제로 질병을 일으키는 경우가 있다.

우리 모두 건강하게 오래 살기 위해서 운동하고, 스트레스를 받지 말고 좋은 음식을 먹어야 한다. 그중에서 좋은 음식은 서양인이나 동양인이나 공통으로 소화를 잘 시킬 수 있는 음식 메뉴를 권한다. 세계 보건기구WHO가 선정한 10대 장수식품으로 귀리, 연어, 토마토, 마늘, 녹차, 블루베리, 레드와인, 견과류, 브로콜리, 시금치 등 비타민과 미네랄 등 자연 화합물이 많이 있는 음식으로 최고의 질병 치료제로 사용될 뿐 아니라 장수의 비결로도 알려져 있다.

하버드 공중보건대학원에서는 인간의 건강뿐만 아니라 지구 환경에도 도움이 되는 "지구건강식단"을 권하고 있다. 지구건강식단은 온실가스 배출량 감소, 토지 사용 감소, 사망 위험 감소 등 다양한 긍정적 효과를 가져올 식단으로 쇠고기와 돼지고기 대신 가금류나 비건Vegan식품, 동물성 유제품 대신 식물성 대체품, 주스 대신 생과일, 게 대신 연어, 양고기 대신 돼지고기 등을 추천하면서 식물성 단백질과 영양소 균형의 중요성을 강조하고 있다.

건강과 장수에 가장 좋은 식단이라고 알려진 지중해 식단도 과일, 채소, 통곡류, 견과류, 올리브유 등 가공식품이 아닌 자연식품에 중점을 두고 있다. 분명한 점은 인간이 건강하고 장수하기 위한 식품은 곡물이어야 하는데, 그 이유는 우리 몸은 식물성 탄수화물에 맞춰 진화했기 때문이다. 하버드 대학 공중보건학부가 1989~2017년까지 30년간 29만5천여 명의 여성을 대상으로 연구한 미국 간호사 건강 연구Nurses' Health Study 자료를 분석한 결과 식물성 단백질을 섭취하는 여성은 동물성 단백질을 섭취하는 여성보다 건강 노화 지수가 9% 더 높았다. 다시 말하면 식물성 단백질을 많이 섭취하는 여성은 60세 이하의 나이에도 건강하게 늙을 가능성이 크다.

이 연구는 식물성 단백질이 여성이 건강하게 늙을 수 있도록 긍정적인 영향을 미칠 수 있다는 증거로, 동물성 단백질보다 포화지방, 콜레스테롤, 나트륨 함량이 낮고, 식이섬유, 비타민, 미네랄, 항산화물질 함량이 높아서 심혈관질환, 당뇨병, 암 등의 만성질환 위험성을 감소시킬 수 있다. 그 밖에도 인슐린, 성장 호르몬, 염증, 스트레스, 노화 등에 대응할 능력이 있는 것으로 추정한다. 최근에 칼로리 섭취량은 유지하되 탄수화물 섭취 비중을 줄이고 지방 섭취 비중을 올려서 체내 인슐린 저항성을 낮추는 것을 목표로 한다는 인기 있는 저탄고지(低炭高脂) 식품은 인류 진화에 맞지 않아서 장기에 부담을 주고 동맥경화나 암 발생을 높일 수 있다.

미국 하버드 의대 연구팀이 건강한 미국 여성 25,315명의 지중해 식단과 사망 위험과의 관계를 25년간 추적 관찰한 결과를 "미국의사협회지 네트워크 오픈JAMA Network Open(2024)에 발표한 결과에 의하면 지중해 식단을 계속 섭취한 집단은 그렇지 않은 집단에 비해 모든 질병으로 인한 사망 위험률을 23% 줄이는 것으로 확인되었다. 그러나 연구팀은 지중해 식단이 건강에 긍정적인 영향을 미치는 원인이 무엇인지에 대해서는 설명하지 못하고 앞으로 지속적인 연구를 통해서 지중해 식단이 질병으로 인한 사망률을 낮추는 메커니즘을 확인해야 한다고 덧붙였다.

먹이를 사냥하며 살아가는 동물은 먹이를 조절하여 먹지만 얻어먹고 사는 동물은 먹이 조절 능력을 잃어버려 먹이를 과다 섭취하여 비만이 될 확률이 높다는 사례가 있다. 최근에 미국 플로리다 지역의 한 코카콜라 공장 인근에 사는 "코카콜라"라는 별명을 가진 악어가 주민들이 마구 던져주는 고기와 햄과 같은 먹이를 과다하게 얻어먹어서 체중이 204kg, 몸통 길이가 274cm나 되도록 비만이 되어 다른 지역 악어농장으로 옮길 수밖에 없었다는 소식이 있다. 사람도 뛰어다니며 스스로 동물을 사냥하거나 힘든 노동으로 곡식을 재배하여 스스로 먹거리를 해결하지 않고 돈으로 동물성 먹거리를 사 먹기를 즐기는 현대인 중에는 스스로 식사량을 조절하지 못해서 비만이 되는 경우를 흔히 볼 수 있다.

한국의 김치, 된장, 고추장은 세계적인 식물성 발효음식이다. 김치의 기원은 채소를 소금에 절이는 것에서부터 시작된다. 채소 절임은 작물을 오랜 기간 저장하기 위한 수단이므로 인류가 농경 생활 시대부터 존재했다고 추정된다. 현재 채소 절임의 가장 오래된 기록은 약 3000년 전 민요를 담아 모은 주(周) 나라 때의 문헌 시경(時經)이기 때문에 중국이 채소 발효음식의 종주국이라고 주장하기도 한다. 그러나 어느 문헌에나 기록된 원시 형태의 채소 절임 방법은 기술과 방법의 교류나 축적 과정에서 각자 자연 상태, 사회경제적 여건, 민족의 기호에 따라 달라진다. 중국 산동(山東) 지역에서 6세기 전반에 집필한 제민요술(齊民要術)에 의하면 중국은 채소를 건조하거나 데치거나 술이나 식초를 재료로 사용하는 절임류의 비중이 높다. 그러나 한반도의 김치는 소금과 장을 이용하여 생채소를 담그는 형태로 발전했기 때문에 제민요술이 발간된 6세기에 해당하는 삼국시대부터 한반도의 채소 절임 문화는 중국과는 다르게 독자적으로 발전했음을 알 수 있다.

삼국시대에는 채소 절임 음식에 대한 기록은 없으나 고고학적 유물과 주변국인 중국과 일본의 기록 등을 통해 발효음식 문화가 융

성하게 발전했다고 이해된다. 중국 역사서인 삼국지(三國志)에 수록된 위지(魏志)에 고구려인은 발효 저장 음식을 잘 만든다는 기록이 있고, 고려 때 집필된 삼국사기(三國史記)에는 신라 문무왕이 김흥운의 딸을 신부로 맞으면서 보낸 납채, 물, 술, 장, 메주, 젓갈 등의 발효식품이 포함되어 있다는 기록이 있다.

유적으로는 속리산 법주사에 720년에 승려들이 김장용으로 사용하던 대형 돌항아리가 있으며, 통일 신라 시대에 창건된 남원 실상사와 강원도 흥전리(興田里)에 장과 젓갈을 보관하던 장고(醬庫) 터와 젓갈을 항아리에 담아 운송했던 기록이 있다. 일본의 정창원 문서(正倉院文書)와 연희식(延喜式)에 소금 및 콩이나 쌀을 원료로 사용하여 만든 채소 절임인 "수수보리지(須須保利漬)"라는 음식 기록이 있다. 이러한 기록으로 보아 한반도의 채소 절임 문화는 소금과 장을 활용하는 방식이 상당 수준 발전했다고 입증된다.

고려시대에 이규보(李奎報)의 시문을 모아 1241년에 편찬된 동국이상국집(東國李相國集)이 김치 관련 내용을 직접 언급한 가장 오래된 기록이다. 이 책에 실린 가포육영(家圃六詠)이라는 시에 무를 장에 넣으면 한여름에 좋고 소금에 절이면 긴 겨울을 버틴다는 내용이 있어 당시의 김치 종류와 김장 문화를 알 수 있다. 고려 말 이색(李穡)의 시에는 오이로 만든 김치, 우엉, 파, 무를 섞어 만든 김치, 매콤한 산갓김치 등 다양한 김치류가 나오는데 모두 소금과 장을 활용한 젖산 발효 방식을 유도해서 만든 감칠맛이 나는 김치가 주류를 이루고 있다. 조선 초기 서거정(徐居正)의 시 순채포유작(巡菜圃有作)에도 미나리, 자소, 생강, 마늘, 파, 여뀌 등의 양념을 넣은 김치 제조법이 나오는데 이는 장에 절어 만든 김치 제조법이

고려시대부터 이어져 온 것임을 알 수 있는 단서다.

조선시대는 우리가 지금 먹고 있는 김치의 원형이 완성된 시기로 본다. 조선시대의 김치는 세 가지 점에서 어느 나라도 찾아볼 수 없는 독자적인 김치를 발전시켰다. 첫째는 동물성 발효식품인 젓갈이 들어간다. 젓갈이 들어간 최초의 기록은 1600년대 이전의 조리서인 주초침저방(酒醋沉菹方)에 감동저(甘動菹)라는 항목에 처음 등장한다. 감동저는 감동(곤쟁이젓)으로 만든 젓갈로 절인 오이를 버무려 만든 김치로, 감동은 매우 귀한 식재료로 일반 서민은 접할 수 있는 김치가 아니었다. 둘째는 신대륙이 원산지인 고추가 조선 후기에 도입된 후 김치의 원료로 사용되면서 김치의 색과 맛에 혁명적인 변화를 가져왔다. 18세기 이후부터는 젓갈이 보편화되었는데 고추가 젓갈의 비린내를 줄여주는 역할을 했다. 셋째는 김치의 대명사로 알려진 통배추김치 제조법이 완성되었다.

1800년 전후로 조선 땅에도 배추가 재배되기는 했으나 한양의 권세가나 왕실에 납품되는 귀한 식재료로 이전에는 오이, 가지, 무, 동아를 이용한 김치가 주류였다. 그러나 1800년대 중엽 이후 잎이 많이 달린 배추가 일반화되면서 젓갈과 같은 양념을 버무리는 김치가 주류로 자리 잡게 되었다. 18~19세기에 상업의 발달로 김치도 화려해져서 각종 해산물과 여러 종류의 젓갈, 고기나 해산물 육수까지 더해지는 김치 제조법이 널리 퍼졌다.

젓갈은 어패류의 살, 내장, 알 등에 소금을 뿌려 부패균의 번식을 억제하고 어패류 자체의 효소와 외부 미생물의 효소작용으로 육질을 분해한 독특한 맛과 풍미를 자랑하는 발효식품이다. 젓갈은 숙성기간 동안 자체에 있는 자가분해 효소와 미생물이 발효하면서 생기는 유리아미노산과 핵산 분해 산물이 상승작용을 일으켜 특유의 감칠맛을 내게 한다. 신라 신문왕 3년(683년)에 신문왕이 왕비를 맞기 위해 폐백 음식으로 "해(醢)"를 사용했다는 기록이 있는데, 해(醢)는 오늘날의 젓갈을 의미한다. 그 후 고려시대에는 젓갈은 신분의 귀천을 가리지 않고 누구나 상용하는 일반적인 음식이 되었다. 세계 영양학자들도 한국의 수산발효 식품인 젓갈은 단백질 분해작용과 특유의 발효 맛으로 국제적으로 뛰어난 식품임을 인정하고 국제식품으로 널리 보급될 수 있다고 평가하고 있다.

오늘날 우리나라 전통 발효식품인 김치는 지역과 재료에 따라 종류와 담그는 방법에 따라 배추김치, 열무김치, 파김치, 깍두기, 물김치, 나박김치, 동치미, 보쌈김치, 부추김치, 깻잎 김치, 오이소박이, 갓김치 등 200여 종류가 넘는다. 김치는 카로틴, 식이섬유, 페놀성 화합물과 같은 여러 생리활성 물질들이 함유되어서 황산화, 항암, 고혈압 예방 등 여러 기능성을 나타내는 식품이다. 김치를 만드는 방법은 간단해서 채소를 소금에 절었다가 씻은 뒤 각종 양념을 첨가해 발효시키면 완성된다. 김치를 발효시킬 때 생기는 균이 젖산(유산균)인데 채소를 소금에 절이는 과정에서 젖산이 자연스럽게 생긴다. 소금에 절일 때 대부분의 미생물은 죽지만 염분에 잘 견디는 젖산균은 살아남는다.

김치를 양념한 후에 무거운 돌로 꾹꾹 눌러 공기를 빼는데 그 이유는 김치에 사는 젖산균이 산소를 싫어하기 때문이다. 발효를 통해 젖산균이 젖산을 만들어내기 때문에 김치는 상큼하고 시원한 맛이 나게 된다. 젖산은 몸 안에서 소화 효소가 잘 나오게 돕고 해로운 세균의 번식을 억제하고, 발암 물질이 만들어지는 것을 막아내고, 발효되는 과정에서 비타민을 2배 정도 높이기도 하며, 소화된 음식이 잘 배설될 수 있도록 돕는다. 한국 첫 우주인이 국제우주정거장에서 김치를 먹기도 해서 우주식품으로 인증도 받았다. 김치는 다음과 같은 여러 가지 효능이 있는 것으로 알려져 있다.

첫째로 항암 효과가 크다. 캡사이신, 아랄설파이드, 인돌 3, 카바놀 등 성분이 들어 있어 천연 항암제라고 할 만큼 강력한 항암 작용이 있다. 둘째로 식이섬유가 풍부하다. 배추와 무의 풍부한 식이섬유는 당분과 콜레스테롤 흡수를 억제하여 주고 변비와 대장암을 예방한다. 셋째로 무기질과 필수 아미노산을 공급한다. 김치는 대표적인 알칼리성 식품으로 혈액의 산성화를 막고, 젖산균은 해로운 균의 활동을 억제하여 무기질과 필수 아미노산을 공급해 준다. 넷째는 정장 작용을 돕는다. 김치를 매일 300g씩 먹는 사람은 먹지 않는 사람에 비해서 대장 속의 유산균이 100배 가까이 증가한다는 연구 결과가 있다.

다섯 번째로 노화를 예방해 준다. 배추의 페놀 성분과 풀라보노이드, 양념 재료로 쓰이는 마늘, 생강 등이 채소와 상호작용을 하여 탁월한 항산화 작용이 있어서 노화를 예방한다. 여섯 번째로 비타민 A, C, E와 다양한 미네랄이 풍부하다. 고추와 마늘의 캡사이신과 캠페놀은 신진대사를 촉진해서 지방을 연소시켜 체중 감량에 도움을 준다. 일곱 번째로 음양이 완벽하게 조화된 식품이다. 고춧가루를 넣지 않은 동치미 등은 소양인에게 좋고 매운 양념이 많이 들어간 것은 소음인에게 좋다.

된장은 콩을 사용하는 두장(豆醬)과 어패류를 사용하는 육장(肉醬)으로 나눌 수 있는데 우리나라의 장은 대부분 두장(豆醬)에 속한다. 콩의 원산지는 한반도와 만주 일대로 알려져 있으며, 우리나라 최초의 된장 기록은 신문왕 3년(683)에 왕비의 폐백 품목으로 장을 보냈다는 기록이 있고, 고려시대 1404년에 이색(李穡)의 "목은집(牧隱集)"에 나오는 장즙(醬汁)을 간장으로 보는 학설이 있는데 구체적으로 어떤 형태의 장인지 알 수가 없다.

그러나 조선시대 1459년 초기인 세종 때 발간된 산가요록(山家要錄)에 처음으로 구체적인 장류의 종류와 제조법이 기록된 것을 시작으로 하여 여러 고서와 조리서에 다양한 형태의 장류에 관한 기록이 나타난다. 산가요록에 의하면 말장(末醬)이라 불리는 콩으로만 만든 메주로 간장과 된장의 중간 형태인 걸쭉한 장을 담가서 먹었던 것으로 기록되어 있다. 1766년에 발간된 증보산림경제(增補山林經濟)의 동국장법(東國醬法)에는 현재의 한식 메주 제조법과 유사한 방식으로 만든 메주를 이용하여 재래식 된장과 간장을 만드는 과정이 기록되어 있는데 이 방법이 오늘날까지 이어져 우리 고유의 장 담그기의 기본을 이루고 있다.

개량식 된장은 19세기 말 일제 강점기를 거치면서 우리 고유의 재래식 된장이 일본식 된장인 미소 제조법의 영향을 받아 만들어진 것이다. 이처럼 동양권에서는 콩을 재료로 사용하는 두부와 대표적인 발효식품인 된장과 같은 요리는 단백질이 풍부한 건강식으로 애용되고 있지만, 서양권에서는 콩을 먹은 역사가 짧고 소화력도 그렇게 발달하지 않아서 단백질 음식으로 크게 환영받지 못하고 있다.

고추장의 역사는 고추의 도입 시기를 보는 학설에 따라 다르다. 고추의 도입 시기는 크게 두 가지 시기로 구별되는데, 임진왜란 이전으로 보는 학설과 이후로 보는 학설로 나누어진다. 임진왜란 이

제3장 환경과의 관계

전의 학설로는 고추가 도입되기 이전에 이미 호초(胡椒)나 천초(川椒)와 같은 매운맛을 내는 장(醬) 문화가 존재했다는 학설이 있다. 일본의 가이바라 에키켄(具原益軒) 대화본초(大和本草, 1709)에 일본에는 고추가 없었는데 임진왜란 때 조선에서 일본으로 고추를 들여와 고려호초(高麗胡椒)라고 한다는 기록이 있다. 임진왜란 이후 일본으로부터 전해졌다는 학설은 이수광의 지봉유설(芝峯類說)과 이규경의 오주연문장전산고(五洲衍文長箋散稿)를 근거로 한다. 지봉유설에 속칭으로 왜개자(倭芥子)라 불리는 남만초(南蠻椒)가 일본에서 왔는데 술집에서 소주(燒酒)에 넣어 먹기도 했다는 기록이 있다. 오주연문장전상고(五洲衍文長箋散稿)에는 우리나라에서 번초(番椒)는 고초(苦草)라고 하여 남만(南蠻)에서 나왔기 때문에 남만초(南蠻椒)라고도 한다는 기록이 있다.

고추장의 제조법은 소문사설(謏聞事說)의 식치방편(食治方編)에 순창고초장조법(淳昌苦艸醬造法)이라는 다른 지방과는 구별되는 순창의 특별한 고추장 담그는 방법이 소개되어 있고, 조선 후기 의관(醫官) 유중림(柳重臨)의 증보산림경제(增補山林經濟)에는 콩으로 만든 말장(末醬) 가루에 고춧가루와 찹쌀가루, 청장(淸醬)을 섞어서 만든 만초장(蠻草醬)을 소개하고 있다. 그러나 이 중 어느 것을 최초 고추장 제조법으로 볼 것인가에 대해서는 이견이 있다.

# 장수와 건강을 위해 효과적인 운동 방법

🌿 삶을 살아가는 지식과 지혜를 담당하는 중추는 주로 뇌에서 이루어지고, 신체의 건강과 수명을 담당하는 중요 중추는 심장이라는 말이 있다. 그래서 서양에서 의미하는 심리학은 지식이나 지혜와 관련된 행동을 뇌를 중심으로 연구하는 학문이라는 의미에서 정신적인 기능에 기초하여 행동을 설명하려는 학문Psycho+Logy이라는 뜻에서 "Psychology"라고 부르고, 동양에서 심리학이라고 부르는 한자의 의미는 심장의 이치를 과학적으로 연구하는 학문이라는 뜻에서 "심리학(心理學)"이라고 한다. 물론 동양의 심리학도 서양 심리학의 영향권에 있으므로 연구하는 영역이나 방법에서 어떠한 차이도 없으나 동양 의학은 서양 의학과는 다르게 심장을 중심으로 하는 건강에 관심이 크다.

그래서 건강하게 오래 살기 위해서 두뇌를 발달시켜 지능지수를 높이거나 높은 교육을 받아야 하는 것보다는 심장을 효과적으로 잘 관리하는 것이 더 중요하다. 심장의 크기는 주먹보다 약간 크며, 산소와 영양분을 싣고 있는 혈액을 온몸에 흐르도록 분당 60~80회 심장 근육을 수축하는 장기의 엔진과도 같은 역할을 한다. 동물의 수명도 지능지수보다는 생물학적으로 주어진 심장의 사용 한도와 직접적인 관계가 크다. 똑같은 포유류도 쥐의 수명은 기껏해야 2.5년에 불과하지만, 토끼는 5~7년, 사람은 80~90년, 코끼리는 100년 정도 산다.

동물과 사람의 생명은 주어진 심장박동을 모두 채우게 되면 엔진이 꺼지듯 자연스레 수명이 끝나게 된다. 건강한 성인의 분당 안정시 심박수는 남녀 모두 60~100회 범위 안에 있다. 사람의 심장은 평생 30억 회 정도 뛰는데 분당 심박수를 70회에서 60회로 10회만 낮추어도 산술적으로 계산한다면 평균 수명을 80년에서 93년으로 13년이나 늘어나게 할 수 있다는 계산이 된다.

결국 동물의 수명은 "체중 당 산소 소비량"과 가장 깊은 관계에 있다. 체중 당 산소 소비량을 보면 쥐는 사람보다 수십 배나 더 많은 산소를 쓴다. 대량으로 쓰는 산소는 육체를 산화시켜 노화를 촉진하므로 엔진이 꺼지게 되어 결국 수명을 앞당기게 된다. 여성이 남성보다 6~7년 정도 더 오래 사는 이유도 남성과 여성의 평균 기초 대사량을 볼 때 남성의 대사량이 10% 정도 더 많다는 이유로 설명할 수 있다. 그만큼 남성이 여성보다 활동량이 많아서 산소를 더 많이 쓴다는 의미인데, 이러한 이유가 수명의 차이를 보이는 근거가 될 수 있다.

그런데 우리는 하루 24시간 중에서 앉아서 보내는 시간이 점점 늘어나는 산업사회에서 살고 있다. 질병관리청 국민건강통계(2020)에 따르면 19세 이상 성인은 평균 8.6 시간을 앉아서 시간을 보낸다고 한다. 앉아서 보내는 시간이 매년 0.3시간씩 늘어나고 있는데, 여기에 요즘에는 배달 문화가 발달하여 무엇이나 주문하면 집으로 배달해 준다. 움직이지 않고 생활하다 보니 이제는 건강을 위해 돈을 내고 요가, 헬스, 수영, 등산과 같은 운동을 하면서 땀을 흘린다.

그런데 움직이지 않고 앉아서 생활하면 건강에 해롭다는 연구 결과가 많이 있다. 미국 암학회(2023)에 따르면 하루 6시간 이상 앉아있으면 3시간 이하 앉아서 생활하는 사람보다 사망할 확률이 37% 이상 높아진다고 한다. 앉으면 몸속 포도당과 지방을 조절하는 유전자가 작동을 멈추기 때문이다. 암학회에서는 1992년부터 2009년까지 14만6천 명을 대상으로 장시간 앉아서 여가를 보내는 여성을 연구한 결과 암 발생률이 10% 더 높아졌다는 결과를 발표했다.

호주의 빅토리아 대학 "심장당뇨병 연구소"도 25세 이상 성인 8,800명을 6년간 생활 습관을 추적한 결과 하루 TV를 4시간 이상 시청하는 사람은 2시간 미만 시청하는 사람에 비해 심혈관질환으로 사망할 확률이 80% 이상 높다는 결과를 발표했다. 노르웨이 과학기술대도 20세 이상 23,146명을 22년간 사망 시기와 사망 원인을 추적 조사한 결과 앉아서 생활한 집단은 그렇지 않은 집단에 비해 사망 확률이 2배 더 높았을 뿐만 아니라 기억력과 사고력에도 부정적으로 작용한다는 사실이 밝혀졌다.

예를 들어 자동차는 너무 오래 쓰지 않아도 문제이고 너무 과하게 사용해도 문제가 생기듯이 우리 몸도 너무 움직이지 않고 편하게 생활하거나 몸을 너무 많이 써도 건강에 문제가 생긴다. 자동차를 오래 쓰려면 항상 적정 속도를 유지해야 하는 것처럼 우리 몸도 항상 적당하게 움직여 주어야 한다. 따라서 항상 건강 상태를 유지하기 위해서는 적당히 움직여야 하는데, 이러한 적당이라는 원칙은 안정 심박수를 지켜야 한다는 뜻이다. 안정 심박수를 지켜 건강에 유익하다고 생각하는 운동법은 유산소 운동과 무산소 운동으로 나눌 수 있다.

유산소 운동으로는 걷기, 조깅, 줄넘기, 자전거 타기, 수영, 에어로빅댄스, 스피닝과 같은 것으로 운동하는 동안에 규칙적인 호흡을 하는 운동을 말한다. 반면에 무산소 운동은 근육 강화를 위한 역도, 웨이트 트레이닝, 어떤 특정 기술을 연마하는 레슬링, 복싱, 태권도 등 일시적으로 숨을 정지하는 운동이다. 보통 나이를 먹으면 근육 강화에 효과적인 무산소 운동보다 유산소 운동에 더 많은 관심을 가져야 한다. 그런데 어떤 운동을 하던 땀을 지나치게 흘린다면 심장에 무리가 가고 많은 활성 산소를 배출할 뿐 아니라 세포내액인 진액까지도 빠져나가게 됨을 알아야 한다.

따라서 운동은 적당히 해야 한다. 토끼는 뛰어다녀야 하고 거북이는 기어서 다니는 등 모두 자기 보폭에 맞도록 움직여야 한다. 운동을 많이 해서 심장에 무리가 가는 정도가 되고, 땀도 많이 흘려서 세포 진액까지도 빼는 것이 건강에 더 좋다면 모두가 종일 쉬지 않고 뛰어다닐 것이다. 토끼는 토끼의 수준에 맞게, 거북이는 거북이에게 맞게, 소는 소의 속도로, 자동차는 자동차에 맞는 적정 속도 범위 내에서 달려야 하는 것처럼 사람도 안정 시 심박수를 넘으면 신체 건강에 부정적인 영향을 끼치게 된다. 그래서 운동하게 될 때 안정 심박수를 지키는 범위 안에서 적당히 해야 한다.

지금까지의 연구 결과에 따르면 매주 규칙적으로 2~3회, 한 번에 60분을 넘지 않게, 땀은 10분 이상 흘리지 않도록 하는 것이 효과적이라고 한다. 체력적인 조건이 적응되면 조금 늘려 4~5회 이상 해도 좋다. 무엇보다도 효과적이고 안전한 운동을 위해서 지켜야 할 것은 운동 강도를 적절히 설정하는 것이다. 전문가의 도움을 받아 자기 자신의 나이와 안정 시 심장박동수를 고려해 운동 강도를 설정해야 한다. 가장 적절한 목표 심박수를 계산하는 공식은 다음과 같다.

목표 심박수＝{(최대 심박수－안정 심박수)×운동강도(%)}＋안정 시 심박수

여기서 최대 심박수는 "220-나이"로 계산하고, 안정 시 심박수는 손목의 경동맥에서 손끝을 이용해 10초간 측정한 심박수를 측정해서 6을 곱하면 1분간 심박수가 나온다. 운동 강도는 자신의 최대 운동 능력 범위의 60~80%를 말하는데, 초보자는 보통 최대 운동 능력을 40~60%로 정한다. 예를 들면 운동 경험이 거의 없는 70대 노인의 목표 심박수 범위는 다음과 같이 계산하면 된다.

최대 심박수＝220-70(세)＝150(회)/분
안정 시 심박수＝70(회)/분
목표 심박수(40%)＝{(150-70)×0.4}＋70＝102회/분

즉 초보자는 분당 102회의 심박수를 유지하고, 최대 심박수 범위(80%)는 134회를 넘지 않도록 운동하는 방법이 가장 적정한 운동 범위가 된다. 운동 경험이 있는 사람의 경우라면 목표 심박수를 60~80 정도 높여서 해도 되는데, 위의 공식을 이용해 계산하면 최소 118회에서 최대 134회까지 범위를 높여 잡으면 된다. 운동하는 시간은 운동의 강도와 반비례한다. 운동의 강도를 높인다면 운동

제3장 환경과의 관계

시간을 짧게 하고, 운동의 강도를 낮춘다면 운동 시간을 조금 더 늘리면 된다. 유산소 운동은 체지방을 에너지원으로 사용하기 때문에 최소한 계속 15~20분 동안 지속해야 하고, 체력이 점차 향상되면 40~60분 정도로 조금 더 늘려 주면 된다. 일반적으로 준비 시간과 정리 시간을 포함해서 30~60분 정도면 적당하다.

처음으로 운동을 시작한다면 몸에 무리가 따르지 않는 운동을 선택해야 하는데, 가능하다면 전신 근육을 사용하는 운동 중 운동 강도를 조절하기 쉬운 것이 적당하다. 예를 들면 처음에는 걷기, 달리기, 수영, 자전거 타기 등이 좋고, 점차 체력이 향상된 이후부터는 흥미가 있는 또 다른 운동을 선택하면 좋다. 특별히 잊지 말아야 할 것은 운동 종류를 선택할 때 논리적 분석과 같은 좌반구와 관련된 일을 하는 직업인은 반대로 우반구 관련 운동을 선택하는 것이 좋고, 감성적인 일과 관련된 우반구 중심 직업인은 좌반구 관련 운동을 선택해야 진정으로 머리를 쉬게 할 수 있다. 앉아서 연구하는 사람이 또 종일 앉아서 바둑이나 낚시하는 취미는 좌반구를 집중적으로 쓰는 활동이므로 권하고 싶은 취미활동은 아니다.

걷기 운동은 가장 단순하고 안전하면서도 효과적인 운동 방법이라고 알려져 있다. 미국 의사협회에서 걷기와 사망률의 관계를 조사한 연구 결과(2022)가 있다. 40~79세의 영국인 78,500명을 대상으로 7년 동안 추적하여 심혈관질환 및 암과 사망률을 조사했다. 연구 결과 하루에 1만 보까지 걸으면 걸을수록 모든 사망률 지표를 낮출 수 있었다. 하루 보행 수를 2,000보 늘릴 때마다 사망률은 8%, 심혈관계 질환 사망률은 10%, 암 사망률은 11%를 낮출 수 있었다. 보행 강도 역시 각종 질환에 따른 사망률을 낮추는 효과가 있었는데, 분당 75보가 가장 효과적이다. 보폭이 대략 70~80cm라고 한다면 시속으로 3~4 km가 된다.

영국 런던 경제학교London School of Economic 연구팀은 10년간 영국과 남아프리카 공화국 거주민 100만 명 이상을 대상으로 조사한 결과 일주일에 3회 이상 정기적으로 7,500보를 걷는 65세 이상 노인은 사망 위험이 52%, 45~65세 성인은 38%, 전체로 보면 27% 줄어든다는 결과를 확인했다. 일주일에 3번 이상 2년간 5,000보 이상을 걷는 남성은 2.5년, 여성은 3년 정도 기대수명이 늘어나는 것으로 밝혀졌다. 그 밖에도 당뇨병 발생 위험이 낮아지고, 당뇨병이 있는 사람도 사망 위험률이 40%나 감소하는 것으로 효과가 확인되었다.

미국 밴더빌트Vanderbilt 의과대학 연구팀(2022)이 6,042명에게 하루 10시간 이상 6개월간 신체활동 측정기를 착용하고 운동하는 대상에게 걷는 운동이 6가지 만성질환(고혈압, 비만, 당뇨, 수면 무호흡, 위식도 역류질환, 우울장애)에 미치는 영향을 분석한 결과 사망 위험 감소 효과가 가장 좋은 걸음 수는 하루 6,000-8,000보 범위였다. 특히 고혈압과 당뇨는 8,000-9,000보 이상에서는 효과가 정체되었다. 연구진은 만성질환의 위험도를 낮출 수 있는 최상의 정점은 8,200보(약 6.4km)라고 주장하였다. 걷기 운동은 심장 기능을 강화하여 심혈관질환을 예방해 줄 뿐만 아니라 신진대사율을 높여 당수치를 낮추고 비만까지 막을 수 있다. 걷기 운동은 심리적으로 좋은 기분을 유지할 수 있는 부가적인 효과도 함께 노릴 수 있다.

장수학 연구로 유명한 교토부립(京都府立) 의대 연구팀이 걷기와 건강 상태와의 관계를 AI를 이용해 분석한 결과(2024)에 의하면 건강수명을 늘리기 위해서 하루에 9,000 정도를 걸으면 충분하다고 한다. 9,000보까지 걸음 수를 늘림에 따라 건강에 나타나는 효과는 더욱 높아지지만, 9,000보를 넘어서면 거의 효과의 차이가 보이지 않았다. 이러한 효과는 나이와 성별과도 무관하게 같았다.

일리노이 대학(2024)이 20분간 걸을 때와 조용히 앉아있을 때 뇌파 검사EEG를 이용하여 뇌파의 차이를 비교해 보았더니 뇌 회백질 활동이 증가하는 차이를 보였다. 이는 어떤 일을 결정하거나 스트레스를 관리하고 행동을 계획할 때는 적어도 다른 운동보다도 20분간 걸으면 가장 효과적으로 일에 빨리 대처하는 기능이 향상될 수 있는 효과를 볼 수 있다는 뜻으로 해석된다. 우리가 보통 어떤 창의적인 일이나 일이 잘 풀리지 않을 때 조용히 산책하는 것을 권하기도 하는데, 이런 산책의 효과성을 이해할 수 있는 근거가 될 수 있다.

영국 노포크Norfolk와 노리치Norwich 대학 병원 공동 연구팀(2024)이 건강한 사람과 심장마비·말초동맥질환 병력이 있는 35~84세 48만479명을 대상으로 연구한 이전 9편의 연구 결과를 메타 분석한 결과 계단 오르기와 수명 연장과는 깊은 상관이 있음을 확인하였다. 계단 오르기를 하는 사람은 하지 않는 사람에 비해 모든 원인으로 인한 사망 위험이 24%나 낮아졌으며, 특히 심혈관질환으로 인한 사망 위험은 39%나 낮추는 것으로 나타났다. 연구팀은 계단 오르는 수와 오르는 속도는 그렇게 중요하지 않다고 말한다.

# 정신건강을 위한 스트레스 대처 방법

🌿 우리가 매일 만나는 스트레스는 긍정적인 영향을 미치는 좋은 스트레스와 부정적인 영향을 미치는 나쁜 스트레스 두 종류가 있다. 일반적으로 말하는 스트레스는 나쁜 스트레스로 신체적 억압이나 정신적 긴장감, 불안과 흥분 상태를 유발하는 부정적인 심리적 기제로 이것을 해로운 스트레스로 디스트레스Distress라고 부른다. 이런 스트레스에 잘못 대처하면 사람을 지치게 하고 늙고 병들게 한다. 이와는 반대로 정신적, 신체적으로 긍정적이고 유익한 결과를 주는 유익한 스트레스도 있는데 이를 유스트레스Eustress라고 부른다. 기분 좋은 일, 좋은 기대를 유도하는 일에 대해 느끼는 좋은 긴장감으로 이른바 즐길 수 있는 스트레스다. 따라서 건강하게 오래 살려면 다양한 사건에 대해 긍정적인 유스트레스를 이끌도록 스스로 노력하는 마음 자세가 필요하다.

그런데 우리는 삶을 살아가면서 많은 해로운 스트레스를 경험한다. 내가 나에 대한 불만에서 오는 스트레스, 가족과의 관계, 이웃과 친구와의 관계, 직장에서의 업무와 인간관계, 여러 사회 현상과 정치 문제, 지구 환경과의 관계 등에서 경험하는 크고 작은 고민과 스트레스에 시달리며 하루도 걱정 없이 살아가지 못한다. 그러나 그 많은 걱정 때문에 식음을 전폐하고 잠도 못 자면서 걱정해서 문제가 해결된다면 모두가 그렇게 살려고 하겠지만 걱정거리의 90%는 걱정하고 고민해도 해결할 수 없다는 것이 전문가의 견해다. 우리가 걱정해야 할 것은 고민해서 해결될 수 있는 단 10%의 걱정거리만을 해결하기 위해서 적극적으로 걱정하며 살아가야 정신적으로 건강할 수 있다.

그런데 국립정신건강센터가 전국 15~69세 3,000명을 대상으로 조사한 "2024 국민 정신건강 지식 및 태도 조사(2024)"에 의하면 응답자의 73.6%가 지난 1년 동안 정신건강 문제를 경험한 적이 있다고 응답해서, 지난 2022년의 63.9%에 비해 9.7% 늘어났다. 응답자의 46.3%는 심각한 스트레스를 경험했다고 한다. 우리 국민은 걱정할 필요가 없는 문제에도 걱정하는 스트레스 과민 증상에 빠진 것은 아닌지 의심스럽다.

세상에는 스트레스를 너무 많이 받는 직업도 있고 비교적 스트레스를 덜 받는 직업도 있는데, 스트레스를 많이 받으며 살아가는 직업인은 그만큼 수명도 단축된다는 통계 자료가 있어서 놀라지 않을 수 없다. 원광대학교 사회복지학부에서 1963~2010년까지 11개의 직업군에 해당한 3,215명의 사망통계를 40년 동안 추적 분석했다. 11개 직업군은 종교인, 연예인, 교수, 정치인, 고위 공직자, 기업인, 예술인, 체육인, 언론인, 작가, 법조인 등으로 분류했다. 연구 결과 종교인들이 가장 장수했고, 연예인과 체육인은 단명하는 것으로 나타났는데, 그 수명이 무려 13년이나 차이가 난다. 사망통계 10년(2001~2010) 동안의 자료만 보아도 종교인(82세), 교수와 정치인(각각 79세)이 가장 장수한 직업군에 해당하고, 연예인(65세)과 체육인(69세) 등은 단명하는 직업군에 속한다. 놀라운 것은 끊임없이 운동하는 선수가 일반인보다 오히려 수명이 10년 이상 짧다는 충격적인 통계 자료다.

직업에 따라서 수명의 차이가 나타나는 이유가 무엇인가? 단명하는 직업군에 속하는 사람이 음식을 잘못 먹는 것도 아니고, 건강 관리에 게을렀던 것도 아니고, 두뇌를 잘못 쓴 것도 아니다. 사람은 외부 자극에 반응하는 정신적 자세에 따라서 자극에 적절히 반응할 수도 있고, 그와 반대로 잘 반응하지 못해서 신체 질병을 일으켜 건강을 해치기도 한다. 직업적 조건이 사람들에게 예민하게 반응하는 환경을 만들기도 하지만, 그런 직업에 종사하는 사람은 보통 사람보다 더 예민하게 반응하면서 더 많은 스트레스에 시달리게 된다.

스트레스를 많이 받으면 테스토스테론이라는 남성 호르몬 분비가 감소할 수 있어서, 그 결과로 여러 가지 병에 노출되어 단명할 수 있다고 한다. 웨스톤 오스트레일리아 대학University of Western Australia 연구팀이 내과학 연보Annals of Internal Medicine(2024)에 발표한 자료에 의하면 남성 호르몬 수치가 정상 기준치보다 낮은 남성은 어떤 원인이든 사망할 확률이 최대 10% 이상 높은 것으로 확인되었다. 40대 후반에서 70대 중반까지의 남성을 대상으로 이전 자료를 사용해 테스토스테론 수준과 건강과의 관계를 비교했는데, 테스토스테론 수치가 213ng/dL(데시리터당 나노그램) 미만인 남성은 모든 원인으로 인한 사망 위험성이 더 높았고, 153ng/dL 미만인 남성은 심장병으로 사망할 위험성이 더 높은 것으로 나타났다.

테스토스테론 호르몬은 과도한 스트레스 이외에 고열량 음식 섭취, 고환이나 뇌하수체 손상, 비만, 유전 질환, 당뇨병, 정상적인 노화 등으로 분비량이 감소할 수 있다. 테스토스테론 호르몬은 고환에서 생산되는 남성 성호르몬으로 전립선, 고환, 성욕 등 남성의 성적 상징을 발달시키고 유지할 뿐만 아니라 근육과 뼈의 질량 증가, 체모의 성장을 담당한다. 호르몬 수치가 정상보다 낮으면 성욕 부족, 에너지 부족, 우울증, 근육량 손실, 발기 부전, 불임, 수면 부족, 과민 반응 등을 유발할 수 있다.

사람들은 성격에 따라서 하찮은 자극에도 예민하게 반응하여 건강을 해칠 수 있고, 어떤 사람은 웬만한 자극에도 끄떡하지 않고 별다른 반응을 보이지 않고 지나칠 수도 있지만 직업상 높은 스트레스 환경에 노출될 수밖에 없는 사람도 있다.

1960년대 미국 샌프란시스코 의대 심장내과 의사 프리드만Myer Friedman은 자극에 반응하는 성격유형에 따라 심장질환과 높은 관련이 있다는 사실을 밝혀냈다. 특히 반응 민감성이 예민한 성격은 심장질환에 걸릴 확률이 높은데, 그는 이러한 급한 성격을 A형 성격TABP: Tape A Behavior Pattern이라는 이름을 붙였다. 이러한 심장질환 발병 위험성이 높은 성격특성은 성급하고 승부 욕이 강하며, 참을성이 적으며, 화를 잘 내는 특징이 있음을 확인했다. 그의 연구에 따르면 A형 성격은 그렇지 않은 B형 성격TABP: Tape B Behavior Pattern, TBBP에 비해서 심근경색 발병률이 2.12배 높고, 협심증도 2.45배 더 높은 것으로 나타났다.

미국 스탠퍼드 의대 통합의학센터에 따르면 모든 질병의 50~80%가 스트레스와 관련된 원인이 있다고 설명하면서 스트레스는 "만

병의 근원"이라고 주장한다. 스트레스는 직접 면역 체계를 감소시키고, 신체 기능과 관련된 여러 호르몬 분비에 영향을 미치거나, 스트레스가 과음, 과식, 흡연 등 건강에 해로운 생활 습관을 형성시키는 여러 질병과의 연결고리 역할도 한다.

최근 미국 뉴욕의 콜드스프링하버연구소CSHL: Cold Spring Harbor Laboratory가 국제학술지 "암세포Cancer Cell(2024)"에 스트레스가 암을 악화시키고 다른 조직으로 전이까지 시키는 과정을 쥐 실험을 통해 밝혀냈다. 쥐가 스트레스를 받으면 백혈구 세포의 하나인 호중구Neutrophil(好中球)가 끈적끈적한 거미줄 같은 구조물을 만드는데, 이것이 다른 조직에 암이 쉽게 전이되도록 돕는 사다리 환경을 만들어 준다. 따라서 스트레스를 받으면 글루코코르티코이드Glucocorticoid 계열의 스트레스 호르몬(사람은 코티졸)이 호중구에 작용하기 시작하고 호중구가 거미줄 망 구조를 형성한다. 호중구가 침입한 병원체를 공격하여 물리칠 목적으로 거미줄 구조물을 만드는데, 이것이 오히려 다른 조직으로 암을 전이시키는 유리한 환경을 제공하게 된다는 것이다.

험담을 잘하는 성격도 건강에 부정적인 영향을 미친다고 한다. 우리는 보통 "욕"을 하면서 내 마음을 털어내면 스트레스가 해소된다고 믿어왔다. 그러나 잦은 욕설은 뇌 건강을 해치게 된다. 화를 내면 스트레스 호르몬인 코티졸 호르몬이 분비되는데 이 호르몬은 듣는 사람은 물론 자기 자신의 뇌 기능에도 나쁜 영향을 미친다. 핀란드의 공립 종합대학인 동핀란드대학University of Eastern Finland 연구팀은 타인에게 빈정거림, 흉을 자주 보는 사람은 치매 위험이 3배나 높고, 사망률은 1.4배가 더 높다는 사실을 밝혀냈다.

결국 흉을 많이 보는 사람은 사망률도 그만큼 높아진다는 사실이 밝혀진 것이다.

결론적으로 성격이 성실하고 낙천적인 사람은 건강하게 오래 살고, 성격이 급하고 화를 잘 내는 사람들은 심장질환에 걸리기 쉽다. 질병과 수명은 스트레스에 반응하는 민감성과 마음의 평화에 따라 많은 영향을 받는다는 사실을 알아야 한다. 사람들은 누구나 좋은 마음으로 행복하게 살고 싶어 한다. 그러나 현실적으로 상황이 팍팍하고 힘들다 보니 어쩔 수 없이 성격이 예민하게 변하게 되는데, 늘 험담이나 하고 남을 비판하기 좋아하고 질투하기보다는 나 스스로 차분한 여유를 갖는 성격을 갖도록 노력해야 한다.

외부 자극에 반응하는 결과와의 관계를 살펴보면 그 과정이 모두 똑같은 "역U형 곡선", 즉 바가지를 엎어 놓은 형식(∩)으로 일정하게 반응한다. 이를 좀 더 쉽게 설명하면 외부 자극이 적으면 결과도 함께 낮아지고 자극이 많아질수록 결과도 함께 증가하지만, 자극이 일정 수준을 넘게 되면 결과도 함께 다시 낮아지는 관계를 갖는다. 외부의 자극을 스트레스라는 개념으로 바꾸고, 결과를 건강이라는 개념으로 바꿔 설명해도 같은 원칙이 적용된다. 스트레스 수준이 낮으면 건강 수준도 낮고, 스트레스 수준이 높아질수록 건강 수준도 함께 좋아지지만, 그러나 스트레스 수준이 일정 수준을 넘게 되면 건강도 다시 나빠진다.

결론적으로 말하면 어떤 행위의 결과나 건강 수준, 행복의 수준은 외부 스트레스 수준과 "역U형 관계"에 있어서 행위의 효율성을 높이고 건강 상태를 유지하고 행복하게 살기 위해서는 일정한 수준의 적정 스트레스가 필요하다는 말이 된다. 다시 말하면 효율성,

건강, 행복을 위해서는 어느 정도 적정 수준의 스트레스(긴장)가 꼭 필요하다. 효율성을 높이고 삶의 과정을 건강하고 행복하게 유지하기 위해서 적정한 긴장과 스트레스는 인생의 맛을 조정하는 조미료 역할을 한다. 스트레스를 받았다는 영어식 표현으로 "Stressed"라고 쓰는데, 이를 거꾸로 쓰면 "Desserts", 즉 디저트(후식)라는 말로 바뀐다. 적당한 스트레스를 잘 이용하면 맛있는 디저트로 바뀐다는 의미로 해석할 수 있다는 뜻이다.

적정 수준의 긴장이 건강과 수명까지도 담보할 수 있다는 재미있는 예를 들어보겠다. 경제학에 "메기효과Catfish Effect"라는 이론이 있다. 경쟁자가 존재하면 이와 경쟁하는 다른 경쟁자의 잠재력까지도 올려준다는 이론이다. 메기효과에 대한 유래는 노르웨이의 한 어부가 정어리Sardine 수조에 메기Catfish를 넣은 데서 유래했다. 17~18세기 스웨덴, 노르웨이, 핀란드, 덴마크 등 북유럽 어민들의 주 수입원은 정어리의 일종인 청어였다. 그런데 청어는 차가운 해역에서 잘 자라서 육지에서 떨어진 먼 바다에 어장이 형성되기 때문에 청어를 잡아서 항구로 이동하는 동안 많은 청어가 죽어 버린다. 당연히 죽은 청어보다는 살아 있는 것이 훨씬 비싸므로 어부들은 산채로 운반할 방법에 관심이 많았다.

그런데 노르웨이의 한 어부는 늘 청어를 산채로 항구까지 운반하여 돈을 많이 벌었다. 다른 어부들도 그 비법을 알고 싶었지만, 그는 절대로 비법을 공개하지 않았다. 결국 그 어부가 죽은 다음에야 비법이 알려졌는데, 바로 청어의 수조 안에 천적인 메기 몇 마리를 넣는 것이었다. 메기에게 잡혀서 먹힐 위협을 느낀 청어는 항구에 도착할 때까지 살아남기 위해 열심히 움직인 것이다. 바로 천적의 존재가 청어의 생존력을 높인다는 메기효과라는 이론이 생기게 되었다.

돛단배는 적당한 순풍이 불어야 하고, 바람개비와 연은 적당한 역풍이 불어야 잘 돌고 높이 오를 수 있다. 사람은 의도적으로 스트레스 수준을 높이는 공포영화 보기를 좋아하고, 매운 음식을 즐겨 먹고, 육체적 고통을 참으며 다이어트를 하고 고통스럽게 마라톤과 등산도 즐긴다. 어떤 사람은 목숨을 걸고 전쟁터에 자원입대하고, 어떤 사람은 평생 동안 남을 위하여 봉사와 헌신을 한다. "젊어서 고생은 사서 한다, 비 온 뒤 땅이 더 굳다"라는 말과 같이 의도적으로 적당한 고생과 고통을 경험하면 그것이 오히려 우리 삶의 백신 바이러스와 같은 긍정적인 영향을 주기 때문이다.

이러한 인간의 행동에 대해서 예일대 심리학과의 브룸Paul Bloom 은 "최선의 고통Sweet Spot(2021)"이라는 책에서 답을 이야기하고 있다. 행복하기 위해서 적당한 정도의 고통을 경험해야 한다. 정확히 말하면 인류는 고통과 고난을 겪으며 살도록 진화해 왔다는 것이다. 인류의 4대 문명 발상지는 모두 사람이 살기에 적당히 힘들고 적당히 고통스러운 곳이었지만 적절한 고통과 고난을 극복하면서 찬란한 문명을 일으켰다. 그러나 사람이 놀면서 먹고 살기에 가장 좋은 아프리카 사바나 지역에서는 인류가 살아가기 위한 고통이 없으므로 문명이 발전할 수 없어서 초기 인류는 더 나은 삶을 위해 기꺼이 고통이 따르는 대이동의 의도적인 행동을 선택해야만 했다.

영국의 역사학자 토인비(1889~1975)도 강연할 때마다 적당한 고통을 극복해야 하는 이유를 인용할 때마다 그의 핵심 이론인 도전과 응전Challenge and Response 이론을 비유적으로 설명한다. 그는 거친 환경에 도전하는 이런 용기가 없으면 반드시 위기가 찾아온다며, 살기 좋은 환경 조건과 뛰어난 민족이 위대한 문명을 만든 것이 아니라 어느 정도 힘들고 고통이 따르는 환경에 도전하는 의지가 있어서 현대 문명이 탄생한 것이라고 주장한다. 사람도 물질적으로 지나치게 과분하거나 지나치게 부족한 상태에 빠지게 되면 그의 잠재 능력을 상실할 위험에 처하게 되기 때문에 언제나 물질적으로 적당한 조건에서 살아야 한다. 그런데 지금 우리의 현실은 경제적으로 지나치게 흥청거리는 물질적 풍요의 환경에 빠져서 성장할 잠재력을 잃어버리는 실수를 할까 매우 걱정스럽다.

우리 옛말에 생우우환 사우안락(生于憂患 死于安樂)이라는 말이 있다. 어려운 상황은 사람을 분발하게 하지만 안락한 환경에 처하면 쉽게 죽음에 이른다는 뜻이다. 과유불급(過猶不及)이라는 말처럼 정말로 지나친 것은 모자람만 못하다. 과도한 운동이나 스트레스로 생기는 활성 산소는 호흡하면서 생기는 산화력이 높은 산소 찌꺼기들이다. 이런 활성 산소가 적당히 유지된다면 세균이나 이물질의 공격을 방어하지만, 너무 많이 생기면 정상세포도 무차별로 공격해 각종 질병과 노화의 주범으로 활약할 수가 있다. 격한 운동으로 활성 산소를 과도하게 배출하는 운동선수, 부정적 감정에 빠진 사람, 감정 기복이 심한 사람, 많은 스트레스에 노출된 사람은 건강에 위험하고 수명까지 단축될 수 있다.

그렇다면 행복 선진국에서는 어떤 직업을 가장 행복한 직업이라고 생각할까? 직업 만족도가 높으면서 일이 즐겁고 스트레스를 덜받는 직업인데, 직업 행복도가 가장 높은 순위는 사진작가(4.60), 작가(4.48), 항공기 조종사(4.45), 작곡가(4.44), 바텐더(4.36), 인문과학연구원(4.32), 상담전문가(4.28), 인문사회계열 교수(4.24),

성직자(4.24), 환경공학 기술자(4.24) 등이다. 반면에 직업 행복도가 가장 낮은 순위는 모델(2.25), 의사(2.84), 크레인 운전원(3.00), 대형트럭과 특수차 운전원(3.03), 건설기계 운전원(3.04), 귀금속과 보석 세공원(3.16), 애완동물 미용사(3.20), 금형원(3.21), 상점 판매원(3.24), 자동차 정비원(3.24) 등으로 박수를 많이 받는 모델과 돈을 많이 버는 의사가 행복 순위에서 가장 낮은 순위에 있다는 사실에 놀라지 않을 수 없다.

손뼉도 마주 쳐야 소리가 난다는 말과 같이 인간관계에서 내가 아무리 손을 내밀어도 상대가 응하지 않는다면 분명하게 그간의 관계를 확실히 정리해야 한다. 좋은 관계는 10%의 우연과 90%의 노력으로 이루어진다. 그러나 억지로 참고 이해하면서 관계를 유지하게 되면 내 몸 안의 스트레스 호르몬 균형이 깨지면서 면역력이 떨어져 여러 가지 질환이 생길 수 있다. 적당한 긴장과 스트레스 수준을 넘어서 디스트레스로 작용하면 만병의 근원이 되기 쉽다.

우리가 삶에서 경험하는 스트레스 중에서 5%만이 내 노력으로 풀 수 있는 스트레스이며 95%의 스트레스는 해결할 수 없는 쓸데없는 근심과 걱정이다. 이런 스트레스를 참고 견디면 복이 온다는 인자위덕(忍者爲德)이라는 말은 그래서 참는 자에게는 병만 찾아온다는 인자위병(忍者爲病)이라는 말로 해석하며 살아야 한다. 중국의 평균 수명이 30세 전후로 단명했던 2,300~2,500년 전에 순자(60세), 공자(73세), 묵자(79세), 장자(80세), 맹자(83세) 등 중국 사상가들의 수명은 모두 높았고, 노자는 무려 100세를 살았다고 한다. 잘 먹고 운동을 열심히 해서가 아니라 스트레스를 품지 않고 마음을 비우는 방심(放心)이라는 마음 관리를 잘했기 때문이다.

우리는 정신적으로 과도한 스트레스에 노출될 때 스트레스를 풀수 있는 효과적인 방법을 알아두면 좋을 것 같다. 첫째는 부정적인 생각에서 벗어나 긍정적인 면을 찾아서 감정적으로 균형을 회복하려고 노력해야 한다. 인생을 현미경으로 가까이 바라보면 비극적이고 부정적인 면만 보이지만, 망원경으로 좀 더 멀리 바라보면 긍정적이고 희망적인 면이 보인다. 둘째는 매일 이루어낼 목표를 세우고 해야 할 일의 목록을 작성하고, 중간중간에 재충전할 휴식 시간을 넣어서 관리하는 습관을 갖는다. 셋째는 스트레스의 원인을 정확히 파악하여 그 상황에서 벗어날 수 있는 방법을 찾아낸다. 스트레스의 원인이 내 책임이 아니고 다른 사람의 책임일 때는 스트레스에서 벗어나기가 더 어렵다. 자동차를 운전하는 초보 운전자보다 옆에 앉은 동료가 훨씬 더 많은 스트레스를 받는 이유는 비록 초보 운전이라도 스스로 운전할 수 있다는 통제의 책임이 있기 때문이다. 넷째는 내가 바꿀 수 없는 상황이라면 빨리 그 문제에 관한 고민에서 벗어나야 한다. 다섯째로 내 문제를 주변 사람의 결정에 좌우되지 말고 내가 결정을 내려서 분명한 조치를 결정하면 스트레스를 덜 받는다. 여섯째로 스트레스의 원인이 되는 문제에 너무 심각하게 생각하지 말고 조금 떨어져서 유연하고 유머가 많은 감각으로 살아가도록 노력해야 한다. 일곱째는 어려운 상황에서는 친척과 친구, 이웃으로부터 적극적으로 지원을 받는 것도 스트레스를 벗어나는 매우 효과적인 방법이다. 마지막으로 스트레스 상황에서 자신을 부정적으로 생각하여 스트레스를 더욱 강화하지 말아야 한다. 언제나 자신에게 더 긍정적으로 자기 대화를 통해서 스트레스를 경감시키도록 노력해야 한다.

서양권 문화에서는 죽음과 삶을 전혀 다른 이질적인 개념으로 본다. 다만 살아있을 때의 행실을 심판하여 죽을 때 그 심판 결과에 따라서 천당이나 지옥으로 가서 살게 된다고 믿는다. 그러므로 모든 귀신은 절대자인 신과 결투하는 악마로 규정하며 무조건 퇴치해야 하는 악으로 규정한다. 그래서 서양권에서는 윤회와 같은 생각은 인정하지 않으며 제사도 지내지 않으며 상복도 암흑의 상징인 검은 옷을 입는다. 죽음을 두려워하거나 거부하지도 않으므로 죽은 자의 묘지도 집안이나 동네 가까운 곳에 두기도 한다.

그러나 우리 민족은 동양권에 속하는 나라로 동양권 문화에서는 죽는다는 것을 돌아가셨다고 말할 정도로 삶은 잠시 머무는 것이고 죽으면 되돌아가는 것이라는 윤회설을 믿는다. 삶과 죽음은 밤과 낮과 같다는 윤회 사상을 믿기 때문에 제사도 성대하게 치르고 장례 복장도 광명을 상징하는 흰옷을 입는다.

우리는 윤회설을 믿으므로 죽은 후의 영혼에 대해서도 제사를 통해 극진히 모신다. 억울하게 죽은 영혼은 굿을 통해서 좋은 곳으로 가도록 하고 묘지는 가능하면 먼 곳에 둔다. 우리는 현세 긍정적인 생각이 매우 강하여 죽음을 거부하거나 두려워하며 실제로는 삶도 죽음도 모두 중요하다고 생각해서 살아 있을 때 많은 복을 누리고 죽은 후에도 명당에서 다시 환생하려는 생각으로 죽어 간다.

이 장에서는 동서양권에서 바라보는 종교적 가치와 죽은 혼인 귀신에 대한 태도의 차이를 살펴보고, 우리 민족의 고유한 전통 신앙이 어떤 내용으로 구성되어 있는지도 알아본다. 아울러 전통 무속 신앙에서 보이는 단골이 당골이라는 말로 쓰이게 된 과정도 살펴볼 것이다. 특히 우리의 전통 무속 신앙과 유교, 그리고 서양의 종교가 어떻게 공존하며 발전해 왔는지 그 과정을 역사적 관점에서도 살펴볼 것이다.

그리고 죽음이 얼마 남지 않은 노인은 어떤 마음가짐으로 살아갈 것이며 죽음에 대해서 어떤 마음으로 준비해야 하는지도 살펴볼 것이다. 죽음을 판정하는 의학적인 시각의 흐름과 짧은 순간에 죽었다가 다시 살아난 사람들의 죽음에 대한 체험의 의미와 내용이 무엇인지 구체적으로 알아본다. 끝으로 많은 현대인이 종교에서 벗어나고자 하는 탈 종교 현상의 원인이 무엇이며 각 종교계가 현대인의 행복을 위해서 해야 할 과제가 무엇인지 각 종교계의 견해도 살펴보겠다.

# 동서양의 종교적 신념과 귀신에 대한 태도

🌿 인류 역사에서 보통 기원전 3300년~1200년까지를 청동기 시대라고 말한다. 이러한 기원전 시대의 종교적 신념에 관해서 포괄적으로 말하기는 어렵지만 여러 지역과 다양한 문화에서 서로 다른 많은 종교적 신념과 상징을 볼 수 있는데 대략 다음과 같은 주제로 요약될 수 있다.

첫째는 태양 숭배 사상이다. 청동기 시대 메소포타미아, 이집트, 인도와 다른 많은 문화권에서는 태양 숭배 사상을 볼 수 있다. 이집트 신화의 라Ra, 메소포타미아 지역의 우투Utu와 사마쉬Shamash, 힌두교의 수리아Surya와 같은 수많은 신전과 성소들은 모두 태양신에게 종교적 의식을 거행했던 곳이다.

두 번째로 발견되는 것은 동물 숭배적 신념이다. 많은 청동기 문명권에서 강력한 힘의 상징으로 동물을 신성시하는 존재로 인식했다. 이는 자연물이 영적인 본질을 지니고 있다는 믿음과 관련이 있어서 동물의 상징은 특정한 신이나 여신들과 연관되어 있어서 종종 애니미즘Animism과 관련되기도 한다. 고대 이집트에서는 황소가 신성한 아피스Apis 신과 연관되어 있으며 인더스 문명권에서는 뿔 달린 신으로 황소를 숭배했다.

셋째는 청동기 시대에는 비옥함과 농업의 풍요를 중시하는 사회에서 다산, 출생, 양육과 관련된 어머니를 여신으로 숭배했다. 수메르의 여신 이난나Inanna, 이집트의 여신 이시스Isis, 그리고 흔히 뱀여신으로 알려진 미노아Minoa의 신은 모두 모성의 힘을 구현하는 것으로 여겨지는 신의 대상이다.

넷째는 나무와 식물을 신성한 영역으로 들어가는 영역의 상징적인 존재로 숭배했다. 신성한 나무에 대한 숭배는 청동기 시대의 고대 근동과 유럽에서 널리 알려져 있었다. 참나무는 주요 신성과 관련되어 있고, 삼나무와 포플러도 신성시했다. 이집트와 인도에서는 연꽃을 전통 종교적 의미에서 순수함, 부활, 영적인 깨달음과 같은 의미로 숭배했다.

다섯째는 장례 의식을 신성시하고 숭배했다. 청동기 시대에는 죽음과 사후세계에 대해 문화적으로 강조하는 현상을 볼 수 있는데, 죽음을 넘어 생명의 연속성에 대한 다양한 장례 의식과 신념을 발견할 수 있다. 고인을 기리고 사후세계로의 여행을 돕기 위해 봉분, 석관, 무덤과 같은 구조물이 세워졌다. 이 시기에 조상 숭배를 매우 중요시했는데, 사람들은 조상들이 영혼으로 계속 존재하고 잠재적으로 살아 있는 사람에게 긍정적인 영향을 줄 수 있다고 믿는다.

원시 인류의 신앙은 이렇게 물신숭배(物神崇拜), 영혼신앙(靈魂信仰) 또는 만유정령설(萬有精靈說)이라고 번역되는 다분히 애니미즘Animizm 사상으로 모든 물체에는 영혼이 깃들어 있다고 믿어서 죽은 자의 시체에도 정신이 깃들어 있다는 이른바 귀신의 개념을 받아들인다. 애니미즘이라는 말은 라틴어의 아니마(영혼)에서 유래된 말로서 종교의 기원을 설명하는 근본 원리가 된다.

귀신(鬼神)이라는 말에서 귀(鬼)는 죽어서 신체가 망가진 상태를 의미하며, 신(神)은 눈에 보이는 물질적인 현상에서 엎어져서 잠자고 있는 보이지 않는 잠재된 영혼을 의미한다. 귀(鬼)는 인간에게 화(禍)를 내려주는 존재이고, 신(神)은 인간에게 복을 내려주는 존재로 이 둘을 합쳐서 귀신(鬼神)이라고 한다.

그런데 동서양은 문화적, 경제적인 차이로 귀신에 대한 개념에 대해 상당한 차이를 보인다. 동양, 특히 한국에서 귀신은 원한을 풀고 나면 귀신은 반성하고 스스로 사라지며 어려운 사람을 도와준다고 믿는다. 한국의 귀신은 인간에게 해를 주기도 하지만 복도 주는데 동양은 성악설(性惡說)과 성선설(性善說)을 모두 중시하기 때문이다. 인간은 기본적으로 선하다고 믿으므로 원한이 풀어지면 귀신도 선해질 수 있다고 본다. 한국에서는 귀신을 음양설(陰陽說)로 해석하는 경향이 많았다. 한국에서도 이익(李瀷)의 성호사설(星湖僿說)을 보면 귀(鬼)는 음지령(陰之靈)이고, 신(神)은 양지령(陽之靈)이라 하였다. 즉, 생물을 구성하는 본질은 음과 양이라는 두 가지 기(氣)이며, 이 두 가지 기(氣)의 영(靈)이 생물에서 떠나는 경우 혼(魂), 백(魄), 정(精), 신(神) 또는 귀신이 되는데, 이들 혼백과 귀신의 존재 기간은 장단(長短)이 있어서 영원히 존재하는 것은 아니라고 하였다.

귀신의 성정(性情)에 대하여 사람처럼 지각이 있고 인간이 하는 모든 일에 등장하며, 귀신은 원래 기(氣)이므로 들어가지 못하는 곳이 없어서 자유자재로 어디든 통과할 수 있다고 하였다. 귀신은 본래 사람을 현혹하는 일에 흥미가 있어서 괴상한 일로 사람을 속이는 일이 많다고 하였다.

김시습(金時習)도 금오신화(金鰲新話)에서 귀자(鬼者) 음지령(陰之靈), 신자(神者) 양지령(陽之靈)이라고 하였다. 그의 귀신관(鬼神觀)을 요약하면 천지 우주의 만상을 음양이라는 양기(兩氣)의 활동으로 보고 이것을 생사의 두 범주로 나누어 살아있는 상태에 있는 것이 인(人)과 물(物)이고, 죽은 상태인 경우를 귀신(鬼神)이라고 하였다.

무속에서는 보통 귀신은 생물이 죽은 후에 원한이 남아서 저승으로 가지 못하는 매우 불행한 경우를 말한다. 그들이 이승에 남겨진 고리를 모두 끊지 못해 승천하지 못하는 것인데 오래될 경우 그 성정(性情)이 맹목적이고 악하게 변질할 수 있다고 본다. 그들이 이승에 남아 계속 떠돌 때 계속해서 인간의 양기를 갈구하여 흔히 기(氣)가 허한 사람에게 붙어서 빨아들이고, 그렇지 않은 사람이 특정 장소에 있을 때 양기를 취할 수 있다. 특정 부위에 귀신이 붙어서 양기(陽氣)를 흡수할 때 그 부위가 아프거나 결림, 무서움 등의 느낌을 받게 된다. 따라서 귀신은 부정적인 것으로 인간에게서 분리되어야 할 존재로 인식한다. 결국 조상 숭배의 대상이 되는 혈연적 조상과 정신을 제외하고는 모든 잡귀 귀신은 달래거나 위협해서 축출해야 하는 존재로 인식한다.

무당은 대부분 자신이 모시고 있는 신령을 귀신이라고 하지 않고, 귀신을 정신(正神), 조상, 잡귀신 등으로 정확하게 구분해서 부른다. 무속에서는 사람이 죽으면 혼(魂), 귀(鬼), 넋신 등 3가지로 분열된다고 생각한다. 혼(魂)은 하늘로 올라가고, 귀(鬼)는 공중에 떠돌며, 넋은 땅으로 돌아간다. 이 중에서 귀(鬼)와 넋은 인간과의 관계를 유지하는데 제사를 받으면 귀(鬼)와 넋은 만족하여 떠난다. 그리고 넋은 묘지에서 3년간 제사를 받고, 귀(鬼)는 사당에서 4대 봉사를 받는다고 믿는다. 충분한 제사 후 귀(鬼)는 떠나가서 자손과는 관계를 끊는다. 그러나 넋과 귀(鬼)는 정당한 위안을 받지 못하면 응집되어 귀신(鬼神)이 된다.

영혼(靈魂)에도 질량이라는 무게가 있을까? 사람이 죽으면 영혼이 몸에서 빠져나가서 실제로 몸무게가 줄어든다는 사실을 입증한 과학자가 있다. 1901년 4월 1일 미국 메세추세스 주에 사는 의사 맥두걸Duncan Macdougall이 임종이 가까운 남성 5명과 여성 1명 등 6명을 4명의 의사가 지켜보는 가운데 사망 전과 사망 후의 몸무게를 측정하여 영혼의 무게가 21g임을 증명하였다. 그뿐만 아니라 같은 방법으로 15마리의 개의 사망 전과 후의 몸무게 차이를 측정했는데 아무런 체중 변화가 없어서, 오직 인간만이 영혼을 가지고 있다는 결론을 내렸다. 그러나 지금까지 맥두걸의 이러한 주장을 과학적으로 확증하는 과학적 실험은 없다.

하여간 귀신(鬼神)은 음(陰)의 속성을 좋아하여 이와 대조적인 것은 극도로 싫어한다. 예를 들면 빛(인공적이어도 무관함)에 노출되는 것을 꺼린다거나 매운 음식에 약하다. 그래서 집안에서 귀신을 쫓을 때 고추를 볶아 매운 냄새를 온 집안에 진동하게 한다. 귀신이 모이는 장소 또한 음(陰)한 곳인데, 특정 장소가 음(陰)한 기운으로 가득하게 되면 그 위에 볕이 잘 드는 호화주택을 지어도 밤만 되면 귀신(鬼神)의 소굴이 된다고 믿는다.

불교에서는 근본적으로 귀(鬼)와 신(神)을 별개의 존재로 본다. 귀(鬼)는 육도 중생 중의 하나로 공포스럽고 기괴한 모습을 하고 염라왕계에 살고 있다고 본다. 신(神)은 여러 가지 능력을 지닌 특별한 존재이기는 하나 기독교의 개념처럼 절대적인 존재는 아니고 정령과 비슷한 존재로 본다. 귀신이 있다 하더라도 없애야 할 존재는 아니고 그들의 상태를 좋게 바꿔야 할 존재라는 본다. 귀신의 존재를 믿는다면 있는 것이고 믿지 않는다면 없다고 보아도 되는 신념의 문제다. 그래서 귀신을 무엇으로 정의하느냐에 따라서 의심과 믿음도 달라진다.

초기 불교에서는 아귀(餓鬼)가 등장한다. 다음 생으로 태어날 힘을 가지지 못한 존재로 배고픈 귀신이라는 뜻이다. 입에 먹을 것을 가져가기만 하면 음식이 불로 변해 입과 목구멍을 데는 아귀는 괴로움을 받는 존재로 언급된다. 죽은 뒤 다른 존재로 환생하기 전에 머무는 단계인 중음신(中陰神)도 넓은 의미의 귀신이라고 본다. 다만 귀신의 존재를 과장하거나 조상 또는 가족의 영혼이 제대로 천도하지 못했다는 것을 강조하여 마음이 굳세지 못한 이들에게 엉뚱한 경험을 강요하는 것은 바람직하지 못하다고 가르친다.

유교에서는 귀신을 하나로 정하지 못하고 다양한 개념으로 본다. 그러나 공자와 주자의 귀신관(鬼神觀)은 휴머니즘을 기초로 하되 신비한 귀신 현상을 부정하지도 않으며 그것을 합리적으로 설명하려는 인식론적 입장에 선다. 공자가 "산 사람도 잘 섬기지 못하면서 어찌 귀신을 섬기겠느냐"는 말은 귀신에 대한 휴머니즘적이고 현세적인 입장을 볼 수 있다. 귀신보다는 현재 살아 있는 인간, 그리고 곧 다가올 죽음보다는 현재의 삶이 더 중요하고 시급한 문제라는 그의 견해는 이후 동아시아 역사에서 많은 사람의 표준적인 지침이 되었다.

귀신에 관해 언급한 그의 또 다른 구절인 논어 옹야편(雍也篇)에 "귀신은 공경하되 멀리해야 한다(敬鬼神而遠之)"는 말도 이런 맥락에서 해석할 수 있다. 공자는 오늘날 우리가 생각하는 악귀와 같은 귀신을 부정하거나 허구적인 것으로 배척했다고 보아서는 안 된다. 공자는 제사를 지낼 때 항상 귀신이 있는 것처럼 지내야 한다고 말할 정도로 종교적 의례에도 극도로 경건함을 강조했으므로 상당히 종교적인 사상을 엿볼 수 있다.

제자 제아(帝我)가 공자에게 "저는 귀신이라는 말은 들어보기는 했습니다만 그것이 무슨 말인지 모르겠습니다"라고 묻자 공자는 다음과 같이 대답했다. "기(氣)란 신(神)이 왕성한 것이고, 백(魄)이란 귀(鬼)가 왕성한 것이다. 그러므로 귀와 신은 합하여 말해야만 지극한 가르침이다. 여러 생물은 반드시 죽고, 죽으면 반드시 흙으로 돌아가니 이를 일러 귀(鬼)라고 한다. 인간에게 있어서 뼈와 살은 아래로 스러지고 음(陰)은 들판의 흙이 된다. 기는 위로 발현하여 날아가서, 훤히 빛나고 향기가 서려 기분을 오싹하게 하니 이것이 만물의 정(精)이고 신(神)의 드러남이다"라고 대답했다. 여기서 공자는 귀신을 하나의 실체적인 어떤 것으로 말한 것이 아니라 당시의 일종의 유물론적인 사상인 기(氣)의 음양론(陰陽論)에 의거 설명하고 있다.

이에 비해서 서양은 이분법적 논리로 귀신은 닥치는 대로 인간에게 해를 가하고 죽이는 그런 귀신으로 규정한다. 서양 귀신은 기본적으로 마귀나 사탄을 의미한다. 흑백 논리 속에서 흑(黑)에 속하여 반성이나 회계를 할 수 없어서 천사가 될 수는 없다. 이런 의미로 퇴마 의식을 통해 악마나 사탄을 제거하는 것이 목표가 된다. 퇴마

의식을 행하는 신부 역시 귀신은 제거 대상으로 인식하기 때문에 귀신 들린 사람에게 아무런 질문도 하지 않고 "예수 그리스도의 이름으로 명하니 몸에서 나가라'는 식으로 퇴마 의식을 진행한다.

기독교(주류)적인 관점에서 사람은 죽으면 즉시 사심판(私審判)을 통해 천국이나 지옥 중 한 곳으로 가야 한다고 믿기 때문에 귀신은 존재하지 않는다고 말한다. 이론상으로 사심판(私審判)을 피한 소위 "미등록"하거나 "탈주"한 영혼은 없다고 본다. 여기서 사심판(私審判)은 개인적으로 하느님(하나님)의 심판을 받아 영혼의 거취가 정해지는 것을 말한다. 상대적으로 공심판(公審判)도 있는데 이것은 마지막 날 예수 그리스도가 살아있는 자와 죽은 자를 모두 불러 세워 심판하는 것을 말한다.

성경에 등장하는 귀신과 마귀는 모두 악마로 칭하며 사탄이나 악마가 사람을 현혹하는 목적으로 악령이 죽은 자의 기억이나 관념을 뒤집어쓰고 행세하는 것으로 본다. 그래서 한국의 기독교계에서도 조상의 영혼이 현세에도 영향을 미친다는 유교적 이념과 제사를 부정한다. 하지만 일부 개신교의 경우 이런 개념이 통일되기 전에는 다른 귀신의 존재를 부정하지 않았다.

# 민족 고유의 전통 신앙과 복사상

🌿 우리 민족의 고대 신앙은 샤머니즘과 천신신앙(天神信仰)이
며 이는 불교가 들어오기 이전부터 고대 사회를 이끌었던 이념 체
계다. 농경을 기반으로 하는 여러 요소 속에서 우리의 고유 무속 신
앙에 북방에서 들어온 샤머니즘이 합류하여 주술적인 요소가 더욱
강화되었다. 여기에서 흘러나오는 인생관과 영혼 관념은 여러 모습
을 내포하면서 한국 전통문화의 밑바탕을 이루고 오늘날 대중의 의
식구조를 형성하는 기반이 되었다.

원시사회에서는 이 같은 인생관과 영혼 관념에서 정령(精靈)이
가지고 있는 주력(呪力)을 인정한다. 즉 바람의 힘이나 태양의 힘,
동물의 힘, 농작물의 풍요로움 등을 이러한 주술적 힘으로 이룩할
수 있다고 믿었다. 주술적인 것에서 시작한 한국 전통 문양은 선사
시대의 선각화(線刻畵)에서 볼 수 있다. 그리고 이러한 토속신앙은
삼국시대로 이어져 고분벽화나 와당 등의 양식을 보면 무속의 신화
적 요소가 가지고 있는 상징성을 알 수 있다.

조선시대 민화도 무속 신앙을 이어가면서 발전했다. 농경사회에
서 풍요한 농산물 생산을 기원하는 무속이 고유신앙으로서 생활양

식과 풍습을 이룩하고 무속 신앙과 함께 민화적 사상이 움트기 시작했다. 민화에서는 민중의 겸손하고 소박한 마음이 표현되었으며 아무런 꾸밈없는 마음가짐으로 살아간다는 것 이외에는 허영도 없는 마음가짐, 그것이 조선시대 민화의 사상이었다.

결국 우리 민족의 정신세계 형성에 영향을 준 것은 샤머니즘이며 이러한 샤머니즘은 불교, 유교와 어울리는 상태를 이루었고 어느 신앙보다 강렬하게 현세와 수복을 갈구하고 있다. 사전에서 보면 복이란 "삶에서 누리는 좋고 만족할만한 행운 또는 거기서 얻는 행복"이라고 되어 있어서 지극히 현세적인 개념이다.

복(福)의 한자는 "시(示)", 즉 하늘이 사람에게 내린 신의(神意)라는 말과 "부(富)", 즉 배 부분이 불룩한 단지라는 뜻의 합성어로 "복(福)"에는 이 두 가지 뜻이 녹아 있다. 하나는 사람의 힘을 초월한 운수라는 뜻이 있고, 다른 하나는 오붓하고 넉넉하다는 뜻이 녹아 있다. 이렇게 함축된 복의 뜻은 시대와 문화에 따라 다르게 표현되는데, 우리 전통문화에서는 보통 복(福)을 수(壽), 부(富), 귀(貴), 남(男)으로 규정한다.

첫째는 수(壽)의 복으로 무엇보다 우선 오래 사는 것을 최고의 복으로 친다. 물론 수를 누린다는 것은 어디까지나 이 세상에서 오래도록 산다는 것이다. 장수를 바라는 마음은 영원히 죽지 않는 영생이나 저승에서 무한한 삶을 누린다는 생각과는 다르다. 단순히 현세적인 시간의 개념이자 현세를 초월한 영원, 무한이라는 개념과는 다르다. 땡감을 따 먹을 만큼 가난해서 부를 이루지 못해도, 혹은 개똥이나 말똥에 굴러 넘어질 만큼 천하여 귀하지 못해도 그저 이 세상에서 오래오래 살아가기만 하면 된다는 현세 긍정적인 사고가 숨어있다.

둘째는 부(富)의 개념으로 수(壽)를 비는 마음이 죽음으로부터 멀리 떨어져서 오래도록 이승의 삶을 누리려는 소망에서 나온 것이라면 부(富)를 비는 마음은 일차적으로 가난에서 벗어나 이승의 삶을 푸짐하게 누려보자는 소망에서 나온 것이다. 생사(生死)가 짝이 되는 것처럼 부(富)는 빈(貧)과 짝이 된다. 이런 부의 복을 비는 배경에는 "가난 구제는 나랏님도 못한다"는 전통적인 사회의 보편적 빈곤 사상에서 출발한다. "돈만 있으면 금수강산"이라고 생각했기 때문에 어떻게든 가난에서 벗어나려 했다. "돈만 있으면 귀신도 부린다"거나 "돈만 있으면 개도 멍첨지가 된다"고 생각했기 때문에 부를 간절히 소망했다.

셋째는 귀(貴)의 복으로 한국적인 특색이 두드러지게 나타나는 것이 바로 귀(貴)의 개념이다. 예전이나 지금이나 한국인은 자기 자신이나 자손들이 귀하게 되기를 바란다. 귀는 비록 도달하기 쉽지는 않으나 가능성은 누구에게나 열려 있다는 보편적 가치가 되었다. 누구나 노력하거나 학식을 쌓거나 덕을 쌓으면 공경받고 높임을 받는 고귀한 인격, 존귀한 인격이 될 수 있다고 믿어 왔다. 이처럼 보편적이면서 개방적인 가치개념으로서 "귀(貴)"는 복의 상징에 있어서 높은 지위, 높은 벼슬, 곧 관직이라는 출세의 개념으로 이해한다.

한국 직업능력연구원(2024)이 발표한 "직업의식 및 직업윤리의 국제 비교연구"에 의하면 한국인은 사회적 직업 위세가 가장 높은 직업으로 국회의원을 첫손으로 꼽았고 다음으로 약사를 꼽았다. 이와는 반대로 사회적 직업 위세가 가장 낮은 직업으로는 기계공학

엔지니어를 꼽았다. 이 연구는 한국, 미국, 일본, 독일, 중국 등 5개 국에서 18~64세 취업자 각 1,500명을 대상으로 조사했으며 미국과 독일에서는 직업 위세가 가장 높은 직업으로 소방관이 선정되었고 다음으로 소프트웨어 개발자를 꼽았다. 그리고 직업 위세가 가장 낮은 직업으로는 은행 사무직원이 선정되었다. 한국이 직업의 귀천을 권력을 행사하는 관직의 높낮이라는 기준으로 분명하게 구별하는 부끄러운 나라로 알려진 셈이다.

네 번째는 다남(多男)의 복으로 남자를 빌면서 복의 상징은 당대의 복에서 다음 세대의 복으로 새로운 차원을 열게 한다. 세대와 세대를 이어가는 시간의 차원으로 진입한다. 수부귀(壽富貴)는 모두 남성들의 책임이었다면 득남의 복은 기본적으로 여성의 책임이다. 여자가 시집가서 아들을 낳지 못하면 소박을 맞는 것이 칠거지악(七去之惡) 중에서 두 번째 조항에 해당한다고 믿을 정도로 아들을 낳는 것은 아내의 절실한 소망이 아닐 수 없다.

분석적으로 본다면 복(福)에 대한 상징은 "수(壽), 부(富), 귀(貴), 남(男)"이라는 네 가지 범주로 갈라져 있지만, 현실적으로 복의 영역은 하나의 그물 속에 서로 꼬리를 물고 연결되어 있다. 수를 위해서는 부가, 부를 위해서는 귀가, 그리고 다시 귀를 위해서는 남자가 전제되어야 한다는 점에서 복의 개념은 하나의 수레바퀴를 돌도 돈다. 오래 사는 "나"를 중심으로 부의 "집"이라는 수레바퀴가 "아들"로 대를 잇는 궤도를 달리는 순환 궤도다. 수, 부, 귀, 남이라는 개념은 서로 꼬리를 물고 연결되어서 하나의 수레바퀴를 돈다. 그러므로 복의 핵심이 "나"라고 한다면 그 원심적인 궤도는 "집과 가문"을 벗어날 수 없다. 결국 나와 우리 집과 우리 가문을 위해서는 목숨도 바칠 수 있는 가문 이기주의적 특성이 있지만 가문을 벗어난 이웃이나 사회, 국가에는 냉담할 정도로 관심이 없다.

우리의 이러한 전통적인 복사상을 긍정적인 측면에서 본다면 지극히 나와 가문 중심적이고 현세 중심적인 사상이 깊숙이 침투되어 있다고 평가된다. 죽음 앞에서도 복을 위해서 올바르고 정당하게 죽는다면 훌륭한 사람으로 다시 환생할 수 있다는 신념은 지금 현세에서 높은 윤리의식, 도덕과 예의를 지키며 착하게 살아가라는 삶의 강력한 잣대가 되었다.

그러나 부정적인 측면도 간과할 수 없어서, 나와 가족과 가문을 중심으로 하는 가문 이기적 삶의 가치를 중시한다. 이웃과 사회와 국가라는 보다 큰 조직에 대해서는 철저하게 무관심하다. 도킨스의 주장을 받아들인다면 생물학적인 생식본능과 생존 본능에만 집착하는 가문 이기주의적 본능만 보이고, 인간으로서 가치 있는 이웃에 대한 이타주의적 행동은 보이지 않는다. 과거 당파 싸움이 국가보다는 자신과 가문을 위해 피를 흘리고 목숨을 바쳤고, 이러한 가치관은 지금도 정치 싸움에서 국민과 국가보다는 소속한 당과 자신의 입신에만 집중한다.

두 번째로 지적되는 측면은 부(富)에 대한 물질적 망라주의(網羅主義)를 맹신하는 것이다. 망라주의는 물질주의적 배금사상을 넘어 정신적으로나 종교적으로도 많으면 많을수록 좋다는 관념이 팽배해졌다. 다신론이나 범신론적 축원 등 좋은 것을 모두 갖추면 어떻게든 천당에 갈 수 있다는 망라주의적 추구가 물질에서 신앙적인 대상으로까지 확산하고 있다.

세 번째로 지적할 수 있는 부정적인 측면은 누구에게나 부귀를 위한 기회가 열려 있어서 이를 이루려는 과도한 교육열에 집착하고 있다. 교육부와 통계청(2024)의 "2023년 사교육비 조사 결과"를 보면 2023년도 사교육비 총액은 27조1천억 원으로 2022년도 26조 원보다 4.5%가 증가했다. 학생 수는 해마다 급감하는데 사교육비는 계속 증가하는 기이한 현상이다. 이 돈이면 건물 높이 555미터, 지상 123층인 롯데 월드 빌딩을 매년 5개 이상을 짓고도 남는 액수라고 한다. 초중고 학생들의 사교육 참여율은 전년도에 비해 2.8% 증가한 78.5%로 10명 중에서 8명이 사교육을 받는 실정이다. 세계에서 최고의 교육열을 자랑하는 명예스럽지 못한 국가가 되었다.

학생 1인당 월평균 사교육비는 55만3천 원으로 처음으로 50만 원을 넘어서, 2022년(52만4천 원)보다 5.5% 오른 액수다. 학교급별로는 초등학생이 39만8천 원, 중학생이 44만9천 원, 고등학생이 49만천 원으로 전년 대비 각각 6.8%, 2.6%, 6.9% 증가했다. 이러한 사교육비는 소득 수준에 따라 큰 차이가 있어서 월 소득 300만 원 이하 가구에서는 18만3천 원을 지출하고, 월 소득 800만 원 이상 가구에서는 월 67만천 원을 지출하여 4배의 차이를 보인다. 사교육비 참여율은 월 소득 800만 원 이상 가구는 87.9%, 월 소득 300만 원 이하 가구는 57.2%로 나타났다.

사교육비 지출은 월평균 수입뿐만 아니라 부모의 학력이 높을수록 더 많이 지출하는 경향이 뚜렷했다. 자녀 1인당 월평균 사교육비 지출액은 부친의 학력이 대학원 졸업자라면 61만5천 원이고, 대졸인 경우는 47만5천 원이고, 고졸인 경우는 31만8천 원이며, 중졸 이하는 20만2천 원이었다. 이런 경향은 모친도 비슷해서 모친의 학력이 대학원 졸업자라면 64만6천 원이고, 대졸인 경우는 47만 9천 원이고, 고졸인 경우는 31만8천 원이고, 중졸 이하는 17만2천 원이었다.

우리는 세계에서 1인당 소득 대비 양육비가 가장 많이 드는 나라로 선정되었다. 중국 민간 싱크 탱크 역할을 하는 위화인구연구소(宇華人口研究所, 2024)가 발간한 "2024년 중국 양육비용 보고서"에 의하면 한국은 대학 교육비를 제외한 0~18세까지 자녀 한 명을 양육하는데 국내총생산(GDP)의 7.79배인 3억3,045만 원이 들어서 세계 1위라고 분석했다. 중국은 6.3배인 7만4천800달러로 2위를 차지했고, 3위는 이탈리아(6.28배), 4위는 영국(5.25배)이고 다음으로 뉴질랜드(4.55배), 일본(4.26배), 미국(4.11배), 독일(3.64배)의 순으로 양육비를 지출하고 있다. 우리나라 NH투자증권 "100세 시대 연구소"가 추산한 2017년도 양육비로 3억9천702만 원을 발표한 비용과 비슷하다. 자녀 양육비는 2003년에 1억9천702만 원, 2009년에 2억6천204만 원, 2012년에 3억896만 원에 이어 꾸준히 늘어나고 있다.

독일이 1807년 프랑스 나폴레옹 군대에 패배한 후 독일 국민은 날로 타락하여 도덕과 정의는 실종되고 이기심만 가득한 국가로 변해갔다. 이를 개탄한 독일 철학자 피히테Johann Fichte는 프랑스 점령지가 되어버린 베를린 학사원에서 1807년 12월부터 이듬해 3월까지 일요일 저녁마다 피를 토하는 심정으로 국민에게 민족주의적 국가관에 대하여 강의했다. 그리고 그 내용을 1808년에 "독일 국민에게 고함Roden an die Deutschen Nation(1808)"이라는 책으로 출판했는데, 이때 이 책을 출판한 출판사 사장도 반불죄(反佛罪)로 총살되었다.

그러나 그로부터 64년이 흐른 1871년에는 반대로 독일이 프랑스를 점령한다. 국민은 이 전쟁에서 승리하고 개선하는 몰트케Bernhrad von Moltke 원수를 열렬히 환영했다. 그러나 과묵한 몰트케는 "독일 승리는 나와 내 군대의 공이 아니라 교육 현장에서 국민정신을 교육한 선생님들의 공이다. 모든 영광을 선생님들에게 돌린다"며 피히테가 주장한 국민정신을 교육한 교육자에게 공을 돌렸다고 한다. 우리가 이런 상황에 직면했을 때 과연 교육자들이 이런 대접을 받을 수 있을 만큼 교육에 최선의 노력을 했는지 묻고 싶다.

우리는 어느 때부터인지 부귀영화라는 목표를 이루기 위해 정치인, 법조인, 또는 의료인이 되는 것이 꿈이 되었다. 그런데 정치인이 되고 나면 국가의 장래에 대해서는 뒷전이고 당권 유지를 위한 자기들만의 당리당략에 빠져 진흙탕 싸움으로 세월을 보내고 있으며, 사법고시에 한 번 합격하면 부귀가 있는 이곳저곳에 끼어들어 마치 만물박사인 것처럼 매사 참견이고, 의료인은 자기 밥그릇 지키는 데 혈안이다. 국민도 온갖 수단과 방법을 동원하여 어떻게 하든 관직을 얻어서 출세하고 돈만 많이 벌면 된다는 이기주의적 의식에 빠져 있다. 사회와 국가가 총체적 난관에 빠져버린 느낌이다. 어쩌면 이런 현상은 우리 가슴 속에 흐르고 있는 전통적인 이기주의적 복사상과 깊은 관련이 있는지 모르겠다.

# 전통 무속 신앙과 유교와 서양 종교

🌿 한국 무속의 기원이 되는 시대는 고조선이라고 할 수 있다. 고조선 건국 신화인 곰과 호랑이가 인간이 되기 위해 환웅이 제사를 지낸다는 내용이 나오는데, 이는 무속의 핵심인 신과 인간의 소통을 보여주는 것으로 해석된다. 고조선 시대에는 태백산과 신단수 등을 신성시했던 것으로 보아 애니미즘, 토테미즘, 샤머니즘 등의 신앙이 존재했음을 알 수 있다.

삼국시대에는 제천(祭天) 의식을 비롯한 다양한 종교적 의식이 행해졌다. 제천 의식은 하늘에 제사를 지내는 의식으로 고구려의 동명왕릉 제천 의식, 백제의 웅진 백제 제천 의식, 신라의 천신제 등이 유명하다. 삼국시대에는 솟대, 당산목, 무가 등 무속의 기본적인 요소들이 형성되었다.

고려시대에는 무속이 더욱 발전하여 굿이라는 종교 의례가 정착되었다. 굿은 무당이 주관하는 신과 인간의 소통을 위한 의식으로 무당이 신을 모시는 역할을 했다. 그러나 고려시대에 신사(神祠)는 존중했으나 무당(여성)과 박수(남성)를 일컫는 무격(巫覡)은 배격하는 이중적인 모습을 보였다. 고려시대 이규보(李奎報)는 신사(神

祠)나 성황당(城隍堂)을 찾지는 않았으나 무격에는 반감을 표했다. 반란군을 진압하러 갔을 때도 신사(神祠)를 찾아 제문을 직접 써서 제사를 지내며 신을 높였으나 무격은 칼로 쳐 죽이고 싶다는 격한 반응을 보였다. 이로 보아 고려시대에는 승려는 불교에서 존경받고, 도사는 도교에서 존경받았으나 무격은 무속 신앙에서 존중받지 못한 것으로 해석된다.

이후 조선시대에는 유교를 국교로 삼아서 무속이 탄압받는다. 유교는 무속을 미신으로 여겼으므로 무당은 천민으로 취급되어 처벌받았다. 조선 정부는 무당을 단속하기 위해 다양한 법령을 제정하기도 했다. 조선시대에는 종교 개혁이라고 부를 정도로 유교의 국교화를 강행했으나 민중의 삶에 뿌리 박혀 있는 무속 신앙을 없애지 못해서 민간인의 삶에서는 여전히 무속이 널리 행해졌다.

국가적인 의례에서는 유교를 강조하였고 지방의 지방관들도 무당과의 대립에서 무당이 배척되는 대상이었지만 무속은 여전히 지금까지 살아있다. 유학자의 입장으로 볼 때 이치와 도리에 어긋나는 무속과 불교는 철저히 배척되어야 하는 대상이었다. 유학자들은 전국에 있는 산신, 성황당, 불상을 모두 파괴하고자 했다. 그래서 국가에서 임명된 지방관도 이런 파괴 행위를 방관했다.

무속의 행위는 국가 의례에서도 제외되었고 승려와 무속인은 한성의 4대 문안으로 들어오는 것도 금했다. 그렇지만 유교 정책은 성공하지 못했다. 국가도 때로는 무당을 필요로 했고 기우제나 수륙제에 이들의 힘을 빌리지 않을 수 없었다. 조선 왕조들은 철저한 유교 문화로 불교와 무속을 배척하여 불상에 절하고 예의를 표하라는 중국 명나라 사신의 요구도 끝까지 거부한 태종이 있는가 하면,

유교적인 분위기가 강한 문화적 사회에서 불교 중흥에 노력하고 자신도 스스로 불교 신봉자가 된 세조도 있었다. 지금도 구파발 은평 한옥 박물관에 가면 금성당(錦城堂)을 볼 수 있는데, 금성당은 세조에게 죽임을 당한 세조의 아우 금성대군(錦城大君)을 모신 곳이다. 금성당 신축을 왕실에서 지원했다는 것은 왕실이 무당 무속의 존재를 인정한 것으로 해석할 수 있다. 공식적으로는 무속을 배척했으나 여전히 일부 왕이나 사대부들은 불교와 무속에 의지하였다.

사람은 기본적으로 불안하고 누군가에게 의지하려는 마음으로 살아간다. 국가와 사회가 혼란스러울수록 이런 마음은 더욱 커져서 생활 속에서 쉽게 접할 수 있는 무속에 의지할 수밖에 없었다. 내가 하고 싶은 말과 내가 못다 했던 말을 무당이 대신하는 일종의 카타르시스를 느낄 수 있다. 그런 정신이 곧 굿이나 마을 축제에 녹아 있다. 약한 존재이고 삶이 힘들고 어려울수록 그런 마음은 더 커진다. 이런 마음을 달래주는 것이 무속이었고 불교였다. 서민들은 국가의 유교적 의례를 따르면서도 개인적으로는 무속을 찾았다. 국가의 공식 종교는 유교지만 서민의 민속 종교는 무속이었다.

일제 강점기에도 일본 신도(神道)를 조선에 강요하면서 무속을 배척했다. 신도(神道)는 1868년 메이지 천황이 최고 통치자가 되면서 일본의 공식적인 국가 종교가 된다. 자연과 신을 동격화하고 일체화하는 일본의 전통 신앙으로 이러한 신과 인간의 연결고리로 제사를 지내는 곳을 신사(神社)라고 한다. 일제는 무속을 미신으로 규정하고 탄압하는 법령을 제정하기도 했지만 민간인 사이에서는 무속이 계속 이어져 왔다.

해방 이후에도 무속은 계속 이어져 왔다. 새마을 운동 때 정부에서 미신 타파 운동을 전개하면서 무속이 다시 탄압받았으나 현대에 들어서는 오히려 신자가 늘어나고 있다. 이는 현대 사회의 복잡성과 불안정으로 인해 인간이 초월적 존재에 대한 의지와 소망을 무속에서 찾고 있기 때문으로 해석된다.

한국 전통 신앙에서는 자연 숭배, 샤머니즘, 무속 신앙적 특징을 볼 수 있다. 한국 무속은 자연 숭배의 성격을 지니고 있다. 솟대, 당산목, 산신 등 자연을 숭배하는 신이 존재한다. 한국 무속은 샤머니즘의 특징도 있다. 샤머니즘은 무당이 신을 매개로 인간과 소통하는 종교로 천신(天神), 지신(地神), 조상신(祖上神), 산신(山神), 성신(聖神) 등 다양한 신이 존재한다. 이러한 무속은 한국인의 삶과 밀접하게 연관되어 있어서 정체성을 이해하는 데 중요하다.

한편 서양 종교를 접하게 된 시점은 중국에서 사역하던 선교사를 통해서였다. 그중에서 대표적인 선교사는 이탈리아의 마테오리치 Matteo Ricci 신부였다. 중국식 이름으로 리마또우(利瑪竇)로 불리는 그는 1582년에 마카오에 도착하여 중국어를 익힌 후 1599년 난징(南京)을 거쳐 1601년부터 베이징(北京)에 거주했다.

그는 과학에 대한 지식이 풍부했고 수학과 천문학에도 조예가 깊었다. 그가 중국 문화를 연구하다가 유교의 "천제(天帝)"와 기독교의 "God"을 동질의 개념으로 보고 기독교와 유교는 기본적으로 배치되지 않으며 조화를 이룰 수 있음을 깨닫고 1603년에 천주실의(天主實義)를 저술한다. 중국인이 전통적으로 받아들인 "천제(天帝)"에 인격신을 강조하기 위해 "주(主)"를 합쳐 "God"을 "천주(天主)"로 번역하여 쓰기 시작했다. 그의 저서 "천주실의(天主實義)"에 "내 나라에서 천주님이라 불리는 분은 중국에서 상제라 불리는 분이시다(吾國天主 卽華言上帝)"라고 분명히 정의해 놓았다.

한국 교계에서도 신명(神名)을 어떻게 사용할지를 두고 논쟁했다. "천주, 상제, 신, 하ᄂᆞ님" 같은 용어는 각각의 이유로 대립하다가 천주교에서는 "하느님"으로, 개신교에서는 "하나님"으로 사용하게 되었다. 천주교에서는 "천제(天帝)를 서울식 표준어 "하늘"에 존칭어를 합하여 "하느님"으로, 개신교에서는 유일하다는 의미로 "하나"라는 뜻 또는 평양식 표준어 "하날"에 존칭어를 합하여 "하나님"으로 쓰고 있다. 이에 한글학회에서 양측 종교 지도자와 회의를 통해 용어를 통일하고자 노력했으나 양측의 의견이 팽팽하여 용어 통일에 합의하지 못하고 오늘날까지 관용적으로 사용하고 있다.

당시 조선은 해마다 중국에 사신을 파견했는데 조선시대에 베이징으로 파견된 부연사신(赴燕使臣) 이수광(李睟光)이 인조(1625)에게 천주실의를 소개했고, 인조 17년(1631)에도 부연사신의 일행으로 중국 사절로 왔던 정두원(鄭斗源)은 과학 서적, 서양의 화포, 천리경, 자명종 등과 서양 풍속, 지리, 천문학에 관한 서적과 함께 마테오리치의 천주실의도 가지고 귀국했다.

부연사신이 북경에 머무는 동안 근처에 천주교 성당이 있어서 가끔 들려 북경에 파견된 외국 천주교 신부들과 교제를 나눌 수 있는 기회가 있었는데 이때 서양 선교사들은 단순히 신앙만 전한 것이 아니라 서양의 과학도 함께 소개했기 때문에 부연사신 일행은 천문, 지리, 역법과 같은 서양의 새로운 학문을 접할 수 있었고 자연스럽게 천주교도 새로운 학문처럼 받아들일 수 있었다.

이처럼 천주교의 한국 전례는 외국 선교사들에 의한 것이라고 보기보다는 중국으로부터 도입된 학문인 서학(西學) 연구를 통해 조선의 유교 지식인들에게 학문 대상으로 전래했다. 천주교는 학문으로 전파되어서 양반과 중인, 유복한 일부 상인을 포함한 지식층이 받아들였고, 천주교의 가르침과 유교의 가르침이 상호 모순되기보다는 상호 조화를 이룰 수 있었다.

인조 23년(1637)에 일어난 병자호란으로 북경에 인질로 잡혀간 소현세자(昭顯世子)가 청(淸)에서 활동하던 독일 출신 "샬Adam Schall 신부"와 친분을 나누며 서양의 과학과 천문학을 배우게 된다. 1645년에 소현세자가 중국 교인 한 명과 함께 조선으로 귀국하면서 서양 학문을 상류층과 지식인들 사이에 뿌리를 내리게 했다. 하지만 귀국 70일 만에 소현세자가 갑자기 사망하게 되자 세자의 죽음이 서양 물건과 서책 때문이라는 소문이 돌면서 서양 물건과 책들을 모두 소각하고 중국인 신자도 중국으로 돌려보냈다.

그렇지만 서학을 대변하는 천주교는 끈질기게 상류층 사회에 파고들었다. 영조 시절 벼슬을 마다하고 초야에서 학문만 연마하던 남인계(南人系) 학자들에게 서학은 인기를 얻으며 전성기를 맞는다. 이처럼 서양 사상은 동양의 유교 사상과 근본적으로 배치되지 않았으며 천주교가 종교나 신앙의 대상이라기보다 학문의 대상이었다는 점에서 이때까지 조선은 천주교를 금기시하지 않았다. 서학은 명분만 내세우는 주자학과는 달리 실학 운동의 원동력이 되었고 결국 천주교는 남인계 실학자들을 통해 조선의 지식인 사이에 뚜렷한 한 부류의 사상으로 자리하게 되었다.

그러나 1886년 "한불조약(韓佛條約)" 체결로 신앙의 자유를 얻기까지 100여 년 동안 천주교인들은 잦은 탄압과 박해를 받았고 수천 명의 순교자를 배출하게 되었다. 전라도 진산(珍山)에서 천주교 신자였던 양반계급 윤지충(尹持忠)이 제사를 폐했다는 이유로 순교를 당한 신해박해(1791년), 이승훈, 정약종 등이 순교한 신유박해(1801년), 경상도 천주교인 300여 명이 검거된 을해박해(1815년), 외국 선교사 3명과 100여 명의 신도가 순교한 기해박해(1839년), 김대건 신부와 10여 명이 순교한 병오박해(1846년), 외국인 신부 9명과 천주교 지도자와 평신도 8천여 명이 순교한 병인박해(1866년) 등 대표적인 탄압과 박해가 있었다. 그러나 초기 천주교는 정부의 여러 차례의 탄압이 있었으나 성직자 양성과 한글 교과서 편찬을 통해 신앙을 키워나갔다.

한편 개신교는 외국인 선교사가 한국에 들어오기 전에 이미 한글 성경을 간행하는 자생적인 선교가 먼저 시작되었다. 최초의 한글 성경은 1882년 만주에서 간행된 "예수성교누가복음전서"로 메킨타이어Macintyre 목사와 로즈John Ross 선교사, 서상륜, 백홍준, 이응찬 등 한국인 개종자들의 산물이다. 이들의 노력으로 1887년에는 최초의 신약전서인 "예수성교전서"가 간행되었다. 그리고 이수정은 1884년에 일본에서 이두를 토로 달아서 이용한 "사도행전"을 간행했고, 1885년에는 "마가복음"을 번역 출간하기도 하였다.

조선 정부는 1876년 개항 이후에도 반기독교 정책을 시행하면서도 근대화 정책이 필요했기 때문에 학교 사업과 병원 사업에 제한적으로 선교사의 활동을 허가했다. 따라서 1884년 9월에 최초의 주재 선교사인 미국의 알렌Horace Newton Allen이 입국하였고, 이듬해에는 장로회의 미국인 언더우드Horace Grant Underwood와 감리회 아펜젤러Henry Gerhard Appenzeller가 공식 입국하여 선교활동을 시작하였다. 그러나 이들은 직접적인 복음 전도보다는 의료와 교육사업에 매진하면서 간접적으로 선교활동 방식을 취하며 선교 관련 서적 출판에도 최선의 노력을 했다.

초기 선교사들은 선교체제가 점차 정착되면서 한글로 된 성경 보급의 필요성을 느끼면서 "성서번역위원회"를 조직하여 활동을 시작했다. 그리하여 1892년에 "마태복음 전" 발간을 시작으로 1906년에는 공인 역본인 "신약전서"를 발간하고, 1910년에는 구약 전체를 번역하였다. 이같이 성경을 한글로 발간하자 각각의 교파별 선교회별로 찬송가를 발간하기 시작했다. 1892년에 미국의 감리회 선교사가 편집한 "찬미가" 발간을 효시로 장로교회에서 "찬양가"를 발간하고, 대한 기독교회에서는 "복음 찬미"를, 영국 성공회에서는 "성회송가"를, 구세군에서는 "구세군가"를 연이어 발행하게 되었다.

초기 한국교회는 한국 교인들이 주체적으로 복음을 수용하고 전파하기 위한 밑거름으로 신학 교육을 활성화하였다. 초기 신학 교육은 "한국인은 한국인이 전도하게 한다"는 선교 정책을 목적으로 시작되었다. 1901년에는 평양장로회 신학교가 문을 열어서 목회자 양성을 위한 신학 교육이 본격화되고 이후 협성 신학교, 서울 성서학원 등 많은 교육기관이 설립되었다.

이제 한국은 종교적으로 험난했던 과거를 뒤로 하고 해방 이후에 헌법으로 종교의 자유를 보장받으면서 경상도 지역을 중심으로는 전통성이 강한 불교가 성행하게 되었고 전라도 지역을 중심으로는 개혁성이 강한 개신교가 성행하는 경향을 보이면서 오늘에 이르고 있다.

# 명당에 묻혀 다시 환생하고 싶은 욕구

🌿 한국은 세계에서 자랑하는 장수 국가다. 노인의 생존 확률 통계(2020년)를 보면 70세에 86%, 75세에 54%, 80세에 30%, 85세에 15%, 90세에는 5%다. 70세가 되면 14%가 사망하고, 80세가 되면 70%가 사망하고, 90세가 되면 95%가 사망하게 된다. 따라서 90세까지 살았다면 정말로 천수를 누린 셈이다.

그러나 조선시대 왕의 수명은 겨우 47세였고, 중국 황제 335명의 수명은 41세로 단명했다. 구중궁궐에서 화초처럼 자란 금수저 출신 황제들의 수명은 단명했지만, 용맹스러운 군주로 정권을 손에 넣으려 노력한 흙수저 출신의 황제들은 오랜 천수를 누렸다는 공통점이 있다. 청의 건륭제(89세), 남조의 양무제(81세), 남송의 고종(81세), 한무제(70세), 오나라의 월왕(81세), 당의 현종(78세), 측천무후(82세), 원의 세조(80세), 명의 홍무제(71세)가 이에 속한다. 황제들은 물론이고 일반 사람도 어떤 방법을 써서라도 장수하며 잘 살다가 죽어서도 좋은 곳에 묻히고 싶어 한다.

그러한 황제 중 영원불멸을 갈망한 진시황(秦始皇)과 불로초(不老草) 이야기는 미수에 그쳤지만 유명한 이야기이다. 불로초란 약초는 도교의 신선 사상과 관련이 있는데, 약제는 상약(上藥) 중약(中藥) 하약(下藥) 등 세 가지로 나눈다. 단약(丹藥), 황금, 옥과 같은 신선이 되는 광물을 상약(上藥), 성품을 다스리는 약을 중약(中藥), 건강과 관련된 약제를 하약(下藥)으로 분류한다. 따라서 불로초는 건강 관련 약초로 하약(下藥)에 속한다. 진시황은 영원히 죽지 않는 불로초를 얻지 못하고 50세의 이른 나이로 사망하게 되는데 사인은 놀랍게도 수은(水銀) 등의 상약(上藥)을 남용한 것으로 알려져 있다. 지금도 진시황의 무덤에는 수은 성분이 다량으로 검출되었을 뿐만 아니라 황릉 바닥에는 수은 배수시설 지도도 존재하고 있어서 일반인들의 접근을 금지하고 있다고 한다.

서불(徐市, 徐福)은 동해로 가면 신선이 살고 있어서 사람이 먹으면 죽지 않는 불로초가 있는데 처녀·총각 500명과 기술자를 주시면 불로초를 구해오겠다고 아뢴다. 때는 2,200년 전의 일로 전설이 아닌 실제의 사건으로 흔적들이 많다. 경상남도 남해군 상주리(尙州里)에 사냥을 즐긴 기록을 바위에 새긴 글이 있다고 전해진다. 그리고 제주 금당포(金塘浦)에 도착해서 조천(朝天)이라는 글도 남겼는데 지금도 마을 이름이 조천이다. 정방폭포(正房瀑布)에 일행이 다녀간 서불과차(徐市過此)란 글도 있다고 전해지며, 제주의 서귀포(西歸浦)는 서불이 다시 돌아간 포구라는 의미가 있는 지명이라는 설도 있다. 일본에는 더 많은 흔적이 있어서 서불을 모셔 신의 추앙을 받고, 서불을 추모하는 마쓰리(祭り)도 열린다. 서불이 심은 2,000년 넘는 나무와 서불 묘지 등 그의 흔적은 후쿠오카(福岡) 사가현(佐賀縣)과 야메시(八女市) 등에 많이 남아 있다.

동물과 어류, 식물도 자기들이 살기 좋은 곳에 모여서 살아간다.

사람도 사는 동안에 살기 좋은 명당을 찾지만 죽은 후에도 명당자리에 묻히려 한다. 유교권 문화에서는 흙으로 돌아가는 풍수지리에 맞는 묘의 자리를 택하기 좋아한다. 풍수(風水)라는 말은 중국 진(晉)의 시인 곽박(郭璞)이 쓴 장경(葬經)에 나오는 "장풍득수(藏風得水)"라고 하는 말에서 사용하는 말이다. 장풍이란 바람을 감춘다는 뜻이고, 득수(得水)는 물을 얻는다는 뜻이다. 그러므로 풍수라는 말은 비바람을 막아 주며 물이 나에게 들어오도록 한다는 뜻이 있다. 이런 풍수지리의 개념은 중국과 우리나라를 비롯한 유교권 지역에서 쓰이는 일종의 지상학(地相學)이라 할 수 있다.

풍수지리에 관련된 의견은 여러 가지로 설명할 수 있지만, 사람이 자연에 적응하면서 터득한 지혜다. 기본적인 개념은 사람이 땅과 어떻게 조화롭게 살아갈 것인가 하는 문제에서 출발한다. 이런 풍수지리학은 땅과 살아 있는 사람들과의 관계뿐만 아니라 죽은 사람의 경우까지 매우 중시한다. 풍수지리학은 땅 밑에 흐르는 생기(生氣)를 잘 보존하고 이용하기 위한 술법을 이르는 말이다.

이런 술법의 풍수지리는 살아있는 사람과 관련된 양택풍수(陽宅風水)와 죽은 사람과 관련된 음택풍수(隱宅風水)로 나눠 설명한다. 그런데 사실 풍수지리의 출발점은 음택풍수보다 양택풍수가 먼저임을 알아야 한다. 고대 인간은 생존을 위해서나 생활의 편리함을 위해서 살기에 좋은 터전을 찾았다. 원시시대 때부터 이미 자연 재앙이나 짐승의 공격을 막으면서 적으로부터 자신과 종족을 보존하고 번창시킬 수 있는 곳이 살기에 좋은 장소라는 사실을 경험을 통해 깨닫게 되었다. 적을 방어하기 쉽고 먹을 음식물을 구하기 쉬우며 물을 얻기 좋은 곳이 바로 풍수지리의 시작이다.

어떤 땅에서 어떠한 형태의 집을 짓고 사느냐가 고대 원시사회에서는 그 부족의 존폐를 결정짓는 중요한 조건이 된다. 원시 부족은 더 살기 좋은 땅을 차지하기 위해서 전쟁했고, 결국 가장 좋은 지리적 조건을 갖춘 땅을 차지하는 부족이 발전해서 고대국가 형태로 성장하게 되었다. 따라서 이러한 풍수지리는 처음부터 죽은 사람들의 무덤이라기보다는 현재 살아 있는 사람의 생활 터전을 찾는 데서 시작하였다. 풍수지리학은 살아 있는 사람의 생거지(生居地)에 관련된 학문으로 "생거지 풍수(生居地風水)"로도 부른다. 우리나라 문화에서는 "남향에 동쪽 대문"이라는 말이 있다. 현실적으로 남향의 집은 태양을 향하고 있어 태양이 많이 비추어 양지바르고, 양기(陽氣)를 흡수할 수 있어서 생활하기에 매우 편리하고 건강에도 좋다. 북서풍이 많은 우리나라의 계절로 보아 서향의 대문보다 동향의 대문이 바람직했을 것이다.

양택풍수에서는 오랜 불교문화의 영향으로 집터보다 절터가 훨씬 더 중요하게 다루어졌다. 승려들이 자연스럽게 절터에 관해서 많은 관심을 가졌기 때문이다. 도선 국사, 무학 대사, 사명 대사, 서산 대사 등이 모두 불교계의 유명한 풍수사로 알려져 있다. 이러한 풍수에 능숙한 불교계의 고승들이 일반 지인들에게 혈(穴)을 찾아주면서 우리 풍수학의 전통을 이어왔다. 통일신라시대의 도선 국사가 한반도의 풍수지리설의 실질적인 이론적 토대를 마련하는 데 크게 공헌했다.

그러나 주자학 창시자 주자(朱子:1130~1200)가 박복한 가정환경을 탓하며 부친 묘를 두 번이나 이장했다. 그는 14살 때부터 집안의 가장(家長) 역할을 해야 했고, 결혼하여 분가한 후에도 아내와 사별하고 장남까지 잃게 되었기 때문이다. 후에 묘 이장을 하게 된 근거를 기록해 놓은 주자어류(朱子語類)가 후에는 우리 문화에도 전해지게 되고 음택풍수에 관한 관심이 높아지게 되었다. 이런 이후부터 고려의 불교식 화장 문화가 유교식 매장문화로 전환되는 결정적 계기가 되었다. 조선시대에 이르자 송사(訟事) 중에서 80%가 묘지 터 때문에 일어났을 정도로 음택을 중시했다.

동양 문화에서는 영혼(靈魂)을 혼백(魂魄)이라 하는데 혼(魂)은 영혼이고 백(魄)은 육체에 해당한다. 이와 같은 혼백은 생사(生死)에 따라서 거처를 다르게 한다고 믿는다. 살아 있을 때 혼은 폐(肺)에 머물고, 백은 간(肝)에 머물고 있다고 믿는다. 그러나 죽으면 혼은 하늘로 올라가고, 백은 정(精)의 모습으로 되돌아와 골수에 머물게 된다. 혼은 자유롭게 하늘로 사라지고, 정으로 변한 백은 뼛속에 갇혀 일생을 뼈와 함께 한다. 결국 정은 땅으로 다시 회귀하는 것이다. 이 정이 깃든 뼈를 빨리 육탈하도록 땅의 좋은 기운을 많이 먹이고 키워서 차고 넘치게 만드는 것이 매장의 일차적 목적이다. 그런 후 죽은 사람의 기운이 살아 있는 사람에게 옮아가게 한다는 믿음이 생사론(生死論)이다. 우리 선조는 사람이 운명하면 지붕 위에 올라가서 그가 입던 적삼을 흔들며 "아무개 복~, 아무개 복~, 아무개 복~"하고 하늘을 향해 세 번 소리쳤는데 그 복이란 말은 "돌아올 복(復)"자로 "아무개의 혼이여 다시 돌아오라"라는 환생의 소원이었다.

음택이나 양택이나 산세의 좋은 "지기(地氣)"를 찾으려는 목적에는 모두 같다. 풍수의 기본 원리는 일정 경로를 따라 땅속에서 돌아다니는 "생기(生氣)"를 접촉함으로써 복을 얻고 화를 피하자는 것이다. 생기란 곧 "기(氣)"를 뜻하는데, 기는 우리 몸속의 피처럼 일정한 통로를 따라 움직인다고 믿는다. 그러므로 좋은 기를 타고난 사람은 복을 받게 되어 부귀영화를 누리고, 그런 곳에 묘를 쓰면 훌륭한 사람으로 태어난다고 생각한다. 이처럼 대지에 지기(地氣)가 있는 것처럼 생각하는 믿음은 땅을 살아 있는 생명체로 보는 관점에서 시작된다.

관이 들어갈 자리를 혈(穴)이라고 하는데, 혈은 여체의 구멍인 국부에 해당한다. 혈의 자리는 자궁 쪽으로 통하는 문으로 곧 질을 말한다. 혈의 자리를 안쪽에서 감싸는 좌청룡과 우백호는 소음순을 말하고, 밖에서 감싸고 있는 것이 대음순이다. 주산(主山)은 배꼽의 바로 밑에 튀어나온 불룩한 곳이 불두덩이고, 그 아래의 입수처가 음핵이다. 그리고 여기에 덧붙여 묘지 앞쪽에 평평하게 넓고 물이 들어오는 형세를 띤 지형이면 금상첨화라 할 수 있다.

이처럼 여성 성기로서의 조건들을 고르게 갖추고 있는 땅이 명당이다. 세상에서 여자 자궁만큼 편하고 생명력 또한 넘쳐흐르는 장소는 없다. 이처럼 명당이라고 믿는 신앙은 민속학을 여성 신체와 동일시한 결과로 보는 것이다. 죽은 사람을 다시 어머니 뱃속에 묻히게 함으로써 후에 다시 새롭게 태어날 수 있도록 잘 되게 해 달라는 하나의 심리 현상이다. 이를 지모설(地母說)이라 부르기도 하는데, 민속학에서 명당자리를 대지 중심을 상징하는 모태(母胎)로 보기 때문에 생산과 풍요가 약속된 성역이 된다. 육신이 모태 부위에 해당하는 곳에 되돌아가서 다시 재생을 보장하는 것으로 믿는다.

# 노인이 생사 전후에 준비해야 할 계획

🌿 괴테는 행복은 삶을 살아가는 여정이지 삶의 목적이 아니라고 말했다. 행복은 나 자신이 만들어가는 것이기 때문에 불행하다고 생각하면 끝도 없이 불행해져서 나를 한없이 어렵고 힘든 마음속에 가두고 살아가게 된다. 우리의 노인들은 대체로 과거에 묻혀서 현재를 살려고 한다. 6개월 정도 장관을 했어도 그는 평생 장관으로 살려고 하고, 그런 화려한 사회적 지위도 없으면 과거에 있지도 않았던 금송아지 이야기만 자랑한다. 부귀영화라는 돈과 사회적인 직위에 집착하기 때문이다. 사실 행복은 과거의 나를 남에게 보이는 것이 아니라 정말로 지금의 삶의 과정을 통해서 사소한 작은 것에서도 즐겁고 새로운 즐거움을 찾아가며 살아야 한다.

네덜란드의 철학자 스피노자Baruch Spinoza는 "내일 지구가 멸망하더라도 나는 오늘 한 그루의 사과나무를 심겠다"고 하며 확정된 절망 가운데서도 희망을 준비하라는 교훈을 남겼다. 따라서 죽음이 얼마 남지 않은 노인도 그래서 긍정적이고 즐거운 마음으로 끝까지 일을 놓지 말고 살아야 한다.

중국 송(宋)나라 때 주신중(朱新中)이라는 인물이 있었는데, 그는 인생에는 다섯 가지의 계획(五計)이 있어야 한다고 말했다. 첫째는 생계(生計), 둘째는 신계(身計), 셋째는 가계(家計), 넷째는 노계(老計), 다섯째는 사계(死計)가 그것이다. 생계(生計)는 살아가며 내 일생을 어떤 모양으로 만들어 가느냐 하는 것이고, 신계(身計)는 몸의 처신을 어떻게 하느냐의 계획이며, 가계(家計)는 내 집안과 가족 관계를 어떻게 설정하느냐의 문제이다. 노계(老計)는 노년을 어떻게 보낼 것이냐 하는 문제에 관한 계획이고, 사계(死計)는 마지막으로 어떤 모양으로 죽을 것인지 하는 문제를 설계하는 것을 말한다.

한 어부가 100길(尺)이나 되는 거대하고 큰 어망을 짜는 일로 하루하루를 소일하고 있어서 사람들이 물었다. 그렇게 큰 어망을 바닷가에 들고 나갈 수도 없지만 가지고 간다고 하더라도 펼칠 수가 없어서 쓸모가 없는데 왜 그렇게 엄청나게 커다란 어망을 짜느냐고 세월을 보내고 있느냐? 그러자 어부는 "내가 그간 어망을 한 올 한 올 짜면서 내 목숨이 길어졌는데 쓸모없다니? 이 어망은 내가 50세가 되어 손발에 힘이 빠져 바다에 나가지 못하게 된 이후부터 짜기 시작해서 이제 내 나이 70까지 짜고 있는 것이오. 나는 앞으로 20년은 더 짤 생각이오"라고 대답했다고 한다.

이 대화는 주신중(朱新中)의 "노계론(老計論)"에 나오는 이야기이다. 나이 들어 할 일을 미리 준비해 무료함이나 소외에서 벗어나 건강하게 노년을 보내려면 소일거리가 필요하다는 것으로, 이것이 수명을 연장하는 역할을 했다고 해서 이 어망을 특히 "연수망(延壽網)"이라고 부른다. 즉 노후를 대비하여 늙어서도 할 일을 미리 마련하여 소외로부터 자신을 구제하는 인생 작업을 상징적으로 연수망이라 부른다.

내가 평생 살아오면서 만들어온 삶의 길과 진리를 담은 그릇이 얼마나 큰지 이제 한 번 꺼내서 점검해야 한다. 대기만성(大器晩成)이라는 말처럼 내가 평생 만든 그릇이 간장 종지만 한 작은 그릇인지 아니면 냉면 그릇 정도는 되는지 한 번 확인해 봐야 한다. 아니면 큰 그릇(大器)이 보이는 언덕까지는 와 있는지 혹은 아직도 큰 그릇이 어디에 있는지도 알 수 없는 숲속에서 헤매고 있는지, 어쩌면 냉면 그릇은커녕 그런 그릇은 보지도 못한 채 사계(死計)를 생각해야 할 때가 왔는지도 모른다. 노자(老子)가 말한 것처럼 큰 그릇(大器)은 늙어서 만들어지는 것이 아니고 본래부터 천천히 차곡차곡 만들어내야 한다.

대기만성(大器晩成)이라는 말은 노자(老子) "도덕경 41장"에 나오는 말이다. 노자는 여기서 도(道)를 설명하는데 "매우 밝은 도는 어둡게 보이고, 앞으로 빠르게 나아가는 도는 뒤로 물러나는 것 같다. 가장 평탄한 도는 굽은 것 같고, 가장 높은 덕은 낮은 것 같다. 몹시 흰 빛은 검은 것 같고, 매우 넓은 도는 한쪽이 이지러진 것 같다. 아주 건실한 도는 빈약한 것 같고, 매우 질박한 도는 어리석은 것 같다."라고 말하였다. 그러므로 아주 큰 사각형은 귀가 없고(大方無隅), 큰 그릇은 늦게 이루어지며(大器晩成), 아주 큰 소리는 들을 수 없고(大音希聲), 아주 큰 형상은 모양이 없다(大象無形)고 했다. 왜냐하면 도는 항상 사물의 배후에 숨어 있는 것이므로 무엇이라고 긍정할 수도, 또 부정할 수도 없기 때문이라 한다. 여기에서 보듯 만성(晩成)이란 본래 아직 이루어지지 않았다는 의미로, 거의 이루어질 수 없음을 강하게 함축하고 있다.

돈을 쓰면서 하는 취미활동도 결국에는 신체와 정신의 건강을 위한 것처럼 노화기에 들어서 연수망을 짜는 일 자체가 육체적 건강과 장수에 긍정적 영향을 주었다면 그것 자체로 족하다고 하겠다. 노인들도 일이 없으면 즐길 수 있는 일을 찾아야 한다. 자기의 재능을 기부할 수 있는 활동도 찾고, 책을 읽거나, 산책이나 운동과 같은 취미활동을 하거나, 동네를 청소하거나, 로터리에서 교통정리를 하거나, 버려진 쓰레기를 줍거나, 이것도 저것도 할 일이 없으면 노인당에서 친구들과 즐겁게 어울려야 한다. 허구한 날 잘 나가던 과거 젊었던 시절을 자랑하며 영웅담을 늘어놓거나, 막걸리 한 잔 마시며 후회와 서러웠던 과거 삶을 푸념한다고 건강과 장수에 어떤 도움도 안 된다. 쓸데없는 무위도식(無爲徒食)으로 노인 대접만 받으려 하지 말고 스스로 조금이라도 의미 있고 가치 있는 일을 찾아서 일 자체를 만들며 즐겁게 시간을 보내야 한다. 효(孝)라는 글자가 노인(老)을 자식(子)이 업는 형상처럼 무조건 보호만 하는 것이 효(孝)인 것처럼 해석하지만 현대적인 뜻은 항상 소일할 수 있는 연수망을 권고해서 육체적 정신적으로 건강하게 활동할 수 있는 일거리를 찾아주는 것이 진정한 효(孝)의 뜻이라 하겠다.

그러나 노인은 또 다른 죽음에 대한 마음의 준비도 해야 하는데, 고대인들은 사람은 천지(天地)에서 혼백(魂魄)을 받아 이승에 나타난다고 믿는다. 그러나 죽으면 혼(魂)은 하늘로 올라가고 백(魄)은 땅으로 돌아간다고 믿었다. 그래서 천지로 돌아간 혼백은 신(神)이 된다고 한다. 그래서 귀(鬼)는 되돌아온다는 뜻으로 귀(歸)라고도 말한다. 결국 귀신(鬼神)은 천지로 돌아간 혼백이므로 선조의 신령(神靈)을 말하는 것이다.

아리스토텔레스 이후 지금까지 형이상학적 개념이 우위를 점하고 있으므로 죽음이 비록 생물학적 육체적으로 마지막 선언이겠지만 형이상학적 개념으로는 또 다른 믿음을 가지게 한다. 그래서 어떤 사상가는 죽음은 모든 것의 끝이라고 생각하겠지만 다른 사상가는 죽음은 새로운 시작의 출발점이라고 생각하기도 한다. 육체적 죽음과 정신적 죽음을 달리 생각하는 관념이다. 특히 종교인들은 죽음 후에도 정신이나 영혼의 형태로 계속 존재한다고 믿는다. 천국이나 지옥의 개념으로 죽음 후의 존재를 상상한다. 정의와 보상, 또는 죄와 벌이라는 기준으로 천국은 영원한 행복과 평화의 장소로 규정하고 지옥은 죄를 짓는 사람에게 주어지는 영원한 고통의 장소로 규정한다.

그러나 현대 과학은 죽음 후의 존재를 증명하거나 반박할 수 있는 확실한 방법을 찾아내지 못하고 있다. 그렇지만 어느 철학적 관념이나 특정 종교에서는 죽음이 최종적인 현상이 아니라 새로운 시작이라고 믿도록 하여 죽음의 두려움을 완화하며 삶에 대한 목적과 의미를 새롭게 하도록 도움을 준다. 이러한 철학적 종교적 해석은 사람들에게 죽음에 대한 이해와 믿음을 새롭게 하여 개인의 삶의 과장에서 새로운 경험, 가치, 윤리와 도덕에 다양한 긍정적인 해석을 하도록 하는 기회를 제공할 수 있다.

죽음에 대한 기독교적 믿음은 내세를 주로 부활이라는 관점에서 해석하고 죽음을 일종의 전환으로 생각한다. 죽음이란 세상이라는 처소에서 하느님이 준비하신 천국으로의 이전이며, 살아있는 사람과의 이별이 단지 영원한 죽음이 아니라 죽은 자들의 공동체와 함께하며 안식하게 되는 과정임을 의미한다. 부활을 믿는 기독교 문화에서는 대체로 매장을 선호하며 시신을 땅에 묻는 것은 흙에서 왔다가 흙으로 돌아가는 인간의 덧없음을 인정하는 것이다.

불교에서는 죽음과 재생이 반복적으로 이어지는 순환적 시간관으로 본다. 내세를 윤회(輪迴)라는 관점에서 해석하며 생명의 지속성을 강조한다. 죽으면 육신을 떠난 영혼이 전생에 지은 업에 따라 지옥, 아귀, 축생, 아수라, 인간, 천상의 6도 중에서 한 곳으로 태어난다는 윤회를 믿는다. 죽음이란 나 자신(영혼)이 이승에서 입었던 헌 옷(죽은 육신)을 벗고 새 옷으로 갈아입는 것이다. 이승에 대한 애착과 미련을 끊고 새 옷의 주인이 되라는 의미에서 화장한다.

그러나 한국의 전통 유교에서는 죽은 자의 혼백은 사후세계에서도 여전히 존재한다고 믿는다. 삶이란 혼백이 결합한 상태이며, 죽음이란 혼백이 분리되어 자연으로 돌아가는 것이다. 즉 죽음이라는 것은 존재가 사라지는 것이 아니라 본래의 상태로 돌아가는 것이다. 죽은 자의 혼백은 늘 자손들 곁을 왕래할 수 있고 자손들을 보호하거나 벌을 주기도 한다고 믿는다.

한국인은 개똥밭에 굴러도 이승이 낫다는 속담처럼 이승에 대한 집착이 강하고 죽음을 부인하거나 두려워하는 전통이 있다. 그래서 숫자 4를 사(死)와 연관하여 건물에 4층이 없을 정도로 죽음에 대한 거부감이 강하다. 서양권에서는 주택가에 공동묘지를 쓰기도 있지만 죽음에 대한 거부감이 강한 한국에서는 사는 곳과 아주 먼 산에 묘지를 쓴다. 한국인은 죽음에 대한 거부감이 강해서 제대로 된 준비도 없이 죽음을 맞는 경우가 일반적이다. 죽음에 대해 충분한 준비를 하는 서양권에 비해서 한국은 환자 본인에게도 불치병을 앓고 있다는 사실조차도 알려주지 않아서 웰다잉Well-dying에 대한 중요성을 인식하지 못하고 있다.

제4장 하늘과의 관계

# 죽음의 의학적 판단과 임사 체험

🌿 자식이 부모를 봉양하려는 의지가 점차 식어가는 현대에 노인들은 경제적으로 가난하고 점점 더 고립되어 고독사까지 증가하고 있다. 그런데 한국과 사회적 환경이 비슷한 일본에서는 최근 무덤 친구라고 불리는 "묘우(墓友, 하카토모)"라는 모임이 생겨서 함께 무덤에 갈 친구끼리 만나는 모임이 성행하고 있다고 한다. 죽기 전 황혼기에 함께 무덤에 갈 사람끼리 정기적으로 식사 모임을 통해서 생전의 시간을 함께하는 모임이다. 일본 고베(神戸)에서는 두 개의 생협 묘지에 이미 100여 명이 안장되어 있는데 살아있을 때 자신의 묫자리로 정한 계약자만 현재 256명에 이른다고 한다. 합장묘 계약금은 1인당 약 15만~20만 엔(약 130만~180만 원)이고 사후 유지비는 없다고 한다. 생협은 합장묘를 찾는 노인들이 늘어나자 같은 무덤에 합장할 노인들끼리 미리 만나서 친분을 나누는 것이 좋겠다며 10여 년 전부터 식사 모임을 주선하고 있다.

그런데 스위스에서는 아예 "안락사 캡슐"까지 사용하여 죽음을 스스로 선택할 수 있는 날이 곧 시행될 것으로 본다. 죽음을 원하는 사람이 의사에게 정신 능력을 평가받은 후 캡슐에 들어가 뚜껑을 닫은 후 30초가 지나면 산소량이 21%에서 0.05%로 급감하면서 잠시 행복감을 느끼다가 5분이 지나면 사망에 이르게 된다. 캡슐 사용료는 질소 비용 18 스위스 프랑(2만 8천 원)만 내면 된다.

죽음에 대한 시각은 동서양 문화권에 따라 다른데, 그 시각차를 보이는 원인으로 종교의 영향이 가장 크다. "죽음"은 인간만의 문제가 아니라 우주에 존재하는 태양계부터 모든 것들은 때가 되면 해체되고 사라진다. 존재하는 모든 것에 적용되는 영원한 진리 중 하나는 "존재하게 된 것들은 반드시 존재하지 않게 된다"는 사실이다. 이를 인간에게 적용하면 "태어난 이상 반드시 죽는다"는 것이다. 프로이트도 인간은 삶의 본능Life Instinct, Eros과 죽음의 본능Death Instinct, Thanatos이라는 두 가지 본능을 가지고 태어나지만, 어차피 죽게 되어 있으므로 죽음에 관해서는 연구할 가치나 필요성을 느끼지 않는다면서 죽음의 본능을 중시하지 않았다.

이처럼 서양의 기독교적 관점에서는 인간은 태초에 죄를 지었기 때문에 죽을 수밖에 없게 되어 있다. 그리스도라는 영적 존재가 세상에 태어났다가 죽었고, 죽은 다음에 다시 살아났고, 그리고 다시 자기 아버지에게 돌아갔다고 하지만 성서 어디에도 인간이 죽지 않는다는 말은 없다. 세상을 창조하신 아버지 하느님에게서 오신 독생자라고 불리는 그리스도조차 죽음을 피하지 못하고 죽었다. 비록 일부 신학자들은 그리스도가 육체로 부활했다고 주장하지만 부활한 이후 우리와 같은 육체적 차원에서 살지 않았다.

사실 기독교 신학의 역사에서 보면 육체의 부활로서 그리스도의 부활을 이해하는 것은 일부 종파에 속한 신학자들의 해석이지 절대로 초대 기독교부터 공인된 교리는 아니었다. 로마 가톨릭이 주도권을 장악하고, 그 후 개신교가 우세해지면서 로마 가톨릭과 같이 육체의 부활을 강력하게 주장하면서 오늘날 많은 기독교인이 그리스도의 부활을 육체의 부활로 믿게 되었지만, 그런 주장은 성서 어디에서도 입증할 수 없는 주장이다.

한편 불교는 한마디로 요약하면 "제행무상(諸行無常), 즉 존재하는 모든 것은 영원하지 않다고 주장한다. "나"라고 부를 수 있는 어떤 영속적인 독립적 실체도 존재하지 않기 때문에 이러한 "무아(無我)"의 진리를 깨닫는 사람은 모든 고통으로부터 자유로워질 수 있다. 그러므로 불교적 명상 수행에서 가장 중요한 첫 번째 명상 주제는 "죽음"의 주제일 수밖에 없다. 죽음의 필연성, 그리고 죽음이 언제 닥칠지 알 수 없는 불확실성을 기억하고 성찰함으로써 인간은 비로소 "맹목적인 집착과 명상"에서 벗어날 수 있게 된다.

죽음에 대한 정의는 "생명의 정지, 즉 혈액 순환의 전면적인 정지, 호흡, 맥박과 같은 동물적인 생존 기능의 정지 등으로 인하여 의사에 의하여 정의되는 생존의 종식을 말한다. 다시 말하면 죽음은 의사에 의하여 정의되는 것으로 의학적으로 죽음을 판정하는 기준이 타당하게 들리는데, 보통 죽음을 정의하는 학설은 다음과 같은 몇 가지가 있다.

**1. 심폐기능 이론** : 심장의 박동과 호흡운동 및 인체의 각종 반사 기능의 영구적인 정지를 죽음이라고 정의한다. 실제 임상에서는 죽음을 선고하기 위하여 영구적으로 기다려야 하는 모순을 없애기 위하여 심폐기능이 정지된 시각으로부터 30분을 관찰하거나 소생술을 실시하여도 회복되지 않을 때 30분을 소급하여 사망 시각으로

정하는 것이 일반적으로 죽음을 선고하는 기준이다.

그러나 이러한 죽음의 정의가 인공 심폐기의 발달로 의식은 없으면서도 심폐기능을 연장할 수 있게 되어서 식물인간이 증가하게 되었고, 장기이식술의 발달 등의 문제로 위엄 있는 종식을 갖도록 해야 한다는 주장 때문에 안락사 등이 새로운 문제로 제기되면서 새로운 각도에서 뇌사설로 죽음을 정의하고 있다.

2. **뇌사 이론** : 뇌는 크게 대뇌, 소뇌, 뇌간 등 세 부분으로 구성되어 있다. 대뇌(大腦)는 운동과 감각을 담당하는 중추가 있고, 기억, 사고, 의지, 정서, 언어 등 정신활동의 중심 역할을 한다. 소뇌(小腦)에는 운동 조절 중추가 있어서 신체 평형을 유지하고 운동을 원활하게 하는 역할을 한다. 뇌간(腦幹)에는 신체의 모든 장기 기능을 통합, 조절, 유지하는 신경중추와 반사중추가 있고, 의식 유지의 중심이 되어 생명 유지에 중요한 호흡과 순환 중추가 있다.

뇌에 어떤 질환이나 외상으로 뇌 기능이 장애를 일으키기 시작하면 점차 의식을 잃어 혼수에 빠지게 되고, 자발적인 운동이 불가능하게 되고, 자발적 호흡에도 지장이 와서 인공호흡기의 도움으로 맥박, 혈압, 호흡, 체온을 유지할 수 있다. 이같이 뇌의 모든 기능이 상실되고 어떤 치료적 노력에도 회복되지 않는 상태가 되었을 때 뇌사(腦死)라고 판정한다. 그러나 뇌사는 뇌 기능의 정지상태이지만 죽음의 징후인 심장 정지가 오는 것은 아니며, 위에서 소화액이 분비되고, 방광에서 오줌도 배설하므로 내장 기능이 모두 정지되는 상태는 아니다. 그렇지만 곧이어 신장, 간장, 췌장 등 여러 장기의 기능이 원활하지 못해서 보통 14일 정도면 심장사에 이르게 된다.

제4장 하늘과의 관계

**3. 세포 사망 이론** : 엄격한 의미에서 죽음이란 생체가 기능하는데 필요한 모든 화학적, 물리적, 전기 생리적 활동이 소실되는 상태로 각 세포의 죽음을 뜻한다. 따라서 시간적 개념에서 세포의 사망과 가장 가까운 신체의 변화는 심폐기능 정지상태라고 할 수 있다.

그런데 어떤 기준으로 사망선고를 내렸어도 간혹 죽었던 사람이 다시 살아나서 죽었던 시간에 경험한 체험담을 이야기하는 사례가 있다. 죽음의 체험(Near Death Experience)은 한자로는 임사 체험(臨死 體驗)으로 죽었다 살아나는 경험이다. 지금까지의 조사에 의하면 심정지 상태에서 소생한 사람 중에서 4~18%가 임사 체험을 보고하고 있다. 현재는 의학적 기술에 의해서 정지된 심장의 박동이나 호흡을 소생시키는 것도 가능하므로 심폐 정지상태에서 소생하는 사람의 숫자는 과거에 비해 점차 증가하고 있다.

임사 체험 연구는 1892년 지질학자 하일Alberto Heil이 등산 사고로 당한 자신의 임사 체험 보고서를 기점으로 관심을 가지기 시작했다. 그러나 임사 체험이 정식으로 과학의 영역에서 연구되기 시작한 시기는 1960년대 심폐소생술CPR: Cardiopulmonary Resuscitation이 발전되면서부터다.

임사 체험을 다룬 최초의 전문 서적은 미국의 정신과 의사이자 철학자인 무디Raymond Moody가 1975년에 "삶 이후의 삶Life after Life"을 출판한 이후부터의 일이다. 그는 이 책에서 죽음을 체험한 사람들, 즉 죽었다 살아난 경험을 한 150여 명의 사람을 만나 그들의 사례를 발표했다. 그리고 1977년에 처음으로 "임사 현상 연구회"를 발족한 후에 이 연구회를 "국제 임사체험연구회IANDS"로 더욱 발전시켜서 국제회의도 개최하였다. 그런 후 1982년에 의사 세 이봄Michael Sabom이 임사 체험과 관련된 조사 결과를 발표하면서 본격적으로 연구 활동의 시동이 걸렸다.

임사 체험 연구는 1990년대 의학박사 롱Jeffrey Long에 의해 더욱 활발해졌다. 그는 임사 체험 연구재단Near Death Research Foundation 을 설립하여, 전 세계인의 임사 체험 사례를 수집하고 연구하는 웹 사이트(NDERF. org)도 운영한다. 10년간 1,300명의 임사 경험 결과를 "죽음 그 후Evidence of the Afterlife"라는 책으로 출판했고, 롱Long의 연구진은 "임사 체험 척도NDE Scale까지 개발하게 된다.

임사 체험은 의학 발달로 죽음 문턱에서 환자를 살리는 확률이 높아지면서 광범위하게 일어나고 있다. 산소 부족, 과다한 이산화탄소, 측두엽 간질 발작, 약물 효과, 신경호르몬 부조화, 자각몽, 환각, 심리적 필요에 의한 일시적 환상 등의 사례가 의학계에 보고되고 있으나 이런 현상이 모든 사람에게 일어나는 공통 현상이 아니므로 이를 객관적으로 설명하기는 매우 어려운 문제가 되었다.

이러한 임사 체험을 의식이 깨어난 후에 만들어진 환상 정도로 부정하는 학자도 있고, 임사 체험을 기구로는 절대로 측정하지 못하는 의식의 영역이 있다고 주장하기도 한다. 그러나 의학적으로는 분명히 의식이 없다고 진단이 내려진 환자가 "나는 잠시 누워있는 동안에 분명히 주위를 의식했다"는 사례를 해석하는 과정에서 우리가 아직 알지 못하는 뇌 영역이 있다고 주장하기도 하면서 아직은 과학적으로 확인할 수 없는 영역이라고 주장하기도 한다. 여기에 과학적으로 입증하지 못하는 이런 문제들을 사후세계의 간접적인 경험일 수 있다고 주장하는 종교적 입장까지 다양하다.

이처럼 임사 체험의 개념에 대한 정확한 이론적 합의는 이루어지지 않았지만 롱(Long)이 주장하는 임사 체험은 보통 다음과 같은 5가지 체험을 보고하고 있다. 체험 내용을 보면 평화로운 감정(67%), 유체 이탈 감정(37%), 터널로 들어가는 이미지(23%), 매우 밝은 빛의 발견(16%), 빛을 향해 들어가는 경험(10%) 등의 내용으로 구성되어 있다.

유체 이탈에 대한 체험이 임사 체험 중에서 상당히 많은 내용을 포함하고 있다. 수술하기 위해서 전신 마취한 도중이나 심장이 정지된 이후 체험자가 깨어나서 천장에 떠올라 침대에 누워있는 자기의 신체를 내려다보았다거나 수술 옆자리에서 수술하고 있는 자기 모습을 바라보고 있었다는 등등의 경험을 보고하기도 한다. 그런데 이러한 체험은 수술 후 체험한 내용과 수술하는 도중에 체험한 내용과 상당히 일치하고 있어서 단순한 환각적인 체험으로만 설명하기는 어려운 문제들이다.

두 번째로 많이 체험하는 것은 빛에 대한 체험으로, 어두운 터널 안에 떠올라 있는 자신을 깨닫고 빛을 보는 체험을 하게 된다. 이 빛은 죽은 육신의 모습이나 종교적 인물로 나타나기도 한다. 많은 체험자는 이 빛에 감싸여 보호받고 있다는 느낌을 보고한다. 이 빛은 연인이나 가족들로부터 받는 느낌과는 비교가 되지 않을 정도로 강한 애정을 받는 것으로 느껴서, 이러한 느낌을 경험한 이후에는 실제로 정신적으로 상당히 긍정적인 변화를 가져오기도 한다. 예를 들면 알코올 중독자는 더 이상 술을 마시지 않으며, 범법자는 남을 돕는 삶을 선택하고, 무신론자는 종교에 상당히 개방적인 생각을 하고, 임사 체험 후 초능력이 생겼다고 보고하기도 한다. 많은 체험자는 자신에 대해 많은 것을 알고 이해하고 용서하게 되어서 이전보다 더 완벽한 삶과 사랑에 빠지게 되었다고 말하기도 한다.

미국에서 150명의 임사 체험자에 대한 연구에서 가장 큰 변화를 느낀 경험은 빛에 대한 체험이며, 이러한 체험 경험이 풍부할수록 변화의 정도도 그만큼 크다는 연구 결과가 있다. 일부 드문 사례로 체험자 자신보다는 자신이 아닌 타인에게 영향을 주었다는 경우도 있다. 과거 자신이 타인에게 상처를 주었다면 상처받은 그 사람의 처지에서 체험을 경험한다. 이러한 체험을 한 후에는 상처를 준 사람에 대해 더 많은 배려를 하거나 자신의 책임감에 관한 감정이 상당히 긍정적인 쪽으로 변하기도 한다.

세 번째로 많이 경험하는 임사 체험은 인생 미래에 관해 예지하는 것이다. 임사 체험을 하는 중에 보았던 사건이 미래에 그대로 실현되는 미래 예지 현상이 보고되기도 한다. 그러나 이런 현상은 관련이 없는 제3자로부터 객관적으로 확인하기 곤란한 경우가 많다.

이와 같은 죽음에 대한 시각은 동양의 사상가도 서양의 사상가와 크게 다르지 않다. 논어 선진편(先進篇)에 공자(孔子)와 계로(季路=子路)의 문답에 죽음에 대한 문사귀신(門事鬼神) 이야기가 나온다. 계로가 선조의 영혼을 섬기려면 어떤 방법이 좋으냐고 묻는데, 이에 공자는 미능사인(未能事人) 언능사귀(焉能事鬼), 즉 "능히 사람을 섬기지 못하면서 어찌 감히 귀신을 섬기겠느냐"고 말한다. 그러자 감히 한마디 더 여쭙겠습니다. "사람마다 피할 수 없는 죽음이 무엇인지 가르쳐 주시기 바랍니다"라고 묻자, 공자는 미지생(未知生), 언지사(焉知死), 즉 "삶 자체도 모르는데 어찌 죽음을 알겠느냐"고 말한다. 공자의 실천적인 인간학을 엿볼 수 있는 대화로 생(生)의 문제를 알게 되면 따라서 제사(祭祀)의 의미도 이해할 수 있다는 관념적이고 철학적인 해석을 엿 볼 수 있다.

서양과 동양 사상가와 종교는 이처럼 모두 죽음에 대해서 형이상학적 개념으로 설명하지만 분명하게 과학적으로 증명하지는 못하면서 아는 바 없다는 방법으로 회피한다. 다만 현대 의학에서는 신체의 통증이 왔을 때 통증을 완화하여 통증에서 벗어나도록 해주는 호르몬이 분비된다는 사실을 알아냈다. 엔도르핀Endorphin이라는 호르몬인데, 이는 엔도Endo＋모르핀Morphin, 즉 "안에서 분비되는 진통제"라는 일종의 "행복 호르몬"이다.

이 호르몬은 생애에서 가장 고통스러운 생물학적 상황에 대비해서 특히 여성에게 세 번 분비된다고 한다. 첫 번째는 결혼한 첫날밤에 분비되고, 두 번째는 아이를 출산할 때 분비되고, 세 번째는 남녀 모두 세상을 하직할 때 분비된다고 한다. 세 번째로 분비되는 순간은 죽음 직전에 있는 사람이 호흡하기 위해 숨을 들이쉬고 내뱉는 힘이 거의 없어서 심한 고통을 느끼는 순간에 엔도르핀 호르몬 분비가 최고조에 이른다고 한다. 아마도 인생 최고의 마지막 죽음이 일어나는 고통 앞에서 최고의 행복 호르몬을 분비하여 고통을 완화해 주려는 생물학적인 현상이다. 사경을 헤매다가 정신을 차리는 사람들이 천당을 경험했다고 보고하는 경우는 아마도 이런 행복 호르몬에 의한 일시적 환상이나 착각을 보이는 것으로 해석할 수 있다. 인생 최고의 행복감을 느낄 수 있는 순간은 어쩌면 숨을 거두면서 세상을 떠날 때 미련 없이 행복한 마음으로 떠나라는 생태계의 생물학적인 마지막 프로그램일 것이라고 믿어진다.

미시간 대학의 보르지긴Jimo Borjigin 교수팀은 사람들이 숨을 거두는 순간 뇌가 평소보다 훨씬 강력한 전기 회로와 화학물질의 변화를 발견했다는 사실을 미국립과학원회보PNA(2024)에 발표했다. 죽음 직전에 가까스로 살아난 사람들이 가끔 지난 인생이 주마등처럼 스쳐 갔다고 말한다. 과학자들이 이런 현상을 환각이라는 의미로 축소하여 말하지만 사실 환각이 아니라 뇌가 의도한 특정한 현상일 수 있다는 사실을 확인한 것이다.

연구팀은 사망한 환자가 뿜어내는 전자파가 감마파라는 사실을 확인했다. 감마파는 인간이 높은 집중력을 발휘하거나 복잡한 정신적 활동을 수행할 때 뇌에서 감지되는 전자파와 같다. 큰 행복감을 느끼거나 렘REM 수면 상태에서 꿈을 꿀 때도 강력한 감마파가 발생한다.

산소 호흡기를 제거한 후 사망까지 약 500초 동안에 환자 4명 중에서 2명의 뇌에서 50Hz(헤르츠)에 가까운 전자파가 뿜어져 나오는 것을 확인했다. 측두엽, 두정엽, 후두엽이 만나는 부위인 정수리 관자놀이 "후두골 지점TPO Junction"에서 발생하였는데, 이 지점은 기억에 관한 정보를 출력하는 영역이다. 이런 현상은 이미 10년 전(2013년)에 보르지긴이 죽어가는 실험용 쥐의 뇌파에서 측정했던 것과 같은 결과였다.

또한 심장이 멈춘 죽에서 다량의 신경전달물질이 활성화되고 있음도 확인했다. 세로토닌 수치는 60배, 기분을 좋게 만드는 도파민은 40~60배나 증가했고, 집중력을 증가시키는 노르에피네프린은 100배나 증가했다. 살아있는 동물에게는 발견할 수 없는 수치들이다. 사망하면서 평소와는 다른 강력한 뇌파와 화학전달물질이 발산되는데, 앞으로 환상과 같은 임사 체험을 위한 보다 많은 연구가 필요한 결과들이다.

# 탈 종교화 시대에서 당면한 행복의 문제

미국에서 데이비스<sup>Jim Davis</sup> 등(정성묵 옮김) 등이 출판(2023)한 "대규모 탈 교회<sup>The Great Dechurching</sup>"에 의하면 교인들이 1990년 이후 25년 동안 미국 성인의 15%인 4,000만 명이 교회를 떠났다고 한다. 그들이 교회를 떠난 이유는 "기독교 문화는 좋으나 일요일에는 가족끼리 오붓하게 지내고 싶다, 예수님은 믿으나 교회 생활은 귀찮다, 목회자에게 학대당했다, 소외감을 느낀다, 교회나 세상이나 별 차이가 없다"는 것이 신앙생활을 하던 미국인들이 "탈교회"를 꼽는 주된 이유다. 이탈 교인이란 최소 한 달에 한 번씩 교회에 가다가 지금은 1년에 한 번도 가지 않는 사람을 말한다.

교인들의 출석률이 해를 거듭할수록 내리막길을 걷게 되자 문을 닫는 교회 수도 급증했다. 2019년 한 해 동안 세워진 교회는 3,000곳이었지만 같은 해에 문을 닫은 교회는 4,500곳에 달한다. 교회 수가 줄어들면 지역사회 복지 체계에도 악영향을 미칠 것이며 교회에 속한 교단과 헌금 액수도 줄어들어 국내외 선교 기관과 학술 및 신학 관련기관도 어려움을 겪게 된다.

그러나 교회를 떠난 복음주의자 중 51%가 교회에 다시 돌아올

용의가 있다고 응답했다. 이들의 68%는 삼위일체를 믿고, 67%는 그리스도 부활을 믿는다. 교회를 떠났어도 정통 교리는 잊지 않겠다는 것이다. 탈 교인의 38%가 "교회 복귀 조건으로 "친구가 필요하거나 외로우면 교회에 다시 가겠다"고 한다. 그리 좋은 이야기는 아니지만 교회를 친교의 장으로 인식하는 것 같다.

탈 교회 현상은 한국에서도 마찬가지다. 한국갤럽이 1984~2021년 동안의 종교 인구를 조사한 자료에 의하면 "종교 없음"이라는 비율이 2004년에 47%, 2014년에 50%, 2021년에 60%로 늘어나고 있다. 특히 20~30대 종교인구 비율은 30%, 학생들은 20% 정도에 머무르고 있다. 이처럼 종교 인구는 젊은 사람보다 나이 든 사람 중에 많이 집중되고 있는 것이 일반적인 현상이다. 심각한 것은 개신교의 경우 종교 활동에 적극적으로 참여하지 않는 가나안 성도, 천주교의 경우 냉담 교우가 증가한다는 것이고, 더욱 심각한 것은 불교의 경우 출가자가 해마다 줄어들어 역대 최소 기록을 연이어 경신하고 있어서 한국 종교계의 깊은 고민이 시작되고 있다.

세계 인구(2022)는 79억 5,400만 명으로 추산한다. 이 중에서 88.7%인 70억 5,000만 명이 종교가 있다. 기독교가 36.2로 가장 많고, 이슬람교가 28%, 힌두교가 15%, 불교가 8%를 차지하고 있다. 미국의 퓨리서치센터Pew Research Center가 2010년에서 2050년까지의 종교인구 변화 추이를 발표한 "세계 종교의 미래" 보고서에 의하면 2010년 현재 종교인이 84%, 무종교인이 16%로 종교인이 월등히 많다. 그리고 2050년이 되면 종교인이 87%, 무종교가 13%로 종교인구가 조금 더 증가한다고 예측한다. 그런데 종교별로 본다면 이슬람교의 약진이 두드러지고 기독교의 감소가 예상된다는 특이점이 발견된다. 2010년을 기준으로 기독교가 22억 명으로 31%, 이슬람이 16억 명으로 23%를 차지하고 있다. 그런데 2050년이 되면 기독교가 29억 명으로 여전히 31%를, 이슬람은 28억 명으로 30%를 점유하면서 이슬람교가 많이 증가할 것으로 예상한다. 2010년 합계 출산율이 기독교가 2.7명인데, 이슬람은 0.4명이 더 많은 3.1명이라는 것이 가장 큰 요인이다. 그래서 2050년 이후에는 이슬람이 세계 종교계의 다수로 등장할 것으로 예측한다.

한국 갤럽의 통계(2021)에 의하면 종교가 있는 경우가 40%이고, 종교가 없는 무종교인이 60%다. 종교인 중 개신교 17%, 불교 16%, 천주교 6%로 분포되어 있다. 특히 개신교와 천주교는 모든 연령층에 고루 분포되어 있으며 특히 호남지역에서 강세를 보인다. 불교는 고령층에 집중되어 있으며 영남지역에서 강세를 보인다. 종교인 중에는 남성보다는 여성이 많고, 젊은 연령층보다는 고연령층이 많아서 젊은 남성층에는 별로 환영받지 못하고 있는데, 이와 같은 경향은 해가 갈수록 더욱 두드러진다. 20대의 경우 종교인 비율이 2004년 45%, 2014년 31%, 2021년 22%로 격감하고 있다. 30대도 2004년 40%, 2014년 38%, 2021년 30%로 점차 감소하는 추세에 있다. 이와 같은 현상이 나타나는 것이 종교계가 신도의 종교관을 잘못 이해하는 것에 기인하는 것인지, 또는 신도가 종교를 잘못 이해해서 발생하는 것인지 양측 모두 깊이 반성할 필요가 있다. 비종교인이 보는 종교별 호감도를 보면 불교가 20%, 천주교가 13%, 기독교가 6%로 가장 낮다.

사람은 왜 종교를 가지려 하는가? 마음의 안정과 행복을 찾고 영생까지 구할 수 있는 길을 찾으려는 목적이 가장 크다. 종교 이외에는 어떤 학문도 이런 구원의 문제를 해결할 수 없다. 그래서 이런 문제를 종교적 신앙의 힘으로 해답을 찾으려고 한다. 그러므로 종교(宗敎)를 가리켜서 "으뜸(宗)가는 가르침(敎)"이라고 한다.

종교 심리학자 제임스Willam James는 사람이 종교에 몰입하게 되는 요인을 건강형healthy minded과 병적형Sicked minded 등 두 가지로 나누어 설명한다. 건강형은 친구나 부모를 따라 종교계에 입문하는 것과 같이 특별한 문제의식도 없으면서 종교계에 입문하는 형태다. 그러므로 종교를 삶의 일부분이라고 인식한다. 반면에 병적형은 출생 후 죽을 수밖에 없는 유한성에 문제의식을 느끼고 이를 해결하기 위해 종교에 귀의하는 경우다. 그래서 그들의 생사 문제는 삶의 일부분이 아니라 전부를 차지하기 때문에 이런 문제를 해결하지 않고는 삶의 의미가 없다고 생각한다. 이런 유형에 따르면 인류의 위대한 종교는 대부분 병적형에 속한다.

불교는 석가가 왕자로 태어나서 삶을 살다가 성문 밖에 늙고 병들고 죽은 사람과 마주하면서 생로병사라는 현실에서 극심한 고통을 느낀다. 그리고 보리수 아래에서 깨달음을 얻고 이 문제의 답을 얻는다. 이렇게 석가모니 붓다처럼 자기 생사의 문제를 스스로 힘으로 해결하는 것을 자력(自力) 신앙이라고 부른다. 그러므로 불교는 기본적으로 누구 힘에도 의존하지 않는 자력 신앙의 구조를 갖는다. 인간은 본래부터 생사의 문제를 스스로 힘으로 혼자 해결할 능력을 갖추고 있는 것으로 보는 것이 불교의 기본 개념이다.

이와는 달리 기독교에 의하면 인간은 스스로 생사의 문제를 해결할 수 없다고 본다. 지음을 받은 신의 피조물이기 때문에 생사 문제를 해결하는 주체는 인간이 될 수 없고 신(神)만이 해결할 수 있다고 믿는다. 이런 신(神)의 절대적인 힘으로 생사 문제를 해결하는 구조를 타력(他力) 신앙이라고 부른다. 해결 방법이 자력이든 타력이든 인간은 누구든지 출생하고 죽는 유한한 문제를 해결하고 싶어 하는 강한 종교적 욕구를 갖게 된다. 전통적인 타력 신앙에서는 종교적인 욕구를 충족시키고 영생까지도 얻는 것을 "구원"이라고 한다. 반면에 스스로 자기 힘으로 이런 문제를 해결하려는 전통 불교에서는 "깨달음, 열반 혹은 해탈"에 이르는 것이라고 한다.

결국 행복한 마음의 안정을 찾고 생사의 문제에 대한 답을 얻는 과정에서 동양은 우반구 중심의 주관적인 감성을 중심으로 하는 자력을 바탕으로 소원을 빌고, 서양의 기독교는 좌반구 중심의 객관성을 중심으로 하는 절대자 중심의 타력에 호소한다는 차이가 있다. "기도"는 마음으로 바라는 바가 이루어지기를 하느님(하나님)께 간절히 비는 행동이나 의식이다. 기도는 성도와 하느님의 교제 혹은 대화, 인간 영혼이 진정으로 생명을 얻는 영혼의 호흡이며 영혼 전체로 드리는 예배(시 119:164)이다. 영(靈)이신 하느님은 기도를 통해서 인간이 당신을 가까이하려 하며 당신과 대화하며 당신을 알고, 당신의 뜻을 좇아 살기를 원한다(빌 4:6; 살전 5:18; 요일 1:9)는 절실한 의식이다. 이러한 성경 구절로 보아 기도는 철저하게 하느님 중심으로 이루어지는 거룩한 행동이고, 하느님 뜻을 받들어 섬기는 것이고, 언제든 하느님 은혜와 긍휼하심에 힘을 입지 않고는 바른 기도를 드릴 수가 없음을 알 수 있다.

하늘은 스스로 돕는 자들을 돕지 않으며, 오로지 하늘의 뜻대로 인간을 바꾸어 낸다. 하늘은 절대로 인간에게 다스려지고 조종되는 존재가 아니다. 오직 하늘이 인간을 다스리는 것이지 인간이 하늘을 조종하거나 통제할 수는 없다. 하느님은 절대로 성도가 드리는 기도의 양이나 자세나 끈기를 고려해서 기도에 대한 응답을 결정하지는 않는다. 하느님은 성도의 기도를 당신 뜻에 따라 바꾸어내는 분이다. 하느님께 귀찮을 정도로 강청 기도를 드린다고 하느님께서 보좌가 흔들려 마침내 기도에 응답하신다는 그러한 믿음은 하느님을 기껏 사소한 소원을 들어주는 값싼 "해결사"이거나 마음씨 착한 "상담사"로 전락시키려는 불경스러운 해석이 될 수 있다.

한편 불교에서 불공은 거룩하시고 존귀하신 부처님께 정성을 다해 촛불, 향, 꽃, 차, 과일의 공양을 올리는 의식 행위다. 진리이신 부처님을 믿고 따르며, 크시고 높으신 공덕을 찬양하고, 맑고, 기쁜 정갈한 마음으로 부처님 가르침을 배우고 실천함으로써 부처님과 같이 참다운 이치를 깨닫기를 다짐하는 의식이다. 끝도 없이 거룩하신 부처님과 보살님께 내가 바라는 것이 잘 이루어지기를 간절하게 비는 믿음이며, 참되고 올바른 마음으로 성실하게 살겠다고 다짐하는 부처님과의 굳은 실천의 약속이다. 우리 속담에 "지성(至誠)이면 감천(感天)이다"라고 하는 말처럼 정성이 지극하다면 하늘도 감동한다는 뜻으로 무슨 일이든 정성을 다하면 세상에 해내지 못할 일이 없다는 뜻을 의미한다. 가난한 앉은뱅이 지성이와 앞을 못 보는 장님인 감천과의 참 우정에 하늘이 감동한다는 설화에서 유래한 속담이다.

기독교나 불교나 종교적인 힘을 빌려서 자신들의 소원을 바라는 점에서는 같다고 할 수 있지만, 기도와 불공은 서로가 응답하는 방식에서 상당히 다르다. 기독교에서는 기도의 질이나 양에 따라서 응답이 결정되지 않는다. 오히려 전지전능하신 하느님의 절대적인 처분만 기다려야 한다. 즉 기도에 대한 응답 여부는 소원을 기원하는 기도자 중심이라기보다는 냉엄한 판사나 엄격한 아버지와 같이 엄격하면서도 객관적인 하느님 중심으로 결정이 된다.

그러나 불교에서는 치성을 올리려는 신도의 정성에 마지못해 응해 주는 마음이 여리고 부드러운 어머니의 인상과 같이 기도자 중심이 강한 편이다. 기독교가 타율적 성향이 엄한 아버지의 이미지라면, 불교는 자율적인 성향이 강한 착한 어머니라는 이미지이다. 그래서 기독교는 서양적 이미지가 강한 편이고 불교는 동양적 이미지가 강한 편이다. 기독교의 기도나 불교의 불공에 대한 의미를 사회과학적인 의미로 해석하면 철저히 자기를 관리 통제하기 위한 "자기최면" 효과를 노리는 점에서는 유사하다고 하겠다.

종교적 이미지가 서양식이건 동양식이건 신앙이 자기 자녀(신도)가 원하는 것을 부모(절대자)가 무조건 모두 다 해결해 주기를 떼를 쓰는 버릇없는 부모 의존적인 마마보이가 되어서는 안 된다. 자식 스스로가 열심히 목표를 이루려는 구체적인 접근 활동을 왕성하게 펼치는 주체자 역할을 하도록 부모는 오로지 자식이 잘못된 나쁜 길로 가지 않도록 정신적으로 도와주는 지원자나 협력자 또는 상담자의 역할로서 끝내야 한다. 종교 활동 자체를 몸과 마음의 수양과 수련의 장으로 여기고 따뜻한 마음의 협력자 또는 상담자로 가까이하고자 하는 종교관이 필요하다.

어떠한 종교이던 종교 생활을 하는 사람이 종교를 갖지 않은 사람보다도 행복하고 건강하며 정신적인 외상에서도 훨씬 더 잘 회복하는 것으로 보인다. 종교 활동에 적극적으로 참여하고 종교심이 깊을수록 정신적으로 더 건강할 것으로 예측한다. Peacock과 Poloma

(1999)에 따르면 기독교인의 경우 하느님과 얼마나 친밀한 관계를 맺고 있는가 하는 주관적인 인식이 삶의 만족도를 예측하는 중요한 요인이 된다. 특히 나이가 많을수록 종교심과 행복과의 관계는 더 높은 관계를 갖는다. Okun과 Stock(1987)에 의하면 종교심이 노인의 건강을 예측하는 강력한 요인이 된다고 주장한다. 특히 노인들은 사후 삶에 대한 믿음은 현재의 삶에 대한 만족도와 유의미한 상관관계를 갖는다고 주장한다.

종교심의 기준을 종교적인 태도나 신념보다는 종교적인 행동으로 볼 때 종교심과 행복 수준과는 더 높은 상관관계를 갖는다. George 등(2000)에 따르면 종교심과 행복 수준과의 관계를 가장 잘 예측하는 요인은 공식적인 종교 활동의 참여 수준이다. 즉 예배 참석, 기도 등과 같은 공식적인 종교 활동의 참여도가 높을수록 행복 수준도 함께 높아진다. Kirkpatrick과 Shave(1992)에 따르면 하느님을 어떤 존재로 인식하느냐 하는 인식의 문제와 행복 수준과는 관계의 정도가 달라진다. 하느님을 사랑이 많고 관대하며 따뜻한 존재로 인식하는 사람은 행복 수준이 높았다. 그러나 하느님을 엄격하고 처벌적인 두려운 존재로 인식하는 사람은 심리적 스트레스 수준이 높았다(Scheweb & Petersen, 1990).

그러나 종교심과 행복 간의 상관관계를 종합적으로 평가하면 생각한 것보다 관계가 그렇게 높지는 않다. Argyle(1999)에 따르면 종교는 삶의 만족도와는 5~7%, 정서적 안녕과는 2~3%만을 설명하고 있을 뿐이다. 이렇게 종교가 행복에 크게 영향을 미치지 못하는 이유는 무엇인가? 이에 대한 설명 중 한 가지는 종교심에 따라서 행복에 미치는 영향이 다르다는 설명이다.

도나휴Donahue(1985)는 종교심을 내재적 종교심, 외현적 종교심, 무차별적 종교심, 무차별적 무종교심 등 4가지로 나누어서 설명한다. 내재적 종교심은 어떠한 이해관계와 무관하게 인생의 의미와 목적을 추구하기 위해 접근하는 종교적 태도를 말한다. 외현적 종교심은 겉으로는 종교적 활동에 열심히 참여하는 듯 보이나 진정한 종교심은 낮아서 개인의 이익, 심리적 위안, 사교적 활동, 지위 향상 등의 수단으로 접근하는 종교적 태도를 말한다. 무차별적 종교심은 내재적 종교심과 외현적 종교심이 모두 높은 경우를 말하고, 무차별적 무종교심은 두 가지 모두 낮은 경우를 말한다.

네 가지 유형의 종교심 중에서 내재적 종교심만이 심리적 행복과 높은 상관관계를 보이며, 무차별적 종교심은 정신건강과도 무관하다. 종교를 통해 개인적 부귀를 기원하는 기복신앙과 같은 외현적 활동보다는 생로병사와 영생의 문제와 같은 내재적인 문제를 고민하고 해결하고자 하는 내재적 활동이 행복과 더 높은 상관이 있다. 신(神)은 개인의 부귀나 들어주거나 헌금과 같은 돈 몇 푼 보고 넘어가는 하찮은 존재가 아니다. 기독교의 경우 하느님에 대해 인식하는 태도가 행복에 많은 영향을 주어서 하느님을 사랑이 많고 관대하며 따뜻한 상담자의 존재로 인식하는 사람은 행복의 수준이 비교적 높지만(Kirkpatrick & Shaver, 1992), 하느님을 엄격하고 처벌적인 판사와 같은 두려운 존재로 인식하는 사람은 심리적 스트레스가 높다(Scheweb & Petersen, 1990). 하느님을 문제해결 과정의 반려자로 인식하는 사람은 하느님이 문제를 해결해 줄 것으로 생각하는 수동적인 태도를 가진 사람보다 더 정신건강에 긍정적인 영향을 준다.

현대 종교는 세속화와 젊은 층을 중심으로 한 종교에 대한 무관심 등 종교 자체의 존립을 위협받고 있다며 종교가 개인과 공동체에 행복을 제공하지 못한다면 탈 종교 현상은 한층 가속화될 것이라면서 자성하고 있다. 이제 과학기술의 시대에서 각 종교가 왜 대화해야 하고 인류 문명의 미래와 종교의 운명에 관해 각 종교에서는 인류 공통의 행복을 위한 다양한 종교의 역할과 가치에 대해 논의하는 과정에서 종교의 역할이 여전히 중요하게 될 것이며 종교가 의미 있는 미래를 적극적으로 개척해 나가야 한다. 다시 말하면 종교가 대중화되고 사회를 주도해나가기 위해서 종교가 인류의 행복을 이끄는 보편적인 방법을 제시해야 할 필요가 있고, 이러한 문제를 해결하기 위해 종교 간의 적극적인 대화가 필요하다. 종파별 집단적 이기주의적 개념에서 벗어나 종교 간의 대화를 통해 종교의 정체성에 대한 근원적인 질문이 이루어져야 탈 종교화 시대에서 종교가 공동체의 행복을 달성하는 촉매제가 될 수 있을 것이다.

한국 사회에서는 종교의 기복(祈福)적인 성향이 지나치게 강해서 종교를 통한 보상심리, 즉 종교 생활을 열심히 했으므로 당연히 복(福) 받을 것이라고 믿는 기대심리가 작용하는 경향이 너무나 크다. 하지만 이러한 심리는 사실 정통종교의 본질과는 거리가 멀다. 제대로 된 정통종교일수록 수양과 소명을 중시하여 더욱 배려하고, 기여하고, 봉사하며, 절제하고, 희생하며 노력하는 삶을 강조해야 한다. 이러한 참된 종교 활동을 통해 더 높은 가치 실현에 대한 희열을 얻어 동물이 아닌 인간으로서 진정한 행복감을 성취할 수도 있도록 종교가 도와야 한다.

사람도 동·식물처럼 태어나서 주어진 생명을 다할 때까지 생식본능과 생존본능을 위해서 살아가는 생명체다. 그래서 원시시대부터 인간은 동·식물처럼 생식과 생존이라는 원초적 본능을 위해서 열심히 살아왔다. 그러나 인간은 고등동물인 사회적 동물이므로 이러한 원초적 본능은 물론 여기에 이웃과의 관계를 통한 정신적인 행복과 웰빙Well-Being이라는 또 다른 삶을 위하여 살아야 한다. 관계를 통한 정신적 행복과 웰빙이란 내면의 즐거움, 마음의 평화, 행복한 사회적 관계, 가치 있는 삶과 같은 정신적인 행복감을 느끼면서 살아가는 방식이다.

따라서 사람은 태어나면서부터 유아기와 청소년기를 거치면서 그러한 삶을 살기 위해서 더 좋은 자아관과 가치관을 형성하며 모든 사람과 "좋은 관계"를 맺으며 살도록 훈련받아서 성인기 이후에는 실제로 그런 좋은 관계를 통하여 "행복하고 가치 있는 삶"을 실천하며 살아야 한다.

서양권은 개인주의 가치관으로 그러한 삶의 목표를 이루며 살아왔고, 동양권은 집단주의 가치관으로 그러한 삶을 위해 살아왔다. 그런데 집단주의 가치관으로 살아왔던 우리는 해방되면서 서양권의 가치관으로 바꾸어 살게 되었다. 그러한 결과 50대 이전의 젊은 세대는 개인주의를 삶의 주요 가치관으로 살면서, 70~80대 부모와 심각한 가치관 차이로 혼란을 겪고 있다. 그런데 50대 세대들은 개인주의라는 내용을 잘못 이해해서 가족이나 이웃과의 관계까지에도 무관심하며 혼자만 자유롭게 사는 것이 개인주의인 것처럼 오해하며 살아가고 있다.

사실 개인주의를 신봉하는 서양권의 행복 국가는 인간이 사회적 동물이라는 규칙에서 벗어나지 않고 살아간다. 그들은 가족과 이웃과의 관계는 물론이고 사람들은 모두 평등하다는 수평적 원칙을 철저히 수용하면서 항상 가족이나 이웃과의 화목한 좋은 관계를 유지하면서 즐겁게 살아간다. 가족이나 이웃과 동료와의 관계에서 아무리 작은 일이라도 항상 진심으로 함께 축하하는 "좋은 관계"의 기회를 만들면서 사회적 동물이라는 관계성의 중요성을 잊지 않고 살아간다.

그러나 개인주의 가치로 살아가는 젊은 세대는 이웃, 동료는 물론 가족까지도 공식적이고 형식적인 관계와 비공식적인 관계도 맺지 않으려 한다. 가족도 부부와 자녀와의 관계만을 유지하려는 극단적인 개인주의 가치관을 선호하여 전통적인 확대가족 제도는 크게 무너졌으며 이웃이나 동료와의 인간관계도 상당히 약해졌다. 그래서 70~80대 노인은 이미 OECD 국가 중에서 가장 외롭고 고독한 집단으로 전락했으며 젊은 세대들도 잘못된 개인주의로 고독하고 외로운 심리적 외톨이 환자가 되어 전문기관을 찾기 시작하는 사회적 문제가 되었다. 이러한 모든 문제는 개인주의를 잘못 이해하여 인간이 사회적 동물이라는 대전제를 망각한 결과에서 초래한 당연한 결과라고 해석된다.

결국 사람은 사회적 동물로서 절대로 혼자서는 살아갈 수가 없다. 나와의 관계, 인간과의 관계, 환경과의 관계, 하늘과의 관계를 풍성하고 긍정적으로 좋은 관계를 맺어가며 가치 있는 일도 하면서 살아야 행복한 삶을 살아갈 수 있다.

사람의 삶을 흔히 개미와 베짱이로 비유하여 설명한다. 개미는 사시사철 열심히 일하면서 겨울을 준비하지만 이와는 반대로 베짱이는 노래만 부르면서 세월을 보내다가 추운 겨울을 만나 개미에게 도움을 청하는 불쌍한 신세가 된다. 이탈리아의 경제사회학자 파레토Pareto의 연구에 의하면 개미사회도 모두가 열심히 일하는 것은 아니며 그들도 20%만 동료와 이웃을 위한 이타행동을 하면서 살아가고 있으며, 80%는 자신과 자녀만을 위하여 이기적으로 살아간다고 한다. 이처럼 20%만 사회를 위하여 열심히 일하고, 80%는 자신과 가족만을 위해서 살아가는 행위를 "2080 법칙"이라고 부르는데, 이런 법칙은 개미 이외의 다른 동물과 인간에게도 적용되는 "일반적인 법칙"이라는 사실도 알게 되었다.

결국 사람도 태어나서 삶을 다할 때까지 기본적으로 자신의 생식본능과 생존본능을 위해서 이기적인 가치관으로 살아가는 사람이 80%는 된다고 이해된다. 그런데 이웃과 국가와 사회에 좋은 관계를 유지하면서 헌신하는 20%의 지도자까지도 이러한 80%의 대중에 속해서 이기적 권력에 집중하고 평생을 먹고 놀고 마시고 노래하고 거짓말하는 태도로 살아가는 사회적 분위기를 조성한다면 그런 국가의 미래는 희망이 없다.

돈과 출세에만 집착하는 부귀영화 가치관에 취한 부모는 자녀들을 가치 있는 성숙한 인간으로 키우려는 생각보다는 돈과 권력에만 집착하는 욕심에 빠져서 자녀를 치열한 교육 경쟁의 장으로 내몰고, 사회도 역시 이러한 분위기에 동조한다면 국가의 미래는 어렵게 된다. 얼마 전에 내 아이는 왕족의 DNA가 있으니 선생도 알아서 잘 대하라고 했던 학부모가 우리나라 교육을 총괄하는 교육부 직원이라니 충격이 아닐 수 없다. 개인주의에 취한 국민은 모두 자기가 최고이고 자기는 마음대로 자유롭게 행동해도 괜찮다는 도덕 불감증에 빠져서 사회를 온통 난장판 장마당 터로 바꿔 놓았다. 국민의 의식 수준은 마약에 취한 주정뱅이로 희망도 미래도 보이지 않는 4류 국민이 된 듯하다.

그러나 인류는 수백만 년 동안 좋은 방향으로 진화했고 앞으로도 그렇게 진화할 것이라고 믿는 것은 우리가 "좋은 관계"를 맺으면서 계속 "가치 있는 삶"을 살아왔던 20%의 사람이 있다는 믿음이 있기 때문이다. 그런데 이렇게 계속 20%의 가치 있는 사람이 이어지기 위해서는 지식(知識) 중심의 교육에서 벗어나 좋은 관계를 맺으며 가치 있는 삶을 살아갈 수 있는 "공존지수NQ: Network Quotient(共存指數)"가 높은 양질의 인간성을 교육해야 한다. 곡식에 좋은 거름을 주어야 잘 클 수 있는 것처럼 부모와 사회가 모두 좋은 인간성과 윤리의식을 가르치는데 게을리해서는 안 된다. 그러나 아쉽게도 지금 그런 교육을 학교라는 공식조직에서는 배울 수가 없어서 부모의 가정교육에서만 배우는 시대가 되었다. 이제 어느 때보다도 부모의 가정교육 역할이 중요해졌다.

결론적으로 말하면 인간이 후회 없이 행복하게 20%에 속하는 사람으로 살아가기 위해서 가장 먼저 해야 할 일은 성숙한 인격을 전제로 한 "좋은 관계"를 맺고 "가치 있는 일"을 하도록 교육하는 일이다. 그리고 좋은 관계를 맺어야 하는 가장 기본적인 대상은 바로 나 자신부터이고, 다음으로 가족과 이웃이고, 환경이고, 하늘에까지 확대된다. 그리고 그러한 좋은 관계를 맺기 위해서는 무엇보다도 그런 대상과 공감(共感)하는 마음이 필요하다. 공감하기 위한 기본적인 첫 단계는 그 대상을 지적 수준에서 이해하고, 다음에는 반드시 감성적으로 함께하는 공감 단계로 넘어가야 한다.

태어나서 성장하면서 사춘기까지 좋은 관계 맺기에 별로 관심이 없으면 그것은 유전적 요인과 부모가 가르치는 가정교육의 책임이라고 하겠지만, 성인기에도 계속해서 그런 가치관을 가지고 산다면 그것은 전적으로 자신을 바꾸지 못한 자신의 책임이다. 언제 어디에서 누구와도 잘 어울리며 끊임없이 공감하는 "좋은 관계"를 통해서 작게는 가족관계와 사회와 국가를 위해서, 크게는 내가 사는 지구 환경과 인류 진화의 밝은 미래를 위해서 가치 있는 일을 해야 한다.

내가 자신과의 관계, 사람과의 관계, 자연과의 관계, 하늘과의 관계를 얼마나 가치 있게 긍정적으로 맺으며 살았는지는 내가 이 세상을 하직할 때 과연 몇 명이, 산천초목이, 그리고 하늘이 얼마나 하직을 아쉬워하고 섭섭할지를 기준으로 내 삶의 진정한 가치를 평가하게 될 것이다.